# Les recettes secrètes de nos mères

## 200 mets réconfortants qui nous rappellent notre enfance

# COUP de POUCE

# Les recettes secrètes de nos mères

## 200 mets réconfortants qui nous rappellent notre enfance

Les Éditions Transcontinental

# Un pont
# entre les générations

Rien ne change jamais vraiment. De tout temps, les mamans ont pris plaisir à gâter leurs petits en cuisinant leur repas favori ou en portant une attention particulière à la présentation d'une collation. Et de tout temps, les petits ventres affamés se sont rués sur la bonne sauce à spaghetti de maman, sur son rôti du dimanche cuit longuement ou sur sa tarte aux pommes tout juste sortie du four. Le plaisir de la bonne chère et ses corollaires – le partage, la chaleur, l'esprit de famille – ne datent pas d'hier.

D'une époque à une autre, les petits plats ont changé, évoluant et se modelant aux influences d'ailleurs et aux nouveautés locales. Mais toujours est resté chez les mamans ce plaisir d'offrir, de chérir, de faire sourire ceux qui leur sont chers, leurs enfants en tête de liste. Bien sûr, les années passent, les enfants deviennent grands, et leur quête des saveurs d'autrefois teinte leur recherche d'ingrédients nouveaux et inusités. Aujourd'hui, il n'est plus étonnant d'intégrer de la cardamome à une recette de pouding au riz, des lentilles à un pâté chinois ou du cari à notre poulet rôti. Mais pour déconstruire avec goût, il est essentiel d'avoir construit au départ. Il faut comprendre et maîtriser une certaine base culinaire, à partir de laquelle toutes les variations seront permises.

C'est dans cet esprit que ce bouquin est appelé à devenir un allié inestimable dans votre cuisine. Riche de quelque 200 recettes, il remonte le fil de notre histoire gastronomique et met en valeur notre patrimoine culinaire sur une note intimiste et réconfortante. On est bien loin du manuel d'histoire, au coeur d'un répertoire foisonnant de recettes aux accents d'autrefois qui vous fera plonger illico dans vos souvenirs d'enfance et vous donnera envie d'en mijoter pour vos petits. À sa manière, *Coup de pouce* jette un pont entre les générations.

*Mélanie*

Mélanie Thivierge
Rédactrice en chef de la bannière *Coup de pouce*

# Sommaire

200 recettes tirées de
nos plus beaux souvenirs
d'enfance, assorties d'anecdotes
éclairantes sur les multiples
influences qui ont agrémenté
notre cuisine familiale au fil
des décennies et de confidences
gourmandes de personnalités
et de lecteurs et lectrices.

# Une mine d'or de beaux souvenirs!

Préparer un livre de cuisine inspiré des recettes de nos mères, grands-mères et aïeules représente un défi à la fois amusant et stimulant parce qu'il s'agit d'inventorier des centaines de recettes, de chercher dans des livres anciens, d'interviewer des grands-mamans sur leurs propres souvenirs d'enfance, puis de trier toute cette information afin de la rendre intelligible. Il faut aussi s'assurer d'avoir des recettes vraiment représentatives de l'évolution de cette cuisine familiale au fil des décennies, car l'expression «cuisine de nos mères» recouvre évidemment des réalités changeantes et diverses selon nos origines, notre âge et l'histoire de notre famille: pour mon petit-fils de sept ans, il s'agit de la pizza croustillante aux olives de sa maman; pour mon ami Cherkaoui, c'est le couscous de sa grand-mère marocaine; et pour mon papa, c'était la graisse de rôti de porc et la tarte aux raisins de sa mère.

Curieusement, la création de ce livre s'est révélée une expérience très touchante. En commençant ce projet, je n'aurais pas cru retrouver chez nos lectrices – nous en avons interviewé plusieurs – un attachement si grand à cette cuisine des racines ni être aussi émue par leurs témoignages et ceux de personnalités pour qui la cuisine représente un mode de vie et une passion conjugués au quotidien.

## Des témoignages éloquents

Ainsi, une jeune enseignante nous confie le plaisir qu'elle trouve à téléphoner à sa grand-maman chaque fois qu'elle souhaite cuisiner l'osso buco ou la soupe aux légumes que sa mamie lui préparait lorsqu'elle était petite, car c'est pour elle un prétexte à piquer une jasette avec elle, plaisir qu'elle perdrait si elle notait ses recettes une fois pour toutes... Pendant que le fondateur de la Tablée des Chefs, Jean-François Archambault, nous enveloppe dans le souvenir des merveilleux arômes du pâté chinois maternel qui l'attendait après l'école, un autre papa nous révèle l'importance de rendre hommage à sa mère aujourd'hui disparue en cuisinant chaque Noël ses spécialités avec ses petits lutins. Et que dire de cette femme de carrière mère de deux grandes filles qui, adolescente, préparait du sucre à la crème pour sa maman afin de la consoler de l'absence de son militaire de mari? Des émotions à ras bords...

Aussi, Josée di Stasio nous raconte le précieux bagage biculturel que lui ont légué ses deux grands-mères, l'une québécoise et l'autre italienne; le chef Jean-Luc Boulay décrit les arômes qui flottaient dans la cuisine familiale lorsque sa maman cuisait les tomates du jardin familial farcies à la saucisse ou la tarte normande aux pommes; l'auteure et épicurienne Chrystine Brouillet se remémore pour nous les tartes de sa grand-mère Èva et du grand jardin de sa mère, à Québec.

Aucun doute: la cuisine familiale nous permet de toucher aux souvenirs heureux, à l'enfance, à notre identité aussi. Dans ce livre, nous avons réuni des témoignages et des souvenirs, en plus de 200 recettes tout imbibées de souvenirs heureux. Certaines sont très anciennes et très connues, comme la tarte à la ferlouche, le ragoût de pattes et de boulettes, le pot-au-feu, le rôti de porc à l'ail, les fèves au lard, le gâteau blanc au lait chaud; d'autres sont le reflet d'une cuisine familiale plus récente, parfois influencée par les saveurs venues d'ailleurs: spaghettis aux boulettes de viande, soupe à l'oignon gratinée, oeufs farcis classiques, pain de viande, tarte au citron meringuée.

## Bien plus qu'un recueil: un véritable guide

Pour renforcer ce lien avec la cuisine de nos mères et de nos grands-mères tout en l'ancrant dans ses différentes influences, nous nous sommes amusées à vous raconter des histoires: l'influence anglaise sur une foule de plats; la manière dont nos aïeules s'organisaient pour vaquer aux soins du ménage et des enfants tout en préparant des centaines de réserves de petits pots durant la belle saison; l'origine du gâteau des anges; les façons d'adapter certaines recettes anciennes à nos préoccupations santé, à l'évolution de nos goûts et à notre manque de temps.

Bref, nous avons voulu créer un authentique guide de cette cuisine empirique qui a su traverser les époques, nourrir généreusement les familles et procurer du plaisir à plusieurs générations de gourmands. Une cuisine simple, économique, savoureuse, souvent axée sur les saisons et les produits locaux.

Pour rendre la consultation aussi aisée que possible, nous avons divisé ce guide en 12 sections pratiques, des amuse-gueule aux desserts. Vous trouverez un court sommaire des recettes présentées au début de chaque section, en plus de l'index complet en fin de livre.

Comme dirait une des grands-mamans que nous avons interviewées: «Vous nous en donnerez des nouvelles!»

Anne-Louise Desjardins
Coordonnatrice de la rédaction

Amuse-gueule, entrées
et plats d'accompagnement

# Le premier service du repas d'hier à aujourd'hui

Dans la cuisine familiale de nos mères et de nos grands-mères, on sautait souvent le premier service du repas par souci de gagner du temps et d'économiser. On préférait servir une assiette bien garnie de légumes, de pommes de terre, de pain et de beurre plutôt que s'embarrasser de mettre les petits plats dans les grands. Deux exceptions: la soupe et la salade de crudités ou de laitue à la crème et à la ciboulette, servie en saison. Il faudra attendre le début des années 1960 et l'influence européenne pour que le repas soit plus souvent agrémenté d'entrées et d'amuse-gueule, qu'on réservait à la «visite», aux repas de fête ou aux occasions spéciales.

# Oeufs farcis classiques

DONNE 12 BOUCHÉES • PRÉPARATION: 25 MIN • CUISSON: 15 MIN

| | | |
|---|---|---|
| 6 | oeufs | 6 |
| 1/4 t | mayonnaise ou sauce à salade (de type Miracle Whip) | 60 ml |
| 1 c. à thé | moutarde jaune | 5 ml |
| 1 c. à thé | vinaigre | 5 ml |
| | paprika ou persil frais (facultatif) | |
| | sel et poivre noir du moulin | |

1　Mettre les oeufs côte à côte dans une grande casserole. Ajouter suffisamment d'eau froide pour les couvrir d'au moins 1 po (2,5 cm). Porter à ébullition à feu vif (l'eau doit bouillir fortement). Retirer la casserole du feu, couvrir et laisser reposer pendant 15 minutes. Égoutter.

2　Passer les oeufs sous l'eau froide ou les mettre dans un bol d'eau glacée jusqu'à ce qu'ils soient assez froids pour se manipuler facilement. Égoutter et écaler. Couper les oeufs refroidis en deux sur la longueur. Retirer les jaunes et les mettre dans un petit bol. Réserver les blancs.

3　À l'aide d'une fourchette, écraser les jaunes d'oeufs. Ajouter la mayonnaise, la moutarde et le vinaigre et bien mélanger. Saler et poivrer. Mettre le mélange de jaunes d'oeufs dans une poche à douille munie d'un embout étoilé et le presser dans les blancs d'oeufs réservés (ou encore, à l'aide d'une petite cuillère, farcir les blancs d'oeufs du mélange de jaunes d'oeufs). Couvrir et réfrigérer jusqu'au moment de servir. (Vous pouvez préparer les oeufs farcis à l'avance et les couvrir d'une pellicule de plastique. Ils se conserveront jusqu'au lendemain au réfrigérateur.)

4　Au moment de servir, parsemer les oeufs farcis de paprika, si désiré.

## VARIANTES

### Aux crevettes

Remplacer le vinaigre par du jus de citron. Incorporer 1/4 t (60 ml) de crevettes cuites, hachées, et 1 c. à thé (5 ml) de thym frais, haché, au mélange de jaunes d'oeufs. Garnir les oeufs farcis de concombre haché finement et de thym frais.

### Au bacon et au basilic

Incorporer 2 tranches de bacon cuit et émietté, 2 c. à tab (30 ml) de tomate épépinée et hachée et 1 c. à tab (15 ml) de basilic frais, haché, au mélange de jaunes d'oeufs. Garnir les oeufs farcis de tomate hachée, de bacon cuit et émietté et de basilic frais.

### Au poivron rouge

Remplacer la mayonnaise par de la sauce à salade (de type Ranch). Incorporer 1/4 t (60 ml) de poivron rouge haché finement au mélange de jaunes d'oeufs. Garnir les oeufs farcis de poivron rouge haché finement et d'oignon vert coupé en tranches.

### Au thon

Remplacer le vinaigre par du jus de citron et incorporer 1/4 t (60 ml) de thon en boîte, égoutté et défait en flocons, et 1 c. à tab (15 ml) de relish au mélange de jaunes d'oeufs. Garnir les oeufs farcis de persil italien frais, haché.

---

#### Les oeufs farcis: des indémodables

S'il y a un élément du buffet qui a su traverser les époques sans prendre une ride, ce sont bien les oeufs farcis, déjà fort appréciés dans la Rome antique. Les Américains les appellent oeufs à la diable, les Français oeufs mimosa et les Russes oeufs à la russe (garnis de caviar ou de macédoine de légumes), tandis que les Marocains les farcissent de thon. Chez nous, dès les années 1920, les jeunes filles qui apprenaient à cuisiner avec les soeurs de la Congrégation de Notre-Dame découvraient comment épater leurs convives avec des «oeufs myosotis» farcis de chair de homard.

---

PAR BOUCHÉE: cal.: 72; prot.: 3 g; m.g.: 6 g (1 g sat.); chol.: 109 mg; gluc.: aucun; fibres: aucune; sodium: 62 mg.

# Crevettes pochées

DONNE ENVIRON 20 CREVETTES • PRÉPARATION: 15 MIN • CUISSON: 17 À 18 MIN

| | | |
|---|---|---|
| 4 t | eau | 1 L |
| 1 | oignon coupé en tranches | 1 |
| 1/2 | citron coupé en tranches | 1/2 |
| 2 | feuilles de laurier | 2 |
| 3 | brins de persil frais | 3 |
| 1 c. à tab | graines de coriandre | 15 ml |
| 1 c. à thé | grains de poivre | 5 ml |
| 1/2 c. à thé | sel | 2 ml |
| 1 lb | grosses crevettes, fraîches ou surgelées, décongelées, décortiquées et déveinées | 500 g |
| | sauce cocktail classique ou sauce cocktail piquante (voir recettes) | |

1  Dans une casserole, porter l'eau à ébullition. Ajouter l'oignon, le citron, les feuilles de laurier, le persil, les graines de coriandre, les grains de poivre et le sel. Réduire le feu, couvrir et laisser mijoter pendant 15 minutes. Dans une passoire placée sur une casserole propre, filtrer le bouillon. Porter à ébullition à feu vif. Ajouter les crevettes et cuire de 2 à 3 minutes ou jusqu'à ce qu'elles soient rosées et opaques. Égoutter et laisser refroidir. (Vous pouvez préparer les crevettes à l'avance, les laisser refroidir et les mettre dans un contenant hermétique. Elles se conserveront jusqu'au lendemain au réfrigérateur.) Servir les crevettes accompagnées des sauces cocktail.

## Sauce cocktail piquante

DONNE ENVIRON 3/4 T (180 ML)

*Les piments chipotle sont en fait des piments jalapeño fumés présentés dans une sauce adobo. Ils sont vendus en boîte dans les épiceries latino-américaines et dans certains supermarchés, au rayon des produits mexicains.*

| | | |
|---|---|---|
| 1/2 t | sauce chili | 125 ml |
| 2 c. à tab | coriandre fraîche, hachée finement ou | 30 ml |
| 1/4 c. à thé | origan séché | 1 ml |
| 1/4 c. à thé | zeste de lime râpé | 1 ml |
| 2 c. à tab | jus de lime fraîchement pressé | 30 ml |
| 1 c. à tab | sauce adobo | 15 ml |
| 1 | piment chipotle épépiné et haché finement | 1 |
| 1/2 c. à thé | cumin moulu | 2 ml |

1  Dans un bol, mélanger tous les ingrédients. (Vous pouvez préparer la sauce à l'avance et la couvrir. Elle se conservera jusqu'au lendemain au réfrigérateur.)

## Sauce cocktail classique

DONNE ENVIRON 3/4 T (180 ML)

| | | |
|---|---|---|
| 1/2 t | sauce chili | 125 ml |
| 2 c. à tab | jus de citron fraîchement pressé | 30 ml |
| 2 c. à tab | raifort en crème | 30 ml |
| 2 c. à thé | sauce Worcestershire | 10 ml |
| 1/4 c. à thé | sauce tabasco | 1 ml |

1  Dans un bol, mélanger tous les ingrédients. (Vous pouvez préparer la sauce à l'avance et la couvrir. Elle se conservera jusqu'au lendemain au réfrigérateur.)

PAR CREVETTE (avec 1 c. à tab/15 ml de sauce): cal.: 22; prot.: 4 g; m.g.: traces (aucun sat.); chol.: 10 mg; gluc.: 1 g; fibres: traces; sodium: 182 mg.

# Tartinade à la truite fumée

DONNE ENVIRON 2 1/2 T (625 ML) • PRÉPARATION: 10 MIN • CUISSON: AUCUNE

| | | |
|---|---|---|
| 10 oz | truite (ou saumon) fumée | 300 g |
| 4 oz | fromage à la crème léger, ramolli | 125 g |
| 3 c. à tab | mayonnaise légère | 45 ml |
| 1 c. à tab | raifort en crème | 15 ml |
| 2 c. à thé | jus de citron | 10 ml |
| 1 | pincée de sel | 1 |
| 1 | pincée de piment de Cayenne | 1 |
| 1/4 t | oignons verts hachés finement | 60 ml |

1    Au robot culinaire ou au mélangeur, mélanger la truite, le fromage à la crème, la mayonnaise, le raifort, le jus de citron, le sel et le piment de Cayenne. Réserver 2 c. à thé (10 ml) des oignons verts pour la garniture. Ajouter le reste des oignons verts à la préparation de truite et mélanger jusqu'à ce qu'elle soit homogène, sans plus. (Vous pouvez préparer la tartinade à l'avance et la mettre dans un contenant hermétique. Elle se conservera jusqu'à 2 jours au réfrigérateur.) Au moment de servir, parsemer des oignons verts réservés.

## VARIANTE

### Tartinade au homard

Remplacer la truite par la même quantité de chair de homard hachée. Remplacer le raifort par quelques gouttes de sauce piquante et le jus de citron par du jus de lime. Parfumer avec 3 c. à tab (45 ml) de coriandre fraîche hachée.

PAR PORTION de 2 c. à tab (30 ml): cal.: 48; prot.: 5 g; m.g.: 3 g (1 g sat.); chol.: 16 mg; gluc.: 1 g; fibres: aucune; sodium: 344 mg.

# Ailes de poulet piquantes, sauce à l'ail

DONNE DE 25 À 30 AILES DE POULET • PRÉPARATION: 10 MIN
TEMPS DE MARINADE: 2 À 24 H • CUISSON: 37 À 39 MIN

| | | |
|---|---|---|
| 2 c. à tab | sauce soja | 30 ml |
| 1 c. à tab | graines de sésame | 15 ml |
| 1 c. à tab | gingembre frais, pelé et râpé | 15 ml |
| 1 c. à tab | huile de sésame | 15 ml |
| 1 1/2 c. à thé | sucre | 7 ml |
| 1/2 c. à thé | poivre noir du moulin | 2 ml |
| 1 | pincée de piment de Cayenne | 1 |
| 2 | gousses d'ail hachées finement | 2 |
| 2 lb | ailes de poulet, les bouts coupés | 1 kg |
| | sauce à l'ail (voir recette) | |

1  Dans un grand bol, mélanger la sauce soja, les graines de sésame, le gingembre, l'huile, le sucre, le poivre, le piment de Cayenne et l'ail. Ajouter les ailes de poulet et mélanger pour bien les enrober. Couvrir et laisser mariner au réfrigérateur pendant au moins 2 heures. (Vous pouvez préparer les ailes de poulet jusqu'à cette étape et les couvrir. Elles se conserveront jusqu'au lendemain au réfrigérateur.)

2  Étaler les ailes de poulet sur une plaque de cuisson munie de rebords tapissée de papier d'aluminium. Cuire au four préchauffé à 400°F (200°C) pendant 20 minutes. Retourner les ailes de poulet et poursuivre la cuisson pendant environ 15 minutes ou jusqu'à ce que le jus qui s'écoule des ailes lorsqu'on les pique avec une fourchette soit clair. Poursuivre la cuisson sous le gril préchauffé du four de 1 à 2 minutes de chaque côté ou jusqu'à ce qu'elles soient dorées et croustillantes. Servir les ailes de poulet accompagnées de la sauce à l'ail.

## Sauce à l'ail

DONNE ENVIRON 1/4 T (60 ML)

| | | |
|---|---|---|
| 2 c. à tab | oignons verts hachés finement | 30 ml |
| 4 c. à thé | sauce soja | 20 ml |
| 1 c. à tab | vinaigre de riz | 15 ml |
| 1/2 c. à thé | huile de sésame | 2 ml |
| 2 | gousses d'ail hachées finement | 2 |
| 1/2 c. à thé | sucre | 2 ml |
| 1/4 c. à thé | flocons de piment fort | 1 ml |

1  Dans un bol, mélanger tous les ingrédients. (Vous pouvez préparer la sauce à l'ail à l'avance et la couvrir. Elle se conservera jusqu'au lendemain au réfrigérateur.)

PAR AILE DE POULET (avec 1 c. à thé/5 ml de sauce): cal.: 48; prot: 3 g; m.g.: 3 g (1 g sat.); chol.: 11 mg; gluc.: 2 g; fibres: aucune; sodium: 180 mg.

# Soufflé au fromage facile

4 PORTIONS • PRÉPARATION: 15 MIN • CUISSON: 30 MIN

| | | |
|---|---|---|
| 8 | oeufs, les jaunes et les blancs séparés | 8 |
| 1 t | lait | 250 ml |
| 1/4 t | persil frais, haché | 60 ml |
| 3 c. à tab | farine | 45 ml |
| 1/4 c. à thé | sel | 1 ml |
| 1/4 c. à thé | poivre du moulin | 1 ml |
| 1 | pincée de muscade | 1 |
| 1 t | fromage suisse ou cheddar râpé | 250 ml |
| 1/4 t | jambon cuit coupé en dés (facultatif) | 60 ml |

1  Dans un grand bol, à l'aide d'un fouet, mélanger les jaunes d'oeufs, le lait, le persil, la farine, le sel, le poivre et la muscade. Incorporer le fromage et le jambon, si désiré. Réserver.

2  Dans un autre bol, à l'aide d'un batteur électrique, battre les blancs d'oeufs jusqu'à ce qu'ils forment des pics fermes. À l'aide du fouet, incorporer le tiers des blancs d'oeufs battus au mélange de jaunes d'oeufs réservé. Incorporer le reste des blancs d'oeufs de la même manière. Verser la préparation dans un plat en verre rond de 8 po (20 cm) de diamètre. Cuire au four préchauffé à 400°F (200°C) pendant environ 30 minutes ou jusqu'à ce que le soufflé soit gonflé, bien doré et ferme sous une légère pression du doigt. Servir aussitôt.

PAR PORTION: cal.: 301; prot.: 22 g; m.g.: 19 g (9 g sat.); chol.: 402 mg; gluc.: 10 g; fibres: traces; sodium: 344 mg.

# Avocats farcis aux crevettes

4 PORTIONS • PRÉPARATION: 20 MIN • RÉFRIGÉRATION: 30 MIN • CUISSON: AUCUNE

| | | |
|---|---|---|
| 2 | avocats mûrs coupés en deux | 2 |
| 2 c. à tab | jus de citron | 30 ml |
| 1 t | petites crevettes cuites | 250 ml |
| 1 | branche de céleri hachée finement | 1 |
| 2 c. à tab | câpres | 30 ml |
| 2 | oignons verts hachés | 2 |
| 3 c. à tab | mayonnaise | 45 ml |
| 1/2 c. à thé | sel (environ) | 2 ml |
| 1/4 c. à thé | poivre noir du moulin (environ) | 1 ml |
| 2 t | verdures miniatures | 500 ml |

1  Mettre les avocats dans un bol et les arroser du jus de citron. Saler et poivrer. Réserver. Dans un autre bol, mélanger les crevettes, le céleri, les câpres, les oignons verts, la mayonnaise, le sel et le poivre. Ajouter le jus de citron ayant servi aux avocats et mélanger délicatement.

2  Farcir les avocats réservés de la garniture aux crevettes et réfrigérer pendant 30 minutes. Servir sur les verdures.

## Nostalgie

Dans les années 1960, ma mère, mes tantes et leurs amies avaient appris, grâce aux cours de cuisine du professeur Henri Bernard, que le nec plus ultra consistait à recevoir en servant un repas composé de plusieurs services, comme en France. Fébriles, elles s'étaient mises en quête de recettes d'entrées. En feuilletant *L'encyclopédie de la cuisine canadienne* de Jehane Benoît, ma mère avait été séduite par la ravissante «poire-avocat». Elle en a fait une entrée simple et élégante en s'inspirant de la traditionnelle tomate farcie aux crevettes de Matane. Une star venait de naître dans notre famille, et nous continuons de l'apprécier encore aujourd'hui.

*Danielle Desjardins, née dans les années 1950*

PAR PORTION: cal.: 239; prot.: 9 g; m.g.: 20 g (3 g sat.); chol.: 69 mg; gluc.: 12 g; fibres: 4 g; sodium: 571 mg.

# L'avocat de 2 façons

## Sur baguette

Sur 4 morceaux de baguette coupés en deux et beurrés, répartir 2 boîtes de thon émietté, 2 c. à tab (30 ml) d'oignon vert haché, 2 avocats coupés en tranches fines et arrosés d'un peu de jus de citron, et 8 tranches de tomates. Couvrir de cheddar fort ou de gruyère râpé et passer sous le gril préchauffé du four jusqu'à ce que le fromage soit doré (4 portions).

## En salade

Dans un bol, mélanger 1 boîte de coeurs de palmier égouttés, rincés et coupés en morceaux, 2 avocats coupés en cubes, 1 c. à tab (15 ml) de jus de citron, 4 bocconcinis coupés en cubes, 10 tomates cerises coupées en deux, 3 c. à tab (45 ml) d'huile d'olive et 1 c. à tab (15 ml) de vinaigre balsamique. Saler et poivrer (4 portions en entrée).

# Egg rolls maison

DONNE 18 EGG ROLLS • PRÉPARATION: 40 MIN • CUISSON: 16 À 20 MIN

| | | |
|---|---|---|
| 1 lb | porc haché maigre | 500 g |
| 3 | oignons verts hachés | 3 |
| 2 | gousses d'ail hachées finement | 2 |
| 1 | carotte râpée | 1 |
| 2 c. à tab | sauce soja | 30 ml |
| 1 c. à tab | fécule de maïs | 15 ml |
| 3 c. à tab | eau | 45 ml |
| 1/2 c. à thé | poivre noir du moulin | 2 ml |
| 18 | feuilles de pâte à egg rolls (de type Wong Wing) (454 g) | 18 |
| | huile végétale pour la friture | |
| | sauce aux prunes | |

1   Dans un poêlon, cuire le porc haché à feu moyen-vif, en brassant, pendant environ 5 minutes ou jusqu'à ce qu'il ait perdu sa teinte rosée. Retirer le gras du poêlon. Ajouter les oignons verts, l'ail et la carotte. Réduire à feu moyen et cuire pendant 3 minutes ou jusqu'à ce que les oignons verts aient ramolli. Dans un petit bol, mélanger la sauce soja, la fécule de maïs, l'eau et le poivre. Verser le mélange dans le poêlon, bien mélanger et cuire, en brassant, pendant 1 minute. Retirer le poêlon du feu et laisser refroidir légèrement.

2   Sur une surface de travail, étendre une feuille de pâte et la badigeonner d'eau. Déposer 3 c. à tab (45 ml) de la garniture au porc sur le tiers inférieur de la feuille, en laissant une bordure de 1/2 po (1 cm) sur le pourtour. Replier la partie inférieure sur la garniture, puis rouler. Pincer les extrémités pour sceller. Procéder de la même manière avec le reste des feuilles de pâte et de la garniture au porc.

3   Dans une friteuse, chauffer l'huile à 365°F (185°C). Ajouter les egg rolls, quelques-uns à la fois, et les frire de 2 à 3 minutes ou jusqu'à ce qu'ils soient dorés (les retourner dans l'huile). (Ou encore, dans une grande casserole profonde, verser suffisamment d'huile pour couvrir la paroi jusqu'à une hauteur de 2 po/5 cm et la chauffer à feu moyen jusqu'à ce qu'un thermomètre à friture indique 365°F/185°C. Frire les egg rolls tel qu'indiqué.) À l'aide d'une écumoire, les déposer au fur et à mesure dans une assiette tapissée d'essuie-tout et laisser égoutter. Mettre les egg rolls dans un plat allant au four et réserver au four préchauffé à 300°F (150°C) jusqu'au moment de servir. Accompagner de sauce aux prunes. (Vous pouvez préparer les egg rolls à l'avance, les laisser refroidir et les mettre dans un contenant hermétique en séparant chaque étage d'une feuille de papier ciré. Ils se conserveront jusqu'à 2 jours au réfrigérateur ou jusqu'à 2 mois au congélateur.)

PAR EGG ROLL: cal.: 133; prot.: 7 g; m.g.: 4 g (1 g sat.); chol.: 16 mg; gluc.: 15 g; fibres: 1 g; sodium: 250 mg.

# Cretons quatre générations

DONNE ENVIRON 3 1/2 T (875 ML) • PRÉPARATION: 10 MIN • CUISSON: 1 H 5 MIN

| | | |
|---|---|---|
| 1 lb | porc haché maigre | 500 g |
| 1 | oignon haché finement | 1 |
| 1 t | lait | 250 ml |
| 1 c. à thé | sel | 5 ml |
| 1/4 c. à thé | poivre noir du moulin | 1 ml |
| 1/4 c. à thé | clou de girofle moulu | 1 ml |
| 2 | tranches de pain grillées, coupées en petits cubes | 2 |

1   Dans une grande casserole, mélanger tous les ingrédients, sauf le pain. Couvrir et cuire à feu moyen pendant environ 1 heure, en brassant de temps à autre. Ajouter le pain et mélanger. Poursuivre la cuisson pendant 5 minutes.

2   Mettre les cretons dans de petits bols, couvrir hermétiquement et conserver au réfrigérateur.

### D'où viennent nos cretons?

Les cretons auraient été inspirés à nos ancêtres par les rillettes de Tours, faites de porc bien gras et parfumées au clou de girofle. À cette différence près que nos grands-mères ont rapidement adopté le hache-viande au lieu de se contenter de gros morceaux effilochés. Depuis une vingtaine d'années, le désir de couper dans les gras saturés a conduit à la création de recettes de cretons à base de viandes plus maigres, principalement du veau et de la volaille. Par respect pour le plat original, on devrait appeler ces variantes «cretonnades» plutôt que «cretons».

PAR PORTION de 2 c. à tab (30 ml): cal.: 50; prot.: 4 g; m.g.: 3 g (1 g sat.); chol.: 10 mg; gluc.: 2 g; fibres: aucune; sodium: 110 mg.

# Croque-monsieur au crabe

4 PORTIONS • PRÉPARATION: 15 MIN • CUISSON: 3 MIN

| | | |
|---|---|---|
| 10 oz | chair de crabe fraîche ou surgelée, décongelée, hachée | 300 g |
| 1 | branche de céleri coupée en dés | 1 |
| 1 | oignon vert coupé en tranches fines | 1 |
| 3 c. à tab | mayonnaise | 45 ml |
| 1 c. à thé | ketchup | 5 ml |
| 1/2 c. à thé | moutarde de Dijon | 2 ml |
| 1/4 c. à thé | poivre noir du moulin | 1 ml |
| 1 | pincée de paprika | 1 |
| 4 | tranches de pain de seigle, grillées | 4 |
| 1/2 t | gruyère râpé | 125 ml |

1  Dans un bol, mélanger le crabe, le céleri, l'oignon vert, la mayonnaise, le ketchup, la moutarde de Dijon, le poivre et le paprika. Répartir la préparation de crabe sur les tranches de pain et l'étendre jusqu'au bord. Parsemer chacune de 2 c. à tab (30 ml) du fromage. Cuire sous le gril préchauffé du four pendant environ 3 minutes ou jusqu'à ce que le fromage soit bouillonnant et doré.

PAR PORTION: cal.: 281; prot.: 23 g; m.g.: 15 g (4 g sat.); chol.: 70 mg; gluc.: 13 g; fibres: 2 g; sodium: 786 mg.

# Crêpes gratinées au jambon, aux asperges et à la ricotta

DONNE 12 CRÊPES • PRÉPARATION: 35 MIN • CUISSON: 40 MIN

*Pour donner encore plus de saveur à ce plat exquis, on peut faire rôtir les asperges au lieu de les cuire à la vapeur. Quant au choix de jambon, on suggère de très fines tranches de jambon de bonne qualité.*

### PÂTE À CRÊPES

| | | |
|---|---|---|
| 4 | oeufs | 4 |
| 1 1/2 t | lait (environ) | 375 ml |
| 1 1/2 t | farine | 375 ml |
| 1/4 c. à thé | sel | 1 ml |
| 1/3 t | beurre fondu | 95 ml |
| + 1 c. à tab | | |

### SAUCE AU VIN BLANC

| | | |
|---|---|---|
| 1 t | vin blanc sec (de type chardonnay) ou cidre léger | 250 ml |
| 1 | échalote française hachée finement | 1 |
| 1/4 c. à thé | sucre | 1 ml |
| 1/4 c. à thé | poivre noir du moulin | 1 ml |
| 1 | pincée de sel | 1 |
| 3 | jaunes d'oeufs | 3 |
| 1/4 t | beurre coupé en dés | 60 ml |

### GARNITURE AU JAMBON, AUX ASPERGES ET À LA RICOTTA

| | | |
|---|---|---|
| 2 t | fromage ricotta | 500 ml |
| 1 t | gruyère râpé finement | 250 ml |
| 2 c. à tab | crème à 35% | 30 ml |
| 4 c. à thé | ciboulette fraîche, hachée finement | 20 ml |
| 1 lb | jambon coupé en tranches fines | 500 g |
| 36 à 48 | asperges fines, cuites | 36 à 48 |
| | brins de ciboulette fraîche | |
| | sel et poivre noir du moulin | |

### PRÉPARATION DES CRÊPES

**1** Dans un bol, à l'aide d'un fouet, mélanger les oeufs et le lait. Ajouter la farine et le sel et mélanger vigoureusement jusqu'à ce que la pâte soit lisse. Incorporer 1/3 t (80 ml) du beurre fondu en fouettant (la pâte devrait avoir la consistance de la crème à 35%; au besoin, ajouter un peu de lait si elle est trop épaisse).

**2** Chauffer un poêlon à surface antiadhésive ou une poêle à crêpes de 8 po (20 cm) de diamètre à feu moyen et le badigeonner d'un peu du reste du beurre. Verser environ 1/4 t (60 ml) de la pâte à crêpes dans le poêlon en l'inclinant dans tous les sens pour bien en couvrir le fond (**photo A**). Cuire pendant environ 1 minute ou jusqu'à ce que le dessous de la crêpe soit doré. À l'aide d'une spatule, retourner la crêpe et poursuivre la cuisson pendant 30 secondes. Faire glisser la crêpe dans une assiette. Procéder de la même manière avec le reste de la pâte à crêpes (chauffer le poêlon et le badigeonner de beurre, au besoin). (Vous pouvez préparer les crêpes à l'avance, les superposer dans une assiette au fur et à mesure en les séparant d'une feuille de papier ciré, puis les envelopper d'une pellicule de plastique. Elles se conserveront jusqu'à 3 jours au réfrigérateur ou jusqu'à 1 mois au congélateur, dans un contenant hermétique.)

### PRÉPARATION DE LA SAUCE

**3** Dans une petite casserole, mélanger le vin, l'échalote, le sucre, le poivre et le sel. Porter à ébullition et laisser bouillir pendant environ 5 minutes ou jusqu'à ce que la préparation ait réduit à environ 3/4 t (180 ml). Dans une passoire fine placée sur un bol à l'épreuve de la chaleur, filtrer la préparation de vin blanc. Laisser refroidir.

**4** À l'aide d'un fouet, incorporer les jaunes d'oeufs à la préparation de vin blanc refroidie. Placer le bol sur une casserole d'eau frémissante et cuire, en fouettant vigoureusement, pendant 5 minutes ou jusqu'à ce que la préparation soit pâle et ait épaissi (**photo B**). Retirer la casserole du feu. À l'aide du fouet, incorporer le beurre.

### PRÉPARATION DE LA GARNITURE

**5** Mélanger le fromage ricotta, 2/3 t (160 ml) du gruyère, la crème et la ciboulette hachée. Saler et poivrer. Sur le côté le plus pâle de chaque crêpe, déposer 2 ou 3 tranches de jambon et 3 ou 4 asperges, puis couvrir de 3 c. à tab (45 ml) du mélange à la ricotta (**photo C**) et de 1 c. à tab (15 ml) de la sauce. Replier les crêpes sur la garniture.

**6** Déposer les crêpes farcies côte à côte dans un plat allant au four de 13 po x 9 po (33 cm x 23 cm), beurré, ou dans des plats à gratin individuels. Napper les crêpes du reste de la sauce. Cuire au four préchauffé à 350°F (180°C) pendant 10 minutes. Parsemer du reste du gruyère et cuire sous le gril préchauffé du four de 1 à 2 minutes ou jusqu'à ce que la sauce soit légèrement gratinée. Au moment de servir, garnir de brins de ciboulette.

PAR CRÊPE: cal.: 345; prot.: 21 g; m.g.: 20 g (12 g sat.); chol.: 195 mg; gluc.: 19 g; fibres: 1 g; sodium: 630 mg.

# Fèves au lard à l'érable

8 PORTIONS • PRÉPARATION: 25 MIN • TREMPAGE: 12 H • CUISSON: 4 H 45 MIN

*Pour gagner du temps à l'étape 1, mettre les haricots secs dans une casserole et les couvrir de trois fois leur volume d'eau. Porter à ébullition et laisser bouillir à petits bouillons pendant 2 minutes. Retirer la casserole du feu, couvrir et laisser reposer pendant 1 heure. Passer directement à l'étape 2.*

| | | |
|---|---|---|
| 2 1/2 t | petits haricots blancs secs (environ 1 lb/500 g) | 625 ml |
| 2/3 t | sauce tomate | 160 ml |
| 1/3 t | sirop d'érable ou cassonade tassée | 80 ml |
| 1/3 t | mélasse | 80 ml |
| 1 c. à tab | sauce soja | 15 ml |
| 1 c. à thé | moutarde en poudre | 5 ml |
| 1/2 c. à thé | sel | 2 ml |
| 1 | oignon haché | 1 |
| 4 oz | bacon coupé en dés | 125 g |
| 2 oz | lard salé coupé en dés | 60 g |

1   Rincer les haricots secs, les mettre dans une casserole et les couvrir de trois fois leur volume d'eau. Laisser tremper pendant 12 heures ou jusqu'au lendemain.

2   Égoutter les haricots, les remettre dans la casserole et les couvrir de nouveau de trois fois leur volume d'eau. Porter à ébullition. Réduire le feu, couvrir et laisser mijoter de 30 à 40 minutes ou jusqu'à ce qu'ils soient tendres. Égoutter les haricots en réservant 2 t (500 ml) du liquide de cuisson.

3   Dans un petit bol, mélanger la sauce tomate, le sirop d'érable, la mélasse, la sauce soja, la moutarde et le sel. Dans un pot en terre cuite ou une cocotte d'une capacité de 16 t (4 L), mélanger les haricots, le liquide de cuisson réservé, le mélange de sirop d'érable, l'oignon, le bacon et le lard salé. Couvrir et cuire au four préchauffé à 300°F (150°C) pendant 2 heures. Poursuivre la cuisson à découvert pendant environ 2 heures ou jusqu'à ce que la sauce ait épaissi et nappe bien les haricots. (Vous pouvez préparer les fèves au lard à l'avance, les laisser refroidir et les mettre dans un contenant hermétique. Elles se conserveront jusqu'à 3 jours au réfrigérateur ou jusqu'à 3 mois au congélateur.)

PAR PORTION: cal.: 403; prot.: 14 g; m.g.: 13 g (6 g sat.); chol.: 16 mg; gluc.: 59 g; fibres: 10 g; sodium: 462 mg.

# Pain surprise

10 À 12 PORTIONS • PRÉPARATION: 1 H • RÉFRIGÉRATION: 2 H • CUISSON: AUCUNE

## GARNITURE AUX OEUFS DURS

| | | |
|---|---|---|
| 6 | oeufs durs, écalés | 6 |
| 3 c. à tab | mayonnaise | 45 ml |
| 2 | oignons verts hachés finement | 2 |
| 1 | branche de céleri hachée finement | 1 |
| 1/4 c. à thé | sel | 1 ml |
| 1/4 c. à thé | poivre noir du moulin | 1 ml |

## GARNITURE AU POULET

| | | |
|---|---|---|
| 1 t | poulet cuit, haché finement | 250 ml |
| 3 c. à tab | mayonnaise | 45 ml |
| 2 | oignons verts hachés finement | 2 |
| 1 | branche de céleri hachée finement | 1 |
| 1 c. à tab | persil frais, haché finement | 15 ml |
| 1 | pincée de sel | 1 |
| 1 | pincée de poivre noir du moulin | 1 |

## GARNITURE À LA MOUSSE DE FOIE DE VOLAILLE

| | | |
|---|---|---|
| 6 oz | mousse de foie de volaille à la température ambiante | 180 g |
| 1 c. à tab | beurre ramolli | 15 ml |
| 8 | petits cornichons sucrés, hachés finement | 8 |

## GARNITURE AU FROMAGE À LA CRÈME

| | | |
|---|---|---|
| 1 1/2 t | fromage à la crème ramolli | 375 ml |
| 4 c. à tab | lait | 60 ml |
| 4 c. à tab | poivrons rouges rôtis en pot, égouttés et hachés finement | 60 ml |

## PAIN SANDWICH

| | | |
|---|---|---|
| 1 | pain à sandwich (tranches coupées sur la longueur) | 1 |
| 2 c. à tab | mayonnaise | 30 ml |
| 1 c. à tab | moutarde jaune | 15 ml |
| 9 | tranches de jambon cuit | 9 |
| 1/4 t | olives farcies coupées en tranches | 60 ml |
| 2 c. à tab | persil frais, haché | 30 ml |

## Nostalgie

De mon héritage culinaire québécois et italien, je retiens que j'ai grandi dans un environnement où la cuisine était d'abord un geste d'amour, une affaire de partage et de convivialité. À quatre ans, je m'étais inventé un personnage de restauratrice et je passais un temps fou à frotter le comptoir de cuisine et à servir les clients de mon restaurant imaginaire pendant que ma grand-mère, ma mère et mes tantes cuisinaient pour le grand repas du dimanche. Des souvenirs gourmands? Parfums de barbecue, l'été; pain surprise de Noël décoré avec des olives disposées en forme de sapin; aspic aux tomates et salade de macaronis; ma première tarte et mes premières conserves, avec l'impression gratifiante d'avoir accompli quelque chose en voyant les pots bien alignés...

*Josée di Stasio, animatrice de l'émission À la di Stasio et auteure de livres de cuisine*

### PRÉPARATION DES GARNITURES AUX OEUFS ET AU POULET

1  Dans deux bols, mélanger les ingrédients de chaque garniture. Couvrir séparément d'une pellicule de plastique et réserver au réfrigérateur.

### PRÉPARATION DES GARNITURES À LA MOUSSE DE FOIE ET AU FROMAGE À LA CRÈME

2  Dans deux autres bols, mélanger les ingrédients de chaque garniture jusqu'à ce que les préparations soit crémeuses et faciles à tartiner. Réserver à la température ambiante.

### ASSEMBLAGE DU PAIN SANDWICH

3  À l'aide d'un couteau dentelé, retirer les croûtes du pain à sandwich. Couvrir le pain d'un linge et réserver à la température ambiante.

4   Dans un petit bol, mélanger la mayonnaise et la moutarde. Sur une planche à découper ou une grande assiette de service, déposer 1 tranche du pain. La tartiner uniformément du mélange de mayonnaise et la couvrir du jambon. Couvrir de la deuxième tranche de pain et la tartiner de la garniture à la mousse de foie de volaille. Couvrir de la troisième tranche de pain et la tartiner de la garniture au poulet. Couvrir de la quatrième tranche de pain et la tartiner de la garniture aux oeufs. Couvrir de la dernière tranche de pain.

5   À l'aide d'une spatule en métal ou d'un couteau, étendre la garniture au fromage à la crème sur le dessus et les côtés du pain sandwich de manière à le couvrir complètement. Réfrigérer pendant au moins 2 heures.

6   Au moment de servir, parsemer le dessus du pain sandwich des olives et du persil. À l'aide du couteau dentelé, couper en tranches.

PAR PORTION: cal.: 481; prot.: 24 g; m.g.: 18 g (8 g sat.); chol.: 238 mg; gluc.: 45 g; fibres: 3 g; sodium: 1 488 mg.

# Roulés de jambon au céleri et au fromage à la crème

12 PORTIONS • PRÉPARATION: 20 MIN • RÉFRIGÉRATION: 1 H • CUISSON: AUCUNE

| 1 t | fromage à la crème ramolli | 250 ml |
| 2 c. à tab | moutarde jaune | 30 ml |
| 1 c. à tab | moutarde de Dijon | 15 ml |
| 2 c. à tab | persil frais, haché finement | 30 ml |
| 3 | branches de céleri, les feuilles enlevées | 3 |
| 12 | tranches de jambon cuit (de forme rectangulaire) | 12 |
| | poivre noir du moulin | |

1   Dans un grand bol, mélanger le fromage à la crème, la moutarde jaune, la moutarde de Dijon et le persil. Poivrer et mélanger jusqu'à ce que la préparation soit facile à tartiner. Réserver à la température ambiante. Couper les branches de céleri en 12 bâtonnets de la largeur des tranches jambon.

2   À l'aide d'un couteau, étendre environ 2 c. à tab (30 ml) de la préparation de fromage réservée sur chaque tranche de jambon. Mettre un bâtonnet de céleri sur l'un des côtés courts de chaque tranche de jambon et rouler délicatement le jambon autour du céleri. Envelopper chaque rouleau de jambon d'une pellicule de plastique et réfrigérer pendant au moins 1 heure. Au moment de servir, couper chaque rouleau en huit morceaux.

## VARIANTE

### Roulés de dindon fumé aux asperges

Remplacer le jambon par des tranches de dindon fumé, les moutardes par de la mayonnaise et le céleri par 12 pointes d'asperges fraîches, cuites al dente. Ajouter 1/2 c. à thé (2 ml) de sauce tabasco à la préparation de fromage.

PAR PORTION: cal.: 101; prot.: 9 g; m.g.: 3 g (3 g sat.); chol.: 28 mg; gluc.: 2,3 g; fibres: 1 g; sodium: 721 mg.

# Galettes au fromage

DONNE 18 GALETTES • PRÉPARATION: 20 MIN • CUISSON: 30 MIN

| | | |
|---|---|---|
| 2 t | farine | 500 ml |
| 4 c. à thé | poudre à pâte | 20 ml |
| 1 c. à thé | sel | 5 ml |
| 1/4 t | graisse végétale | 60 ml |
| 1 | oeuf battu | 1 |
| 1 t | lait | 250 ml |
| 1 t | cheddar fort râpé | 250 ml |

1  Dans un bol, mélanger la farine, la poudre à pâte
et le sel. Ajouter la graisse végétale et, à l'aide d'un
coupe-pâte ou de deux couteaux, travailler la préparation
jusqu'à ce qu'elle ait la texture d'une chapelure grossière.
Faire un puits au centre des ingrédients et y ajouter l'oeuf
et le lait. Mélanger jusqu'à ce que la préparation soit
homogène. Incorporer le fromage. Avec les mains
farinées, façonner la pâte en 18 boules d'environ 2 1/2 po
(6 cm) de diamètre et les déposer sur une plaque à
biscuits tapissée de papier-parchemin. Aplatir légèrement
les boules de façon à former des galettes.

2  Cuire au centre du four préchauffé à 350°F (180°C)
pendant environ 30 minutes ou jusqu'à ce que les
galettes soient dorées. Déposer les galettes sur une
grille et laisser refroidir.

### Une autre version des scones

Ces galettes au fromage salées très faciles à préparer sont
en fait une version légèrement modifiée des scones écossais
et anglais traditionnels. On les sert à l'heure du thé avec du
beurre et de la confiture, sans oublier le cheddar exquis qui
rehausse leur goût. Dans certains foyers québécois et
acadiens, on les appelle biscuits à la poudre à pâte parce
qu'ils en contiennent beaucoup. Pour obtenir une galette
plus friable et moins riche en matières grasses,
il suffit de remplacer la graisse végétale par du beurre
froid coupé en petits dés.

PAR GALETTE: cal.: 112; prot.: 4 g; m.g.: 5 g (3 g sat.); chol.: 20 mg; gluc.: 11 g; fibres: traces; sodium: 260 mg.

# Saucisses enrobées de pâte

8 PORTIONS • PRÉPARATION: 15 MIN • CUISSON: 13 À 16 MIN

| | | |
|---|---|---|
| 1 | paquet de pâte à cuire pour croissants (de type Pillsbury) (235 g) | 1 |
| 8 | saucisses à hot-dogs ou autres saucisses | 8 |
| 1/2 t | cheddar râpé | 125 ml |
| | ketchup et moutarde | |

1   Dérouler la pâte et la séparer au pointillé. Rouler chaque portion en un cordon de 12 po (30 cm) de longueur. Enrouler chaque cordon en spirale autour de chaque saucisse et déposer les saucisses enrobées sur une plaque de cuisson tapissée de papier d'aluminium.

2   Cuire au four préchauffé à 375°F (190°C) de 12 à 15 minutes ou jusqu'à ce que la pâte soit dorée. Parsemer du cheddar et poursuivre la cuisson pendant 1 minute ou jusqu'à ce qu'il ait fondu. Servir les saucisses avec du ketchup et de la moutarde.

## Nostalgie

Dans ma famille, la cuisine était le centre névralgique. Nous étions toujours au moins 10 à table et ma mère préparait tous les repas. Elle faisait ses conserves, ses tartes, ses beignes, et elle créait toujours des plats spéciaux, plus festifs, quand nous avions de la visite. Aujourd'hui, c'est à mon tour de consacrer beaucoup de temps à cuisiner pour ma famille élargie. Je prépare encore certaines recettes incontournables de mon enfance comme le gâteau bavarois aux fraises, le caramel maison, le ketchup vert et le ketchup aux fruits, et quelques autres plats sans prétention: fèves au lard, pâté chinois, rôti de porc ou de boeuf, cretons et tarte au sucre.

Andrée Talbot, avocate, née à la fin des années 1950

PAR PORTION: cal.: 206; prot.: 7 g; m.g.: 12 g (4 g sat.); chol.: 22 mg; gluc.: 18 g; fibres: aucune; sodium: 493 mg.

# Soupes et potages

# La soupe, aliment-réconfort par excellence!

Dans l'ensemble des cultures du monde, peu de mets jouissent d'une plus grande popularité que la soupe: bourrée de gros morceaux de légumes ou enrichie de légumineuses, servie en potage bien crémeux ou avec des morceaux de volaille, de boeuf ou de poisson, elle reste l'aliment passe-partout idéal. Elle permet d'utiliser les restes tout en faisant manger des légumes «déguisés» aux tout-petits. Elle embaume la maison, est économique et facile à réussir en plus d'ajouter une importante valeur nutritive au repas, quand elle n'en constitue pas l'élément principal. Pas étonnant que nos mères aient su la mettre à profit de mille et une façons!

# Soupe aux légumes traditionnelle

6 PORTIONS • PRÉPARATION: 30 MIN • CUISSON: 50 MIN

| | | | | | |
|---|---|---|---|---|---|
| 1 c. à tab | beurre | 15 ml | 1 | pomme de terre pelée et coupée en cubes | 1 |
| 1/2 | oignon haché | 1/2 | 1 | tomate pelée, épépinée et coupée en dés | 1 |
| 1/2 t | carottes coupées en dés | 125 ml | 2 c. à tab | persil frais, haché | 30 ml |
| 1/2 t | rutabaga coupé en dés | 125 ml | | | |
| 1/2 t | céleri coupé en dés | 125 ml | | | |
| 1/2 t | poireau, les parties blanche et vert pâle seulement, coupé en tranches | 125 ml | | | |
| 1/2 t | chou vert, coupé en fines lanières | 125 ml | | | |
| 4 t | bouillon de poulet | 1 L | | | |
| 1 c. à thé | sel | 5 ml | | | |
| 1/4 c. à thé | poivre noir du moulin | 1 ml | | | |
| 1/2 t | haricots verts, parés et coupés en morceaux | 125 ml | | | |
| 1/4 t | petits pois surgelés | 60 ml | | | |

1   Dans une grande casserole, faire fondre le beurre à feu moyen. Ajouter l'oignon, la carotte, le rutabaga, le céleri, le poireau et le chou et cuire, en brassant de temps à autre, pendant environ 5 minutes ou jusqu'à ce que l'oignon ait ramolli. Ajouter le bouillon de poulet, le sel et le poivre et porter à ébullition. Réduire le feu, couvrir et laisser mijoter pendant 30 minutes.

2   Ajouter le reste des ingrédients et mélanger. Poursuivre la cuisson pendant environ 15 minutes ou jusqu'à ce que la pomme de terre soit tendre.

PAR PORTION: cal.: 95; prot.: 5 g; m.g.: 3 g (1 g sat.); chol.: 5 mg; gluc.: 13 g; fibres: 2 g; sodium: 920 mg.

# Crème de carottes

4 À 6 PORTIONS • PRÉPARATION: 20 MIN • CUISSON: 1 H 5 MIN

*Si on trouve la soupe trop épaisse, on peut ajouter un peu de lait chaud.*

| | | |
|---|---|---|
| 3 c. à tab | beurre | 45 ml |
| 2 | oignons hachés grossièrement | 2 |
| 3 t | carottes hachées | 750 ml |
| 1 c. à thé | sucre | 5 ml |
| 6 t | bouillon de poulet | 1,5 L |
| 1/4 t | riz à grain long | 60 ml |
| | sel et poivre noir du moulin | |

1   Dans une grande casserole, faire fondre le beurre à feu moyen. Ajouter les oignons, les carottes et le sucre et cuire, en brassant, pendant 3 minutes. Ajouter le bouillon de poulet. Porter à ébullition et laisser bouillir pendant 2 minutes. Ajouter le riz et bien mélanger. Réduire le feu, couvrir et laisser mijoter pendant 1 heure. Laisser refroidir légèrement.

2   Au robot culinaire ou au mélangeur, réduire la préparation en purée lisse, en plusieurs fois au besoin. Verser la purée de carottes dans la casserole, saler et poivrer. Réchauffer à feu doux.

PAR PORTION: cal.: 160; prot.: 6 g; m.g.: 7 g (4 g sat.); chol.: 15 mg; gluc.: 18 g; fibres: 2 g; sodium: 810 mg.

Soupe aux légumes traditionnelle

Galettes au fromage
(recette p. 34)

# Soupe à l'oignon gratinée

4 PORTIONS • PRÉPARATION: 20 MIN • CUISSON: 45 MIN

*On peut remplacer le consommé et l'eau par 3 t (750 ml) de fond de boeuf bouillant.*

### SOUPE À L'OIGNON

| | | |
|---|---|---|
| 2 1/2 c. à tab | beurre | 37 ml |
| 2 t | oignons coupés en tranches très fines et défaits en rondelles | 500 ml |
| 1/2 c. à thé | jus de citron | 2 ml |
| 1 c. à thé | sucre | 5 ml |
| 1/2 c. à thé | sel (environ) | 2 ml |
| 1 c. à thé | ail haché finement | 5 ml |
| 1/2 t | vin blanc sec | 125 ml |
| 1 1/4 t | consommé de boeuf bouillant | 310 ml |
| 1 3/4 t | eau bouillante | 430 ml |
| | poivre noir du moulin | |

### CROÛTONS

| | | |
|---|---|---|
| 8 | tranches de pain baguette d'environ 3/4 po (2 cm) d'épaisseur | 8 |
| 2 c. à tab | beurre fondu (facultatif) | 30 ml |
| 1 1/2 t | gruyère râpé | 375 ml |

### PRÉPARATION DE LA SOUPE

1  Dans une grande casserole, faire fondre le beurre à feu moyen. Ajouter les oignons, le jus de citron, le sucre et le sel et mélanger. Couvrir et cuire, en brassant souvent, pendant environ 12 minutes ou jusqu'à ce que les oignons soient légèrement dorés. Poursuivre la cuisson à feu vif, à découvert et en brassant souvent, pendant environ 3 minutes ou jusqu'à ce que les oignons soient bien dorés. Ajouter l'ail et cuire, en brassant, pendant 10 secondes.

2  Ajouter le vin blanc et porter à ébullition. Laisser mijoter à feu moyen, en raclant le fond de la casserole, pendant environ 8 minutes ou jusqu'à ce que le liquide ait réduit des deux tiers. Ajouter le consommé et l'eau et porter de nouveau à ébullition. Saler et poivrer. Réduire le feu, couvrir et laisser mijoter pendant environ 10 minutes.

### PRÉPARATION DES CROÛTONS

3  Entre-temps, badigeonner les deux côtés des tranches de pain du beurre fondu, si désiré, et les mettre sur une plaque de cuisson. Cuire au centre du four préchauffé à 425°F (220°C) pendant environ 3 minutes ou jusqu'à ce que le pain soit légèrement doré et croustillant (le retourner deux ou trois fois en cours de cuisson).

4  Répartir la moitié des croûtons dans quatre bols à soupe allant au four et parsemer du tiers du fromage. Verser la soupe dans les bols, couvrir du reste des croûtons et parsemer du reste du fromage. Déposer les bols à soupe sur une plaque de cuisson et cuire au four préchauffé à 500°F (260°C) pendant environ 5 minutes ou jusqu'à ce que le fromage commence à dorer. Poursuivre la cuisson sous le gril du four de 1 à 2 minutes ou jusqu'à ce que le fromage soit bouillonnant.

PAR PORTION: cal.: 470; prot.: 18 g; m.g.: 26 g (16 g sat.); chol.: 70 mg; gluc.: 41 g; fibres: 2 g; sodium: 980 mg.

## Nostalgie

La cuisine de ma mère évoque des souvenirs réconfortants. Ce sont les odeurs qui remplissaient la maison: gâteau guimauve-cassonade, blanquette de veau, pain de viande, soupe à l'oignon, poulet à l'érable... C'est jouer dehors ou flâner devant la télévision, me faire appeler pour souper et y aller d'un seul saut parce que c'était si bon! C'est aussi ma formation culinaire: cadet de trois enfants, je préparais les repas avec ma mère quand les autres étaient à l'école. Je façonnais les retailles de pâte en y ajoutant des fruits secs, des noix ou du chocolat.

Nicolas Archambault, directeur général d'une maison
de soins palliatifs, né dans les années 1980,
père d'un garçon et de deux filles

# Potage au brocoli

4 PORTIONS • PRÉPARATION: 25 MIN • CUISSON: 45 MIN

| | | |
|---|---|---|
| 1 c. à tab | beurre | 15 ml |
| 2 | oignons hachés | 2 |
| 2 | pommes de terre pelées et hachées grossièrement | 2 |
| 2 t | bouillon de légumes | 500 ml |
| 1/2 c. à thé | sel | 2 ml |
| 1/2 c. à thé | poivre noir du moulin | 2 ml |
| 3 t | bouquets de brocoli | 750 ml |
| 1 | boîte de lait écrémé évaporé (370 ml) | 1 |
| 2 c. à tab | ciboulette (ou oignons verts) fraîche, hachée (facultatif) | 30 ml |

1   Dans une grande casserole, faire fondre le beurre à feu moyen. Ajouter les oignons et les pommes de terre et cuire, en brassant souvent, pendant environ 10 minutes ou jusqu'à ce que les oignons aient ramolli. Ajouter le bouillon, le sel et le poivre et mélanger. Porter à ébullition. Réduire à feu moyen, couvrir et laisser mijoter pendant environ 10 minutes. Ajouter le brocoli, couvrir et poursuivre la cuisson pendant 10 minutes ou jusqu'à ce que les pommes de terre et le brocoli soient tendres.

2   Au robot culinaire ou au mélangeur, réduire la préparation de brocoli en purée lisse, en plusieurs fois au besoin. (Vous pouvez préparer le potage jusqu'à cette étape, le laisser refroidir et le mettre dans des contenants hermétiques. Il se conservera jusqu'à 3 jours au réfrigérateur ou jusqu'à 3 mois au congélateur.)

3   Verser la purée de brocoli dans la casserole. Incorporer le lait évaporé et réchauffer à feu moyen-doux. Répartir le potage dans des bols et parsemer de la ciboulette, si désiré.

PAR PORTION: cal.: 215; prot.: 11 g; m.g.: 3 g (2 g sat.); chol.: 12 mg; gluc.: 36 g; fibres: 4 g; sodium: 770 mg.

# Soupe aux haricots et aux tomates

4 PORTIONS • PRÉPARATION: 10 MIN • CUISSON: 15 MIN

| | | |
|---|---|---|
| 1 c. à tab | beurre | 15 ml |
| 1 c. à tab | huile d'olive | 15 ml |
| 1 | oignon haché finement | 1 |
| 2 | gousses d'ail hachées | 2 |
| 1/2 c. à thé | basilic séché | 2 ml |
| 1/2 c. à thé | origan séché | 2 ml |
| 1 | boîte de tomates en dés assaisonnées à l'italienne (796 ml) | 1 |
| 1 | boîte de haricots égouttés et rincés (540 ml) | 1 |
| 1 1/2 t | bouillon de poulet ou de légumes | 375 ml |
| 1 1/2 t | petites feuilles d'épinards hachées grossièrement | 375 ml |
| | sel et poivre noir du moulin | |

1   Dans une grande casserole, chauffer le beurre et l'huile à feu moyen. Ajouter l'oignon et l'ail et cuire, en brassant, de 3 à 4 minutes ou jusqu'à ce que l'oignon commence à ramollir. Ajouter le basilic, l'origan, les tomates, les haricots et le bouillon et cuire pendant 5 minutes. Ajouter les épinards et poursuivre la cuisson pendant 5 minutes. Saler et poivrer.

PAR PORTION: cal.: 230; prot.: 10 g; m.g.: 8 g (3 g sat.); chol.: 10 mg; gluc.: 31 g; fibres: 10 g; sodium: 805 mg.

# Soupe au poulet et aux nouilles

4 À 6 PORTIONS • PRÉPARATION: 15 MIN • CUISSON: 50 MIN

| | | |
|---|---|---|
| 6 t | bouillon de poulet | 1,5 L |
| 1/2 t | petites nouilles | 125 ml |
| 1/2 t | riz à grain long | 125 ml |
| 1 | oignon haché finement | 1 |
| 1 | branche de céleri avec les feuilles, coupée en dés | 1 |
| 2 | carottes coupées en tranches fines | 2 |
| 1 1/2 t | poulet cuit, défait en morceaux | 375 ml |
| | sel et poivre noir du moulin | |

1   Dans une grande casserole, porter le bouillon à ébullition. Ajouter les nouilles, le riz, l'oignon, le céleri et les carottes et mélanger. Réduire le feu, couvrir et laisser mijoter pendant 30 minutes ou jusqu'à ce que les légumes soient tendres mais encore croquants.

2   Ajouter le poulet, saler et poivrer. Poursuivre la cuisson à feu doux pendant 20 minutes.

PAR PORTION: cal.: 175; prot.: 16 g; m.g.: 3 g (1 g sat.); chol.: 30 mg; gluc.: 19 g; fibres: 1 g; sodium: 800 mg.

# Potage de patates douces

6 PORTIONS • PRÉPARATION: 25 MIN • CUISSON: 25 À 30 MIN

| | | |
|---|---|---|
| 2 c. à thé | huile de canola | 10 ml |
| 3/4 t | carottes coupées en tranches fines | 180 ml |
| 1/2 t | poireau haché finement | 125 ml |
| 1/3 t | poivron orange ou jaune haché | 80 ml |
| 1/3 t | oignon haché finement | 80 ml |
| 1 | gousse d'ail hachée finement | 1 |
| 3 1/2 t | bouillon de poulet réduit en sel | 875 ml |
| 1 lb | patates douces pelées et coupées en deux sur la longueur, puis en tranches fines | 500 g |
| 1 | petite pomme de terre, pelée et coupée en deux sur la longueur, puis en tranches fines | 1 |
| 1/3 t | vin blanc sec ou bouillon de poulet réduit en sel | 80 ml |
| 1 | pincée de poivre noir du moulin | 1 |
| 1 | feuille de laurier | 1 |
| 1/4 t | pacanes hachées, grillées | 60 ml |

1   Dans une grande casserole, chauffer l'huile à feu moyen-vif. Ajouter les carottes, le poireau, le poivron, l'oignon et l'ail et cuire, en brassant de temps à autre, pendant environ 5 minutes ou jusqu'à ce que les légumes soient tendres. Ajouter le bouillon, les patates douces, la pomme de terre, le vin, le poivre et la feuille de laurier et porter à ébullition. Réduire le feu, couvrir et laisser mijoter de 15 à 20 minutes ou jusqu'à ce que les patates douces soient tendres. Retirer la feuille de laurier.

2   Au robot culinaire ou au mélangeur, réduire la préparation en purée lisse, en plusieurs fois. Remettre le potage dans la casserole et réchauffer. Au moment de servir, parsemer chaque portion des pacanes grillées.

### Passer des patates aux patates douces

Pour les Québécois, la patate douce est un héritage récent, différent de la pomme de terre à chair blanche, même si elles appartiennent toutes deux à la même famille botanique. Originaire du Pérou et souvent cultivée sous les tropiques, elle a été retrouvée dans des sites archéologiques vieux de 8 000 ans. Elle a gagné en popularité chez nous depuis qu'on a vanté ses vertus santé: elle est riche en fibres, en bêta-carotène, en vitamine A et en antioxydants protecteurs. On la cuisine comme la pomme de terre, mais sa teneur élevée en sucre et sa texture plus molle en font une candidate idéale pour la purée et les potages.

PAR PORTION: cal.: 142; prot.: 4 g; m.g.: 5 g (aucun sat.); chol.: aucun; gluc.: 20 g; fibres: 3 g; sodium: 358 mg.

# Soupe-repas

12 PORTIONS • PRÉPARATION: 45 MIN • CUISSON: 50 MIN

| | | |
|---|---|---|
| 2 c. à tab | huile d'olive | 30 ml |
| 2 t | oignons hachés | 500 ml |
| 1 1/2 t | céleri coupé en tranches | 375 ml |
| 1 t | carottes coupées en dés | 250 ml |
| 2 | gousses d'ail hachées finement | 2 |
| 1 1/2 lb | boeuf haché | 750 g |
| 1/2 lb | chair à saucisses italiennes | 250 g |
| 2 | boîtes de tomates italiennes en dés (28 oz/796 ml chacune) | 2 |
| 1 | boîte de haricots rouges, rincés et égouttés (19 oz/540 ml) | 1 |
| 8 t | bouillon de boeuf | 2 L |
| 2 t | chou vert, coupé en fines lanières | 500 ml |
| 1 1/2 t | haricots verts parés, coupés en morceaux | 375 ml |
| 1 t | rutabaga coupé en dés | 250 ml |
| 1 t | courgette non pelée, coupée en dés | 250 ml |
| 1 c. à tab | sucre | 15 ml |
| 1 c. à thé | basilic séché | 5 ml |
| 1 c. à thé | origan séché | 5 ml |
| 2 c. à thé | sel | 10 ml |
| 1 t | épinards frais, parés et hachés grossièrement | 250 ml |
| 1 t | vin rouge | 250 ml |
| 1 t | coquillettes ou autres pâtes courtes | 250 ml |
| 1 t | parmesan râpé | 250 ml |

1 Dans une grande casserole, chauffer l'huile à feu moyen. Ajouter les oignons, le céleri, les carottes et l'ail et cuire pendant 5 minutes. Ajouter le boeuf haché et la chair à saucisses et cuire pendant 5 minutes. Ajouter les tomates, les haricots rouges, le bouillon de boeuf, le chou, les haricots verts, le rutabaga, la courgette, le sucre, le basilic, l'origan et le sel et porter à ébullition. Réduire le feu, couvrir et laisser mijoter pendant 30 minutes. Ajouter les épinards, le vin rouge et les pâtes et cuire à découvert de 8 à 10 minutes ou jusqu'à ce que les pâtes soient al dente. Parsemer chaque portion du fromage.

PAR PORTION: cal.: 355; prot.: 27 g; m.g.: 15 g (5 g sat.); chol.: 50 mg; gluc.: 28 g; fibres: 6 g; sodium: 975 mg.

# Crème de poireaux

8 PORTIONS • PRÉPARATION: 15 MIN • CUISSON: 35 MIN

| | | |
|---|---|---|
| 1/4 t + 1 c. à tab | beurre | 75 ml |
| 4 | poireaux, la partie blanche seulement, coupés en tranches fines | 4 |
| 1/2 t | oignons verts hachés finement | 125 ml |
| 4 t | pommes de terre coupées en cubes | 1 L |
| 4 t | eau | 1 L |
| 1 c. à tab | sel | 15 ml |
| 1/2 c. à thé | poivre noir du moulin | 2 ml |
| 3 t | lait chaud | 750 ml |

1 Dans une grande casserole, faire fondre 1/4 t (60 ml) du beurre à feu doux. Ajouter les poireaux et les oignons verts et cuire, en brassant de temps à autre, pendant environ 5 minutes ou jusqu'à ce qu'ils aient ramolli (ne pas laisser dorer). Ajouter les pommes de terre, l'eau, le sel et le poivre et porter à ébullition. Réduire le feu, couvrir et laisser mijoter pendant environ 30 minutes ou jusqu'à ce que les pommes de terre soient tendres. Laisser refroidir légèrement.

2 Au robot culinaire ou au mélangeur, réduire la préparation en purée lisse, en plusieurs fois au besoin. Verser la purée de poireaux dans la casserole et porter à ébullition. Ajouter le lait chaud et le reste du beurre et mélanger. Réchauffer à feu doux (ne pas faire bouillir).

PAR PORTION: cal.: 180; prot.: 5 g; m.g.: 8 g (5 g sat.); chol.: 25 mg; gluc.: 23 g; fibres: 3 g; sodium: 925 mg.

Soupe-repas

# Soupe aux lentilles et à l'orge

6 PORTIONS • PRÉPARATION: 15 MIN • CUISSON: 50 MIN

| | | |
|---|---|---|
| 1 c. à tab | huile végétale | 15 ml |
| 1 | oignon haché | 1 |
| 2 | gousses d'ail hachées finement | 2 |
| 1 | grosse carotte, coupée en tranches | 1 |
| 1 | branche de céleri coupée en dés | 1 |
| 1 c. à thé | thym séché | 5 ml |
| 1/4 c. à thé | sel | 1 ml |
| 1/4 c. à thé | poivre noir du moulin | 1 ml |
| 4 t | bouillon de légumes | 1 L |
| 2 t | eau | 500 ml |
| 1 t | lentilles sèches brunes ou vertes | 250 ml |
| 1/4 t | orge | 60 ml |
| 1/4 t + 1 c. à tab | persil frais, haché | 75 ml |
| 1/4 t | yogourt nature | 60 ml |

1   Dans une grande casserole, chauffer l'huile à feu moyen. Ajouter l'oignon, l'ail, la carotte, le céleri, le thym, le sel et le poivre et cuire, en brassant, pendant environ 5 minutes ou jusqu'à ce que l'oignon ait ramolli.

2   Ajouter le bouillon, l'eau, les lentilles et l'orge. Porter à ébullition. Réduire le feu, couvrir et laisser mijoter pendant environ 40 minutes ou jusqu'à ce que les lentilles et l'orge soient tendres. (Vous pouvez préparer la soupe jusqu'à cette étape, la laisser refroidir et la mettre dans un contenant hermétique. Elle se conservera jusqu'à 2 jours au réfrigérateur ou jusqu'à 2 mois au congélateur.)

3   Au moment de servir, ajouter 1/4 t (60 ml) du persil et mélanger. Garnir chaque portion d'une cuillerée de yogourt et parsemer du reste du persil.

## Nostalgie

Ma mère et ma grand-mère sont françaises et maîtrisent à la perfection potages, sauces, omelettes, gratin dauphinois... Ma belle-mère est gaspésienne et excelle dans les poissons et fruits de mer. Bref, je suis bien entourée. Très tôt, j'ai appris à rester des heures à table; ma mère nous questionnait sur les ingrédients utilisés, histoire de développer notre goût, notre vue et notre odorat. Après l'école, je racontais ma journée à ma mère en la regardant préparer le souper. Quand j'ai quitté la maison, j'ai réalisé que je savais à peu près cuisiner, par simple imitation.

Alexandra Perron, journaliste, née à la fin des années 1970, mère d'une petite fille et d'un garçon

PAR PORTION: cal.: 193; prot.: 10 g; m.g.: 3 g (traces sat.); chol.: 1 mg; gluc.: 32 g; fibres: 5 g; sodium: 575 mg.

# Soupe aux lentilles et aux tomates

6 PORTIONS • PRÉPARATION: 25 MIN • CUISSON: 1 H 10 MIN

| | | |
|---|---|---|
| 1 c. à tab | huile végétale | 15 ml |
| 1 | oignon haché | 1 |
| 6 | gousses d'ail hachées finement | 6 |
| 6 t | eau | 1,5 L |
| 1 1/4 t | lentilles brunes sèches, rincées | 310 ml |
| 1 1/2 c. à thé | aneth séché | 7 ml |
| 1/4 c. à thé | sel | 1 ml |
| 6 oz | pommes de terre rouges, brossées et coupées en cubes (2 à 3 pommes de terre) | 180 g |
| 1 | boîte de tomates en dés (19 oz/540 ml) | 1 |
| 1 | boîte de pâte de tomates (5 1/2 oz/156 ml) | 1 |
| 1 c. à tab | persil frais, haché | 15 ml |
| | brins d'aneth frais (facultatif) | |

1   Dans une grande casserole, chauffer l'huile à feu moyen. Ajouter l'oignon et l'ail et cuire, en brassant de temps à autre, pendant environ 4 minutes ou jusqu'à ce que l'oignon ait ramolli. Ajouter l'eau, les lentilles, l'aneth et le sel et mélanger. Porter à ébullition. Réduire le feu, couvrir et laisser mijoter pendant 25 minutes. Ajouter les pommes de terre et mélanger. Poursuivre la cuisson à couvert de 10 à 15 minutes ou jusqu'à ce que les pommes de terre soient tendres.

2   Ajouter les tomates et la pâte de tomates et bien mélanger. Porter de nouveau à ébullition. Réduire le feu et laisser mijoter à découvert pendant 10 minutes. Ajouter le persil. (Vous pouvez préparer la soupe à l'avance, la laisser refroidir et la mettre dans des contenants hermétiques. Elle se conservera jusqu'à 3 jours au réfrigérateur ou jusqu'à 3 mois au congélateur.)

3   Au moment de servir, répartir la soupe dans des bols et garnir d'aneth frais, si désiré.

## L'importance des lentilles dans notre culture

Chez les Canadiens français, les haricots blancs secs ont longtemps été préférés aux lentilles à cause de la popularité des fèves au lard. On avait tendance à réserver les lentilles pour les soupes ou le repas maigre du vendredi. Il a fallu attendre trois vagues successives d'influences extérieures pour qu'elles reprennent leur place dans notre alimentation: d'abord la cuisine française (lentilles du Puy), ensuite, dans les années 1980-1990, la cuisine indienne, qui en fait bon usage. Puis, récemment, la redécouverte des bienfaits du végétarisme nous a permis d'adopter des recettes faciles mettant en valeur cette légumineuse savoureuse qui ne requiert aucun trempage.

PAR PORTION: cal.: 235; prot.: 13 g; m.g.: 3 g (traces sat.); chol.: aucun; gluc.: 41 g; fibres: 16 g; sodium: 485 mg.

# Crème de tomate maison

4 PORTIONS • PRÉPARATION: 25 MIN • CUISSON: 45 MIN

| | | |
|---|---|---|
| 1 c. à thé | huile végétale | 5 ml |
| 1 | oignon haché | 1 |
| 1 | poivron rouge haché | 1 |
| 2 | gousses d'ail hachées | 2 |
| 1 1/2 | boîte de tomates entières (28 oz/796 ml chacune) | 1 1/2 |
| 2 t | bouillon de poulet | 500 ml |
| 1/4 t | pâte de tomates | 60 ml |
| 1 c. à tab | sucre | 15 ml |
| 1/4 c. à thé | basilic séché | 1 ml |
| 1/4 c. à thé | origan séché | 1 ml |
| 1/4 c. à thé | poivre noir du moulin | 1 ml |

1   Dans une casserole, chauffer l'huile à feu moyen. Ajouter l'oignon, le poivron et l'ail et cuire, en brassant de temps à autre, pendant 5 minutes ou jusqu'à ce que l'oignon ait ramolli. Ajouter les tomates, en les défaisant à l'aide d'une cuillère de bois, le bouillon, la pâte de tomates, le sucre, le basilic, l'origan et le poivre. Porter à ébullition. Réduire à feu moyen-doux, couvrir et laisser mijoter pendant 30 minutes.

2   Au robot culinaire ou au mélangeur, réduire la préparation de tomates en purée lisse, en plusieurs fois au besoin. (Vous pouvez préparer la soupe jusqu'à cette étape, la laisser refroidir et la mettre dans des contenants hermétiques. Elle se conservera jusqu'à 3 jours au réfrigérateur ou jusqu'à 3 mois au congélateur.)

3   Verser la crème de tomate dans la casserole et réchauffer à feu moyen-doux pendant 5 minutes.

### Du tofu dans la soupe de maman

On peut incorporer du tofu à nos recettes de soupes et de potages pour hausser leur contenu en protéines et améliorer leur texture sans augmenter pour autant leur teneur en gras saturés. La crème de tomate se prête particulièrement bien à ce subterfuge: il suffit d'y ajouter 1 t (250 ml) de tofu soyeux en fin de cuisson. On la passe ensuite au robot culinaire ou au mélangeur. Le résultat est étonnant: on croirait goûter à de la crème 35%!

### EN ACCOMPAGNEMENT
## Sandwichs au fromage fondant

Mélanger du fromage à la crème et de la moutarde de Dijon en quantités égales et étendre cette préparation sur des tranches de pain de blé entier. Garnir de cheddar fort râpé et faire dorer dans un poêlon.

PAR PORTION: cal.: 155; prot.: 7 g; m.g.: 3 g (7 g sat.); chol.: 4 mg; gluc.: 29 g; fibres: 6 g; sodium: 865 mg.

# Soupe aux gourganes de Charlevoix

12 À 16 PORTIONS • PRÉPARATION: 30 MIN • CUISSON: 3 H 30 MIN • RÉFRIGÉRATION: 12 H

## BOUILLON DE LÉGUMES

| | | |
|---|---|---|
| 2 c. à tab | huile végétale | 30 ml |
| 1/2 t | lardons ou bacon coupé en petits dés | 125 ml |
| 2 | poireaux coupés en gros morceaux | 2 |
| 2 | carottes coupées en gros morceaux | 2 |
| 3 | branches de céleri coupées en gros morceaux | 3 |
| 1 | gros oignon, piqué d'un clou de girofle | 1 |
| 2 | gousses d'ail écrasées | 2 |
| 2 | os de boeuf à moelle | 2 |
| 12 t | eau | 3 L |
| 2 | feuilles de laurier | 2 |
| 3 | brins de thym frais | 3 |
| 1 c. à thé | sel | 5 ml |

## SOUPE AUX GOURGANES

| | | |
|---|---|---|
| 3 t | gourganes (fèves des marais) cuites et égouttées | 750 ml |
| 2 | oignons hachés finement | 2 |
| 1 | poireau, la partie blanche seulement, haché finement | 1 |
| 5 | grosses carottes, hachées finement | 5 |
| 3 | branches de céleri hachées finement | 3 |
| 1 t | rutabaga haché finement | 250 ml |
| 3 | pommes de terre pelées et coupées en petits dés | 3 |
| 1/2 t | persil frais, haché finement | 125 ml |
| 3 c. à tab | herbes salées du Bas-du-fleuve (voir recette, p. 69) | 45 ml |

## PRÉPARATION DU BOUILLON

**1** Dans une grande casserole, chauffer l'huile à feu moyen. Ajouter les lardons et cuire, en brassant, jusqu'à ce qu'ils soient dorés. Ajouter les poireaux, les carottes, le céleri, l'oignon et l'ail et cuire, en brassant souvent, pendant 10 minutes. Ajouter les os et poursuivre la cuisson à feu vif pendant 5 minutes. Verser l'eau, ajouter les feuilles de laurier, le thym et le sel et porter à ébullition. Réduire à moyen-doux et laisser mijoter à découvert pendant 2 heures (écumer trois ou quatre fois en cours de cuisson).

**2** Dans une passoire fine placée sur un grand bol, filtrer le bouillon (jeter les ingrédients solides) et le remettre dans la casserole. Laisser tiédir et réfrigérer jusqu'au lendemain. Dégraisser le bouillon et jeter le gras.

## PRÉPARATION DE LA SOUPE

**3** Porter le bouillon dégraissé à ébullition. Ajouter les gourganes, les oignons, le poireau, les carottes, le céleri, le rutabaga, les pommes de terre, le persil et les herbes salées. Réduire à feu doux et laisser mijoter à découvert pendant 1 heure.

PAR PORTION: cal.: 160; prot.: 6 g; m.g.: 2 g (aucun sat.); chol.: aucun; gluc.: 2 g; fibres: 4 g; sodium: 430 mg.

# Crème d'asperges

6 À 8 PORTIONS • PRÉPARATION: 30 MIN • CUISSON: 25 MIN

| | | |
|---|---|---|
| 2 c. à tab | beurre non salé | 30 ml |
| 1 | poireau (les parties blanche et vert pâle seulement) haché | 1 |
| 1 | oignon haché | 1 |
| 1 | gousse d'ail hachée finement | 1 |
| 1 c. à thé | thym séché | 5 ml |
| 1/4 c. à thé | poivre noir du moulin | 1 ml |
| 1/4 t | vin blanc sec, ou bouillon de poulet ou de légumes | 60 ml |
| 6 t | bouillon de poulet ou de légumes | 1,5 L |
| 3 lb | asperges fraîches, parées | 1,5 kg |
| 1/4 t | crème à 35% | 60 ml |
| 2 c. à tab | ciboulette fraîche, hachée | 30 ml |
| 16 | pointes d'asperges blanchies (facultatif) | 16 |
| 8 | quartiers de citron | 8 |

1  Dans une grande casserole, faire fondre le beurre à feu moyen. Ajouter le poireau, l'oignon, l'ail, le thym et le poivre et cuire, en brassant de temps à autre, pendant environ 8 minutes ou jusqu'à ce que les légumes aient ramolli. Ajouter le vin et cuire, en brassant, pendant environ 2 minutes ou jusqu'à ce qu'il se soit complètement évaporé. Ajouter le bouillon et porter à ébullition. Ajouter les asperges, réduire le feu et laisser mijoter de 10 à 12 minutes ou jusqu'à ce qu'elles soient très tendres. Laisser refroidir légèrement.

2  Au robot culinaire ou au mélangeur, réduire la préparation d'asperges en purée lisse, en plusieurs fois. (Vous pouvez préparer la crème d'asperges jusqu'à cette étape, la laisser refroidir et la mettre dans un contenant hermétique. Elle se conservera jusqu'à 2 jours au réfrigérateur ou jusqu'à 2 mois au congélateur.)

3  Au moment de servir, verser la purée d'asperges dans la casserole. Ajouter la crème et réchauffer à feu moyen en brassant de temps à autre. Parsemer chaque portion de la ciboulette et garnir de 2 pointes d'asperges, si désiré. Accompagner d'un quartier de citron à presser sur la crème d'asperges.

## Nostalgie

Je revois toujours ma grand-mère Èva qui faisait 100 tartes en prévision des fêtes... au cas où il y aurait de la visite! Et ma mère, avec une voisine, étirant la fameuse tire Sainte-Catherine dans le froid de novembre. Et le jardin que cultivait maman. Aujourd'hui, j'ai un plaisir fou à cuisiner, car je reste dans la création. Mais, ô bonheur! les résultats sont immédiats, contrairement aux romans, si longs à écrire... Des recettes familiales, je retiens les biscuits à la mélasse, la soupe minestrone, le suprême de fruits de mer et quelques sauces pour accompagner une fondue chinoise ou bourguignonne.

Chrystine Brouillet, auteure et épicurienne

PAR PORTION: cal.: 92; prot.: 3 g; m.g.: 6 g (4 g sat.); chol.: 17 mg; gluc.: 9 g; fibres: 3 g; sodium: 22 mg.

# Chaudrée de pétoncles au bacon

4 PORTIONS • PRÉPARATION: 25 MIN • CUISSON: 35 MIN

*On trouve le jus de palourde en bouteille dans les épiceries fines, les poissonneries et certains supermarchés.*

| | | |
|---|---|---|
| 4 | tranches épaisses de bacon, hachées | 4 |
| 2 | pommes de terre (de type Yukon Gold) pelées et coupées en cubes (environ 1 lb/500 g en tout) | 2 |
| 2 | branches de céleri hachées | 2 |
| 1 | oignon haché | 1 |
| 1 c. à thé | thym séché | 5 ml |
| 1/2 c. à thé | paprika fumé ou ordinaire | 2 ml |
| 1/4 c. à thé | sel | 1 ml |
| 1/4 c. à thé | poivre noir du moulin | 1 ml |
| 1 | feuille de laurier | 1 |
| 4 c. à thé | farine | 20 ml |
| 2 t | lait | 500 ml |
| 1/2 t | jus de palourde | 125 ml |
| 1 1/2 t | eau | 375 ml |
| 1 lb | pétoncles frais ou surgelés, décongelés | 500 g |
| 2 c. à tab | persil frais, haché | 30 ml |
| 2 c. à thé | jus de citron | 10 ml |

**1** Dans un poêlon, cuire le bacon à feu moyen-vif pendant environ 6 minutes ou jusqu'à ce qu'il soit doré et croustillant. À l'aide d'une écumoire, mettre le bacon dans une assiette tapissée d'essuie-tout. Réserver le bacon et 1 c. à tab (15 ml) du gras de cuisson.

**2** Dans une grande casserole, chauffer le gras de cuisson du bacon réservé à feu moyen. Ajouter les pommes de terre, le céleri, l'oignon, le thym, le paprika, le sel, le poivre et la feuille de laurier et cuire, en brassant de temps à autre, pendant environ 6 minutes ou jusqu'à ce que l'oignon ait ramolli. Parsemer de la farine et cuire, en brassant, pendant 1 minute. À l'aide d'un fouet, incorporer le lait, le jus de palourde et l'eau et porter à ébullition. Ajouter le bacon réservé et mélanger. Réduire le feu, couvrir et laisser mijoter, en brassant de temps à autre, pendant environ 15 minutes ou jusqu'à ce que les pommes de terre soient tendres.

Ajouter les pétoncles et le persil et poursuivre la cuisson, à couvert, de 3 à 5 minutes ou jusqu'à ce que les pétoncles soient opaques. Retirer la feuille de laurier. Ajouter le jus de citron et mélanger.

### La chaudrée et la vie maritime

Moins célèbres que la chaudrée de palourdes de Nouvelle-Angleterre, les soupes de poisson connaissent tout de même une foule de variantes dans les communautés du Québec maritime. Idéales pour nourrir beaucoup de monde avec des restes de poisson, de fruits de mer et de coquillages, elles sont toujours agrémentées de lard haché, d'oignons et de pommes de terre. Les cuisinières les adaptent ensuite selon les légumes disponibles: du céleri et du maïs en août, parfois des tomates hachées, des herbes salées et de la crème – pour celles qui ont des vaches – ou, dans la plupart des cas, un roux pour leur donner une texture crémeuse.

PAR PORTION: cal.: 334; prot.: 29 g; m.g.: 10 g (4 g sat.); chol.: 60 mg; gluc.: 32 g; fibres: 2 g; sodium: 1 004 mg.

# Soupe à l'orge et au boeuf haché

8 À 10 PORTIONS • PRÉPARATION: 15 MIN • CUISSON: 1 H 10 MIN

| | | |
|---|---|---|
| 2 c. à tab | beurre | 30 ml |
| 1 | oignon coupé en dés | 1 |
| 1/2 lb | boeuf haché maigre | 250 g |
| 6 t | bouillon de boeuf | 1,5 L |
| 1/2 t | carottes coupées en dés | 125 ml |
| 1/2 t | rutabaga coupé en dés | 125 ml |
| 3/4 t | orge mondé | 180 ml |
| 1 c. à thé | herbes salées | 5 ml |
| | sel et poivre noir du moulin | |

1  Dans une grande casserole, faire fondre le beurre à feu moyen. Ajouter l'oignon et cuire, en brassant de temps à autre, pendant 5 minutes ou jusqu'à ce qu'il ait ramolli. Ajouter le boeuf haché et cuire pendant 5 minutes ou jusqu'à ce qu'il ait perdu sa teinte rosée.

2  Ajouter le bouillon de boeuf et porter à ébullition. Ajouter le reste des ingrédients. Saler et poivrer. Réduire le feu, couvrir et laisser mijoter pendant environ 1 heure ou jusqu'à ce que l'orge et les légumes soient tendres.

PAR PORTION: cal.: 145; prot.: 10 g; m.g.: 5 g (2 g sat.); chol.: 20 mg; gluc.: 15 g; fibres: 4 g; sodium: 455 mg.

# Soupe aux pois et au jambon

8 PORTIONS • PRÉPARATION: 40 MIN • CUISSON: 2 H

*On peut remplacer le jarret de porc fumé par un os de jambon. Dans ce cas, si on fait cuire un jambon, le réserver en conservant un peu de viande autour, et l'ajouter à la soupe en fin de cuisson.*

| | | |
|---|---|---|
| 1 c. à tab | huile végétale | 15 ml |
| 1 | oignon haché finement | 1 |
| 2 | carottes hachées finement | 2 |
| 2 | branches de céleri hachées finement | 2 |
| 2 | gousses d'ail hachées finement | 2 |
| 2 | feuilles de laurier | 2 |
| 1/2 c. à thé | poivre noir du moulin | 2 ml |
| 1 | jarret de porc fumé, la couenne et le gras enlevés (environ 1 lb/500 g) | 1 |
| 4 t | bouillon de poulet | 1 L |
| 2 t | pois jaunes cassés | 500 ml |
| 2 t | eau | 500 ml |
| 3 | oignons verts coupés en tranches fines | 3 |

1   Dans une grande casserole à fond épais, chauffer l'huile à feu moyen-doux. Ajouter l'oignon, les carottes, le céleri, l'ail, les feuilles de laurier, le poivre et le jarret de porc et cuire, en brassant de temps à autre, pendant environ 5 minutes ou jusqu'à ce que les légumes aient ramolli.

2   Ajouter le bouillon, les pois cassés et l'eau. Porter à ébullition à feu moyen-vif (au besoin, écumer la mousse qui se forme à la surface). Couvrir et laisser mijoter à feu moyen-doux pendant environ 1 heure 45 minutes ou jusqu'à ce que les pois se défassent et que la viande se détache de l'os.

3   Retirer les feuilles de laurier (les jeter) et le jarret de porc de la casserole. Désosser le jarret de porc et défaire la viande en filaments. Réserver la viande (jeter l'os). Au robot culinaire ou au mélangeur, réduire la moitié de la soupe en purée. Verser la purée dans la casserole, ajouter la viande réservée et mélanger. Réchauffer à feu doux. (Vous pouvez préparer la soupe à l'avance, la laisser refroidir et la mettre dans des contenants hermétiques. Elle se conservera jusqu'à 2 jours au réfrigérateur ou jusqu'à 2 mois au congélateur.)

4   Au moment de servir, répartir la soupe dans des bols et garnir des oignons verts.

PAR PORTION: cal.: 320; prot.: 30 g; m.g.: 6 g (1 g sat.); chol.: 40 mg; gluc.: 38 g; fibres: 14 g; sodium: 725 mg.

# Soupe à la courge et aux haricots de Lima

6 PORTIONS • PRÉPARATION: 20 MIN • CUISSON: 23 MIN

| | | |
|---|---|---|
| 2 c. à tab | huile végétale | 30 ml |
| 2 | poireaux, les parties blanche et vert pâle seulement, hachés | 2 |
| 2 | gousses d'ail hachées finement | 2 |
| 1/2 c. à thé | thym séché | 2 ml |
| 1/4 c. à thé | sel | 1 ml |
| 1/2 c. à thé | poivre noir du moulin | 2 ml |
| 3 t | bouillon de légumes réduit en sel | 750 ml |
| 3 t | eau | 750 ml |
| 2 t | courge musquée pelée et coupée en dés | 500 ml |
| 1 t | haricots de Lima surgelés | 250 ml |
| 1 | poivron vert haché | 1 |
| 1 t | maïs en grains surgelé | 250 ml |

1   Dans une grande casserole, chauffer l'huile à feu moyen. Ajouter les poireaux, l'ail, le thym, le sel et le poivre et cuire, en brassant de temps à autre, pendant environ 5 minutes ou jusqu'à ce que les poireaux aient ramolli. Ajouter le bouillon, l'eau et la courge. Porter à ébullition. Réduire le feu, couvrir et laisser mijoter pendant environ 15 minutes ou jusqu'à ce que la courge soit tendre.

2   Ajouter les haricots de Lima, le poivron et le maïs et laisser mijoter pendant environ 3 minutes ou jusqu'à ce que le poivron soit tendre. (Vous pouvez préparer la soupe à l'avance, la laisser refroidir et la mettre dans un contenant hermétique. Elle se conservera jusqu'à 3 jours au réfrigérateur ou 3 mois au congélateur.)

PAR PORTION: cal.: 145; prot.: 4 g; m.g.: 5 g (traces sat.); chol.: aucun; gluc.: 24 g; fibres: 4 g; sodium: 452 mg.

# Soupe aux boulettes de viande à l'italienne

6 PORTIONS • PRÉPARATION: 30 MIN • CUISSON: 1 H 5 MIN À 1 H 10 MIN

|          | recette de base de boulettes de viande (voir p. 146) |         |
|----------|------------------------------------------------------|---------|
|          | recette de base de boulettes de viande (voir p. 146) |         |
| 2 c. à thé | romarin frais, haché finement ou | 10 ml |
| 1/2 c. à thé | romarin séché | 2 ml |
| 2 c. à thé | basilic frais, haché finement ou | 10 ml |
| 1/2 c. à thé | basilic séché | 2 ml |
| 2 c. à thé | origan frais, haché finement ou | 10 ml |
| 1/2 c. à thé | origan séché | 2 ml |
| 1 c. à tab | huile d'olive | 15 ml |
| 3 | carottes pelées et hachées grossièrement | 3 |
| 2 | poivrons jaunes ou rouges coupés en lanières | 2 |
| 1 | oignon haché | 1 |
| 2 t | bouillon de boeuf réduit en sel | 500 ml |
| 2 t | eau | 500 ml |
| 1 | boîte de haricots blancs (de type Great Northern), égouttés et rincés (19 oz/540 ml) | 1 |
| 1/2 t | orge perlé | 125 ml |
| 4 t | petites feuilles d'épinards frais | 1 L |

1   Dans un grand bol, mélanger tous les ingrédients de la recette de base avec la moitié du romarin, du basilic et de l'origan. Avec les mains mouillées, façonner la préparation en boulettes de 1 1/2 po (4 cm) de diamètre et les mettre sur une plaque de cuisson tapissée de papier-parchemin. Cuire au four préchauffé à 400°F (200°C) de 15 à 20 minutes ou jusqu'à ce que les boulettes aient perdu leur teinte rosée à l'intérieur. Réserver.

2   Dans une grosse cocotte en métal, chauffer l'huile à feu moyen. Ajouter les carottes, les poivrons et l'oignon et cuire, en brassant de temps à autre, pendant 5 minutes. Ajouter le bouillon, l'eau, les haricots blancs, l'orge et le reste du romarin, du basilic et de l'origan et

porter à ébullition. Réduire le feu, couvrir et laisser mijoter pendant environ 30 minutes ou jusqu'à ce que l'orge soit tendre.

3   Ajouter les boulettes de viande réservées et cuire pendant environ 3 minutes ou jusqu'à ce qu'elles soient chaudes. Ajouter les épinards et poursuivre la cuisson pendant 1 minute ou jusqu'à ce qu'ils aient ramolli. (Vous pouvez préparer la soupe à l'avance, la laisser refroidir et la mettre dans un contenant hermétique. Elle se conservera jusqu'à 2 jours au réfrigérateur ou jusqu'à 2 mois au congélateur.)

PAR PORTION: cal.: 390; prot.: 29 g; m.g.: 13 g (4 g sat.); chol.: 75 mg; gluc.: 41 g; fibres: 9 g; sodium: 650 mg.

Salades, légumes et marinades

# Des fruits et des légumes en réserve

Climat oblige: nos aïeules ont toujours su cuisiner en fonction des saisons et prévoir des réserves pour les longs mois d'hiver, perfectionnant au maximum l'art de la mise en pots. Dans les campagnes, les femmes cultivaient de grands potagers avec l'aide des enfants encore trop jeunes pour aider sur la ferme. Puis, la mise en pots s'étirait sur toute la belle saison jusque tard en automne, tandis que les hommes étaient à la chasse. La liste était longue et la tâche ardue: concombres en saumure, relishs, petites fèves, petits pois et carottes en pots, oignons et betteraves marinés, confitures, gelées, prunes au sirop, beurre de pomme, ketchup aux fruits, sans oublier les conserves de tomates.

# Salade de pommes de terre au saumon

12 PORTIONS • PRÉPARATION: 40 MIN • CUISSON: 30 À 40 MIN • RÉFRIGÉRATION: 2 H

| | | |
|---|---|---|
| 3 lb | pommes de terre rouges, brossées | 1,5 kg |
| 8 oz | darne ou filet de saumon avec la peau | 250 g |
| 1/8 c. à thé + 1/2 c. à thé | sel | 2,5 ml |
| 1/8 c. à thé + 1/4 c. à thé | poivre noir du moulin | 1,5 ml |
| 1/2 | oignon rouge coupé en tranches fines | 1/2 |
| 2/3 t | mayonnaise | 160 ml |
| 4 c. à thé | vinaigre de cidre | 20 ml |
| 4 c. à thé | aneth frais, haché | 20 ml |
| 1/4 c. à thé | muscade moulue | 1 ml |

1  Dans une grande casserole d'eau bouillante salée, cuire les pommes de terre de 30 à 40 minutes ou jusqu'à ce qu'elles soient tendres mais encore légèrement croquantes. Égoutter les pommes de terre, les remettre dans la casserole et laisser refroidir légèrement.

2  Entre-temps, dans un plat peu profond allant au four, déposer la darne de saumon, la peau dessous, et la parsemer de 1/8 c. à thé (0,5 ml) chacun du sel et du poivre. Cuire au four préchauffé à 450°F (230°C) de 10 à 15 minutes ou jusqu'à ce que la chair du poisson se défasse à la fourchette.

3  Peler les pommes de terre, les couper en tranches de 1/2 po (1 cm) d'épaisseur et les mettre dans un saladier. Ajouter l'oignon et mélanger délicatement. Dans un petit bol, mélanger la mayonnaise, le vinaigre de cidre, l'aneth, le reste du sel et du poivre et la muscade. Verser sur la salade et mélanger délicatement pour bien enrober les ingrédients.

4  Retirer la peau du saumon et défaire la chair à la fourchette (au besoin, retirer les arêtes). Ajouter le saumon dans le saladier et mélanger délicatement. Couvrir et réfrigérer pendant au moins 2 heures avant de servir.

PAR PORTION: cal.: 176; prot.: 6 g; m.g.: 8 g (2 g sat.); chol.: 17 mg; gluc.: 21 g; fibres: 2 g; sodium: 302 mg.

# Salade de poulet aux fruits

8 PORTIONS • PRÉPARATION: 25 MIN • CUISSON: 17 MIN • RÉFRIGÉRATION: 2 H

| | | |
|---|---|---|
| 5 | poitrines de poulet désossées, la peau et le gras enlevés (environ 2 1/2 lb/1,25 kg en tout) | 5 |
| 1/2 c. à thé | sel | 2 ml |
| 2 t | raisins verts sans pépins, coupés en deux | 500 ml |
| 1 1/2 | boîte d'ananas en petits morceaux, égouttés (14 oz/398 ml chacune) | 1 1/2 |
| 3 | branches de céleri coupées en tranches fines | 3 |
| 3/4 t | mayonnaise | 180 ml |
| 1/2 t | noix de Grenoble hachées | 125 ml |

1  Mettre les poitrines de poulet dans une grande casserole et les couvrir d'eau froide. Couvrir et porter à ébullition. Réduire le feu et laisser mijoter pendant 12 minutes ou jusqu'à ce que le poulet ait perdu sa teinte rosée à l'intérieur. Mettre le poulet sur une planche à découper et laisser refroidir.

2  Couper le poulet refroidi en gros dés et les mettre dans un grand bol. Parsemer du sel. Ajouter les raisins, l'ananas, le céleri et la mayonnaise et mélanger délicatement pour bien enrober les ingrédients. Couvrir et réfrigérer pendant au moins 2 heures.

3  Au moment de servir, bien mélanger la salade et la parsemer des noix de Grenoble.

PAR PORTION: cal.: 365; prot.: 42 g; m.g.: 15 g (2 g sat.); chol.: 110 mg; gluc.: 16 g; fibres: 1 g; sodium: 405 mg.

Salade de pommes de terre
au saumon

Salade de poulet
aux fruits

61

# Salade de pommes de terre aux oeufs durs et au jambon

6 PORTIONS • PRÉPARATION: 15 MIN • CUISSON: AUCUNE • RÉFRIGÉRATION: 2 H

| | | |
|---|---|---|
| 1 t | pomme de terre cuite, coupée en cubes (environ 1 grosse pomme de terre) | 250 ml |
| 1 t | jambon fumé cuit, coupé en cubes | 250 ml |
| 1 t | oeufs durs coupés en dés (environ 3 gros oeufs) | 250 ml |
| 1 t | pomme coupée en dés (environ 1 pomme) | 250 ml |
| 1 t | concombre pelé et coupé en dés (environ 1 gros concombre) | 250 ml |
| 1 t | oignon coupé en dés (environ 1 oignon) | 250 ml |
| 1 t | mayonnaise | 250 ml |
| 1/4 c. à thé | sel | 1 ml |
| 1/4 c. à thé | poivre noir du moulin | 1 ml |
| | persil frais (facultatif) | |

**1** Dans un grand bol, mélanger tous les ingrédients. Couvrir d'une pellicule de plastique et réfrigérer pendant au moins 2 heures. (Vous pouvez préparer la salade à l'avance. Elle se conservera jusqu'au lendemain au réfrigérateur.

**2** Au moment de servir, garnir de persil, si désiré.

## Nostalgie

Les tartes aux pommes, les pommes bonne femme au sucre vanillé et les clafoutis de ma mère... Quels beaux souvenirs d'enfance! Mon père était jardinier, et nous avions un immense potager. Dès l'âge de quatre ans, je l'aidais à récolter aubergines, chou chinois, salsifis, courges (dont ma mère faisait d'excellents gratins) et tomates, qu'elle farcissait avec de la chair à saucisse. Leur cuisson embaumait toute la maison! Comme nous étions 11 enfants, elle cuisinait presque à plein temps en plus de s'occuper du ménage et du jardin. Tout était frais et il n'y avait aucun gaspillage.

Jean-Luc Boulay, chef propriétaire du restaurant Le Saint-Amour, à Québec, né dans les années 1950, père de trois enfants et grand-père

PAR PORTION: cal.: 275; prot.: 11 g; m.g.: 17 g (3 g sat.); chol.: 115 mg; gluc.: 21 g; fibres: 2 g; sodium: 740 mg.

# Gratin de légumes

6 PORTIONS • PRÉPARATION: 1 H • CUISSON: 1 H 15 MIN À 1 H 35 MIN

| | | |
|---|---|---|
| 2 | grosses carottes, coupées en morceaux de 2 po (5 cm) | 2 |
| 1 | oignon espagnol coupé en huit quartiers | 1 |
| 1/2 | petit rutabaga, coupé en morceaux de 2 po (5 cm) | 1/2 |
| 2 | panais coupés en morceaux de 2 po (5 cm) | 2 |
| 8 | pommes de terre nouvelles non pelées | 8 |
| 8 | bouquets de brocoli | 8 |
| 1/2 t | beurre ramolli | 125 ml |
| 1/2 t | farine | 125 ml |
| 3 t | lait chaud | 750 ml |
| 1 c. à tab | moutarde de Dijon | 15 ml |
| 1/2 c. à thé | sel | 2 ml |
| 1/2 c. à thé | poivre noir du moulin | 2 ml |
| 1 1/2 t | gruyère râpé | 375 ml |

1   Dans une grande casserole d'eau bouillante légèrement salée, cuire les carottes, l'oignon, le rutabaga et les panais de 15 à 20 minutes ou jusqu'à ce qu'ils soient tendres mais encore croquants. Égoutter les légumes en réservant 1 t (250 ml) de l'eau de cuisson.

2   Pendant ce temps, dans une autre casserole d'eau bouillante salée, cuire les pommes de terre pendant environ 15 minutes ou jusqu'à ce qu'elles soient tendres. Égoutter les pommes de terre, les laisser refroidir légèrement et les couper en deux. Dans une marguerite placée dans une casserole, cuire le brocoli à la vapeur de 3 à 5 minutes ou jusqu'à ce qu'il soit tendre mais encore légèrement croquant. Le plonger dans de l'eau glacée pour arrêter la cuisson, l'égoutter et l'éponger.

3   Dans un grand plat allant au four d'une capacité de 12 t (3 L), légèrement huilé, étendre les légumes en les alternant. Réserver à la température ambiante.

4   Dans une casserole à fond épais, faire fondre le beurre à feu moyen. À l'aide d'un fouet, ajouter la farine en remuant sans arrêt et cuire pendant environ 10 minutes. Ajouter petit à petit l'eau de cuisson réservée et le lait en fouettant sans arrêt jusqu'à ce que la sauce commence à bouillonner. Réduire à feu doux et poursuivre la cuisson de 20 à 30 minutes en remuant souvent. Ajouter la moutarde, le sel, le poivre et le gruyère et cuire, en remuant, jusqu'à ce que le fromage ait fondu. Rectifier l'assaisonnement. Verser la sauce au fromage sur les légumes réservés.

5   Cuire au four préchauffé à 350°F (180°C) pendant 25 minutes ou jusqu'à ce que la préparation soit bouillonnante. Poursuivre la cuisson sous le gril préchauffé du four de 5 à 10 minutes ou jusqu'à ce que le dessus du gratin soit doré. Laisser reposer 5 minutes avant de servir.

PAR PORTION: cal.: 648; prot.: 21 g; m.g.: 29 g (17 g sat.); chol.: 85 mg; gluc.: 79 g; fibres: 9,4 g; sodium: 399 mg.

# Patates douces et carottes glacées à l'érable

12 PORTIONS • PRÉPARATION: 15 MIN • CUISSON: 40 À 50 MIN

| | | |
|---|---|---|
| 3 1/2 lb | patates douces coupées en morceaux | 1,75 kg |
| 2 1/2 lb | carottes coupées en morceaux | 1,25 kg |
| 1/4 t | huile végétale | 60 ml |
| 2/3 t | sirop d'érable | 160 ml |
| 3 c. à tab | beurre coupé en dés | 45 ml |
| | sel et poivre noir du moulin | |

1   Dans un grand bol, mélanger les patates douces, les carottes et l'huile. Étendre les légumes sur deux grandes plaques de cuisson tapissées de papier-parchemin. Saler et poivrer. Cuire au four préchauffé à 400°F (200°C) de 25 à 30 minutes ou jusqu'à ce que les légumes commencent à dorer (brasser de temps à autre).

2   Arroser les légumes du sirop d'érable et mélanger pour bien les enrober. Poursuivre la cuisson de 15 à 20 minutes ou jusqu'à ce que les légumes soient tendres et caramélisés. Retirer du four. Parsemer du beurre et laisser reposer jusqu'à ce qu'il ait fondu. Mélanger délicatement pour bien enrober les légumes.

PAR PORTION: cal.: 265; prot.: 3 g; m.g.: 8 g (2 g sat.); chol.: 8 mg; gluc.: 48 g; fibres: 11 g; sodium: 160 mg.

# Légumes rôtis au balsamique et aux fines herbes

12 PORTIONS • PRÉPARATION: 30 MIN • CUISSON: 40 À 45 MIN

| | | |
|---|---|---|
| 6 c. à tab + 3 c. à tab | huile d'olive | 135 ml |
| 2 c. à tab + 1 1/2 c. à thé | thym frais, haché ou | 37 ml |
| 2 c. à thé + 1 c. à thé | thym séché | 15 ml |
| 2 c. à tab + 1 1/2 c. à thé | marjolaine fraîche, hachée ou | 37 ml |
| 2 c. à thé + 1 c. à thé | marjolaine séchée | 15 ml |
| 2 1/2 lb | carottes entières, avec la queue | 1,25 kg |
| 2 lb | panais entiers | 1 kg |
| 2 | rutabagas coupés en gros bâtonnets | 2 |
| 3 | oignons rouges coupés en quartiers | 3 |
| 3 c. à tab | vinaigre balsamique | 45 ml |
| 3 c. à tab | persil frais, haché | 45 ml |
| 2 c. à thé | zeste de citron finement râpé | 10 ml |
| | sel et poivre noir du moulin | |

1   Dans un grand bol, mélanger 6 c. à tab (90 ml) de l'huile, 2 c. à tab (30 ml) du thym frais et 2 c. à tab (30 ml) de la marjolaine fraîche. Couper les queues des carottes en laissant une longueur d'environ 2 po (5 cm). Dans le bol, ajouter les carottes, les panais, les rutabagas et les oignons et mélanger pour bien les enrober. Étendre les légumes en une seule couche sur deux plaques de cuisson tapissées de papier-parchemin. Saler et poivrer. Cuire au four préchauffé à 425°F (220°C) de 40 à 45 minutes ou jusqu'à ce que les légumes soient dorés (remuer de temps à autre). Réserver au chaud.

2   Entre-temps, dans un petit bol, mélanger le vinaigre balsamique avec le reste de l'huile, du thym et de la marjolaine. Au moment de servir, arroser les légumes rôtis de la vinaigrette, puis parsemer du persil et du zeste de citron.

PAR PORTION: cal.: 140; prot.: 3 g; m.g.: 1 g (aucun sat.); chol.: aucun; gluc.: 33 g; fibres: 8 g; sodium: 90 mg.

*Patates douces
et carottes glacées à l'érable*

*Chou-fleur rôti à la moutarde
et au citron*

*Légumes rôtis au balsamique
et aux fines herbes*

# Chou-fleur rôti
# à la moutarde et au citron

12 PORTIONS • PRÉPARATION: 15 MIN • CUISSON: 25 MIN

| | | |
|---|---|---|
| 2 | petits choux-fleurs, défaits en bouquets | 2 |
| 2 c. à thé | gros sel de mer ou fleur de sel | 10 ml |
| 3/4 t | beurre | 180 ml |
| 1/4 t | jus de citron | 60 ml |
| 1 c. à tab | zeste de citron râpé finement | 15 ml |
| 1/4 t | moutarde de Meaux (moutarde à l'ancienne) | 60 ml |
| 2 c. à tab | persil frais, haché | 30 ml |

1 Couper les bouquets de chou-fleur en deux et les étendre en une seule couche sur deux plaques de cuisson tapissées de papier-parchemin. Parsemer du sel. Cuire au four préchauffé à 400°F (200°C) pendant 15 minutes ou jusqu'à ce que le chou-fleur ait légèrement ramolli.

2 Entre-temps, dans une casserole, faire fondre le beurre à feu moyen. Incorporer le jus et le zeste de citron et la moutarde. Étendre uniformément la préparation au beurre sur le chou-fleur et poursuivre la cuisson pendant 10 minutes ou jusqu'à ce qu'il soit tendre mais encore croquant. Au moment de servir, parsemer du persil.

PAR PORTION: cal.: 120; prot.: 1 g; m.g.: 12 g (7 g sat.); chol.: 30 mg; gluc.: 3 g; fibres: 1 g; sodium: 555 mg.

# Salade de macaronis aux légumes et au cheddar

8 PORTIONS • PRÉPARATION: 15 MIN • CUISSON: 7 MIN • RÉFRIGÉRATION: 2 H

| | | |
|---|---|---|
| 8 oz | macaronis ou autres pâtes courtes | 250 g |
| 1/2 t | mayonnaise légère | 125 ml |
| 2 c. à tab | ketchup | 30 ml |
| 1 c. à tab | relish | 15 ml |
| 1/2 à 1 c. à thé | sauce tabasco | 2 à 5 ml |
| 1/4 c. à thé | poivre noir du moulin | 1 ml |
| 1/8 c. à thé | sel | 0,5 ml |
| 1 t | tomates cerises coupées en deux | 250 ml |
| 3 | branches de céleri coupées en tranches | 3 |
| 2 | grosses carottes, râpées | 2 |
| 4 oz | cheddar coupé en dés | 125 g |
| 1/2 | poivron vert haché | 1/2 |

1   Dans une grande casserole d'eau bouillante salée, cuire les pâtes pendant 7 minutes ou jusqu'à ce qu'elles soient al dente. Égoutter les pâtes et les rincer sous l'eau froide pour les refroidir. Les égoutter de nouveau et les mettre dans un grand bol.

2   Dans un petit bol, à l'aide d'un fouet, mélanger la mayonnaise, le ketchup, la relish, la sauce tabasco, le poivre et le sel. Réserver. Dans le bol de pâtes refroidies, ajouter les tomates, le céleri, les carottes, le cheddar et le poivron. Verser un peu plus de la moitié du mélange de mayonnaise réservé et mélanger pour bien enrober tous les ingrédients. Couvrir la salade d'une pellicule de plastique et réfrigérer pendant au moins 2 heures. (Vous pouvez préparer la salade à l'avance. Elle se conservera jusqu'au lendemain au réfrigérateur.)

3   Au moment de servir, ajouter le reste du mélange de mayonnaise et mélanger.

## Le macaroni: variantes sur un thème ancien

C'est à la multinationale Kraft que l'on doit l'extrême engouement pour la salade de macaronis grâce à l'avènement, dans les années 1930, de la sauce à salade, créée durant la dépression pour offrir une alternative peu coûteuse à la mayonnaise préparée. Plat d'accompagnement hyper économique, cette salade s'est ainsi retrouvée sur toutes les tables de réception, à côté des petits pains farcis et des sandwichs aux oeufs sans croûte. Incontournable des pique-niques et des barbecues, la salade de macaronis s'est aujourd'hui raffinée avec l'ajout de légumes variés et d'ingrédients comme le pesto, les olives séchées ou les poivrons marinés.

PAR PORTION: cal.: 234; prot.: 8 g; m.g.: 10 g (4 g sat.); chol.: 20 mg; gluc.: 28 g; fibres: 2 g; sodium: 345 mg.

# Pommes de terre au four

4 PORTIONS • PRÉPARATION: 45 MIN • CUISSON: 1 H 5 MIN

| | | |
|---|---|---|
| 4 | pommes de terre brossées (de type Russet ou Idaho) | 4 |
| 1/2 t | crème sure | 125 ml |
| 1/4 t | ciboulette fraîche, hachée finement | 60 ml |
| 2 c. à tab | beurre | 30 ml |
| 1/2 c. à thé | sel | 2 ml |
| 1/2 c. à thé | poivre noir du moulin | 2 ml |
| 2 | tranches de bacon cuit, émiettées | 2 |

1   Piquer les pommes de terre à l'aide d'une fourchette et les déposer directement sur la grille, au centre du four préchauffé à 400°F (200°C). Cuire environ 1 heure ou jusqu'à ce que les pommes de terre soient tendres (les retourner de temps à autre).

2   Couper une fine tranche sur le dessus des pommes de terre. À l'aide d'une petite cuillère, retirer délicatement la pulpe en laissant une paroi de 1/2 po (1 cm) d'épaisseur. Mettre la pulpe dans un bol. Ajouter la crème sure, la ciboulette, le beurre et la moitié chacun du sel et du poivre. À l'aide d'un presse-purée, réduire la préparation en purée.

3   Parsemer les pommes de terre évidées du reste du sel et du poivre et les farcir de la purée. Les déposer sur une plaque de cuisson. (Vous pouvez préparer les pommes de terre jusqu'à cette étape, les laisser refroidir et les couvrir d'une pellicule de plastique. Elles se conserveront jusqu'au lendemain au réfrigérateur. Retirer la pellicule de plastique et cuire au four préchauffé à 375°F/190°C environ 20 minutes ou jusqu'à ce qu'elles soient chaudes.)

4   Cuire sous le gril préchauffé du four environ 3 minutes ou jusqu'à ce qu'elles soient dorées. Au moment de servir, parsemer du bacon.

PAR PORTION: cal.: 295; prot.: 6 g; m.g.: 13 g (8 g sat.); chol.: 35 mg; glucides: 36 g; fibres: 5 g; sodium: 455 mg.

# Pommes de terre en escalopes

8 PORTIONS • PRÉPARATION: 15 MINUTES • CUISSON: 1 H 20 MIN

| | | |
|---|---|---|
| 3 c. à tab | beurre | 45 ml |
| 3 c. à tab | farine | 45 ml |
| 1 1/2 c. à thé | sel | 7 ml |
| 1/2 c. à thé | poivre noir du moulin | 2 ml |
| 2 1/2 t | lait | 625 ml |
| 6 | pommes de terre pelées et coupées en tranches fines (environ 2 lb/1 kg en tout) | 6 |
| 1/3 t | oignons hachés finement | 80 ml |
| 1/3 t | gruyère râpé | 80 ml |

1   Dans une casserole, faire fondre le beurre à feu moyen. Ajouter la farine, le sel et le poivre et cuire, en brassant, pendant 1 minute. Ajouter le lait petit à petit et cuire, en brassant sans arrêt, pendant environ 5 minutes ou jusqu'à ce que la sauce soit bouillonnante et ait épaissi. Réserver.

2   Dans un plat allant au four de 8 po (20 cm) de côté, beurré, étendre le tiers des pommes de terre. Verser le tiers de la sauce réservée et parsemer du tiers des oignons. Répéter ces opérations deux fois. Parsemer du fromage. Couvrir de papier d'aluminium et cuire au four préchauffé à 350°F (180°C) pendant environ 45 minutes. Poursuivre la cuisson à découvert pendant environ 30 minutes ou jusqu'à ce que les pommes de terre soient tendres et le dessus, légèrement doré. Laisser reposer pendant 5 minutes avant de servir.

PAR PORTION: cal.: 205; prot.: 6 g; m.g.: 6 g (4 g sat.); chol.: 20 mg; gluc.: 32 g; fibres: 2 g; sodium: 485 mg.

# Herbes salées du Bas-du-fleuve

DONNE ENVIRON 6 T (1,5 L) • PRÉPARATION: 30 MIN • CUISSON: AUCUNE • REPOS: 48 H

*Rien de tel pour rehausser en un clin d'oeil les soupes, les vinaigrettes, les sauces, les trempettes et les ragoûts.*

| | | |
|---|---|---|
| 1 | grosse carotte, hachée très finement | 1 |
| 1 | gros panais, haché très finement | 1 |
| 1 | branche de céleri avec les feuilles, hachée très finement | 1 |
| 1 t | cerfeuil frais, les tiges enlevées, haché finement | 250 ml |
| 1 t | persil frais, les tiges enlevées, haché finement | 250 ml |
| 1/2 t | sarriette fraîche, les tiges enlevées, hachée finement | 125 ml |
| 4 c. à tab | thym frais, les tiges enlevées, haché finement | 60 ml |
| 4 c. à tab | marjolaine fraîche, les tiges enlevées, hachée finement | 60 ml |
| 1 t | gros sel | 250 ml |

1   Dans un grand bol en verre, mélanger tous les ingrédients. Couvrir le bol d'une pellicule de plastique et réfrigérer pendant 48 heures (remuer de temps à autre).

2   Verser les herbes salées dans des pots en verre stérilisés. Centrer le couvercle sur le pot et visser l'anneau sans trop serrer. (Les herbes salées se conserveront jusqu'à 1 mois au réfrigérateur.)

PAR PORTION de 1 c. à tab (15 ml): cal.: 3; prot.: aucune; m.g.: aucune (aucun sat.); chol.: aucun; gluc.: 1 g; fibres: aucune; sodium: 932 mg.

# Sauce tomate de base

DONNE 7 POTS DE 2 T (500 ML) CHACUN • PRÉPARATION: 40 MIN • CUISSON: 1 À 2 H • STÉRILISATION: 35 MIN

*Pour peler les tomates facilement, on peut les blanchir en les plongeant dans l'eau bouillante pendant environ 1 minute, puis les refroidir dans l'eau froide et les égoutter aussitôt.*

| 10 lb | tomates pelées, épépinées et hachées grossièrement | 5 kg |
|---|---|---|
| 2 | gros oignons, hachés | 2 |
| 3 | gousses d'ail hachées finement | 3 |
| 2 c. à thé | basilic séché | 10 ml |
| 2 | feuilles de laurier | 2 |
| 1 c. à thé | sel | 5 ml |
| 1 c. à thé | poivre noir du moulin | 5 ml |
| 1 c. à thé | sucre | 5 ml |
| 7 c. à tab | jus de citron concentré (de type Real Lemon) | 105 ml |

1   Dans une grande casserole, mélanger tous les ingrédients sauf le jus de citron. Porter à ébullition en remuant de temps à autre. Réduire à feu doux et laisser mijoter de 1 à 2 heures ou jusqu'à ce que la sauce ait la consistance désirée (brasser de temps à autre). Retirer les feuilles de laurier et, à l'aide d'un presse-purée, écraser les tomates jusqu'à ce que la sauce soit lisse.

2   Environ 45 minutes avant la mise en pots, remplir d'eau aux deux tiers une grande marmite munie d'un panier à stériliser et porter à ébullition. Réduire à feu doux, déposer les pots dans le panier et réserver en maintenant l'eau très chaude (**photo A**). Quelques minutes avant la mise en pots, stériliser les couvercles et une spatule en caoutchouc à l'épreuve de la chaleur dans une petite casserole d'eau bouillante pendant environ 5 minutes. Retirer la casserole du feu et réserver.

3   Soulever le panier et, à l'aide d'une pince, déposer les pots sur un linge plié. Répartir le jus de citron dans les pots, puis verser la sauce tomate chaude jusqu'à 1/2 po (2 cm) du bord. À l'aide de la spatule stérilisée, éliminer les bulles d'air en remuant délicatement (**photo B**). Essuyer le col de chaque pot avec un linge propre et humide et fermer hermétiquement sans trop serrer.

4   Déposer les pots de sauce dans le panier à stériliser et le plonger délicatement dans l'eau de la marmite. Ajouter suffisamment d'eau bouillante pour couvrir les pots de 1 à 2 po (2,5 à 5 cm) d'eau (attention de ne pas verser l'eau directement sur les couvercles) (**photo C**). Couvrir la marmite et porter à ébullition. Laisser bouillir pendant 35 minutes, puis éteindre le feu.

5   Soulever le panier et, à l'aide d'une pince, déposer les pots sur le linge plié. Laisser refroidir complètement (ne pas resserrer les couvercles). Vérifier si les pots sont bien scellés (le couvercle devrait s'incurver vers le bas et ne pas bouger sous une pression du doigt) (**photo D**). Réfrigérer ou congeler tous les pots qui semblent mal scellés. (Les pots bien scellés se conserveront jusqu'à 1 an dans un endroit frais et sec, à l'abri de la lumière.)

## Pour ajouter de la saveur

Au moment d'utiliser notre sauce tomate, quelques ajouts intéressants qui lui donneront de la personnalité.

• Sauce à pizza. Environ 1/4 t (60 ml) d'origan frais, haché, et un soupçon d'huile d'olive.

• Sauce pour les pâtes. Environ 1/4 t (60 ml) de basilic frais, haché, et 1/2 t (125 ml) d'olives noires hachées.

• Sauce à la mexicaine (pour les tacos ou les enchiladas). Environ 1/4 t (60 ml) de coriandre fraîche, hachée, 1/2 c. à thé (2 ml) de cumin moulu et 1 c. à thé (5 ml) d'assaisonnement au chili.

• Sauce rosée. Un peu de crème à 35% ou de lait évaporé, ou environ la même quantité de sauce béchamel que de sauce tomate.

PAR PORTION de 1/2 t (125 ml): cal.: 40; prot.: 2 g; m.g.: aucune (aucun sat.); chol.: aucun; gluc.: 9 g; fibres: 2 g; sodium (95 mg).

## Une question de sécurité

Même s'il est tentant de modifier une recette de tomates ou de sauce tomate en conserve, il faut s'en abstenir, car cela risque de causer des problèmes de conservation.

En effet, certains ingrédients peuvent changer le taux d'acidité de la recette, dont le temps et la méthode de stérilisation ont été justement prévus en fonction de l'acidité. Les préparations **à haute acidité,** comme ici notre sauce tomate, peuvent être simplement stérilisées dans une marmite, à l'eau bouillante, tandis que les préparations **à faible acidité,** comme les soupes et les sauces à la viande ou aux légumes, doivent absolument être traitées dans une marmite à pression.

### UNE ÉTAPE CRUCIALE

Toujours stériliser les pots dans une grande marmite d'eau bouillante ou au four à 350°F (180°C) pendant 20 minutes, puis les placer à l'envers sur des linges propres jusqu'au moment de l'utilisation. Stériliser aussi les couvercles et leurs bagues dans l'eau bouillante pendant au moins 5 minutes.

# Chou-fleur gratiné au parmesan

8 PORTIONS • PRÉPARATION: 15 MIN • CUISSON: 55 MIN

*Pour un gratin vraiment savoureux, on suggère d'utiliser ici une sauce tomate de type marinara réfrigérée en sachet sous vide (comme celle de O'Sole Mio), de meilleure qualité que les sauces en pot.*

| 1/4 t | chapelure assaisonnée à l'italienne | 60 ml |
|-------|-------------------------------------|--------|
| 1 | chou-fleur défait en bouquets (7 à 8 t/1,75 à 2 L) | 1 |
| 3 t | sauce tomate pour pâtes (de type marinara) | 750 ml |
| 2 t | fromage mozzarella râpé | 500 ml |
| 1/4 t | parmesan râpé | 60 ml |

1   Parsemer 2 c. à tab (30 ml) de la chapelure dans le fond d'un plat de 11 po x 7 po (28 cm x 18 cm). Étendre la moitié du chou-fleur dans le plat, puis couvrir de 1 1/2 t (375 ml) de la sauce. Parsemer de 1 t (250 ml) du fromage mozzarella et du reste de la chapelure. Couvrir du reste du chou-fleur et de la sauce et parsemer du reste du fromage mozzarella.

2   Couvrir le plat de papier d'aluminium et cuire au four préchauffé à 375°F (190°C) pendant 40 minutes. Retirer le papier d'aluminium et parsemer le dessus de la préparation du parmesan. Poursuivre la cuisson au four pendant 15 minutes ou jusqu'à ce que le parmesan ait fondu et soit doré. Laisser reposer pendant 15 minutes avant de servir.

PAR PORTION: cal.: 156; prot.: 12 g; m.g.: 6 g (4 g sat.); chol.: 19 mg; gluc.: 15 g; fibres: 4 g; sodium: 517 mg.

# Cornichons en tranches à l'ancienne

*La technique de mise en conserve utilisée ici est différente. Comme on ne traite pas les pots de cornichons à l'eau bouillante, il est recommandé de les conserver au réfrigérateur aussitôt qu'ils ont refroidi.*

| | | |
|---|---|---|
| 12 t | petits concombres à mariner, coupés en tranches (environ 4 lb/2 kg en tout) | 3 L |
| 2 | oignons coupés en tranches fines | 2 |
| 6 c. à tab | gros sel | 90 ml |
| 4 à 5 t | glace concassée | 1 L à 1,25 L |
| 3 t | sucre | 750 ml |
| 3 t | vinaigre de cidre | 750 ml |
| 2 c. à tab | graines de moutarde | 30 ml |
| 2 c. à thé | graines de céleri | 10 ml |

1   Dans un grand bol, mélanger délicatement les concombres, les oignons et le gros sel. Placer une passoire dans un autre grand bol et y mettre le tiers du mélange de concombres. Couvrir le mélange du tiers de la glace concassée. Répéter deux fois en terminant par une couche de glace. Couvrir la passoire d'une assiette lourde et laisser reposer toute une nuit au réfrigérateur. (Vous pouvez préparer les cornichons jusqu'à cette étape. Ils se conserveront jusqu'à 24 heures au réfrigérateur.)

2   Entre-temps, dans une grande casserole autre qu'en aluminium, mélanger le sucre, le vinaigre de cidre et les graines de moutarde et de céleri. Porter à ébullition, réduire le feu et laisser mijoter à découvert pendant 3 minutes. Retirer la casserole du feu. Laisser refroidir le mélange de vinaigre, le mettre dans un contenant hermétique et le réfrigérer jusqu'au moment d'utiliser.

3   Retirer la glace non fondue du mélange de concombres, bien l'égoutter (jeter le liquide) et le mettre dans une casserole propre. À l'aide d'une passoire fine tapissée d'étamine (coton à fromage), filtrer le mélange de vinaigre refroidi sur les concombres. Chauffer, en brassant de temps à autre, jusqu'à ce que le mélange soit bouillonnant. Retirer la casserole du feu.

4   Dans cinq pots en verre chauds stérilisés d'une capacité de 2 t (500 ml) chacun, répartir les cornichons jusqu'à 3/4 po (2 cm) du bord. Porter le mélange de vinaigre à ébullition. À l'aide d'un entonnoir, couvrir les cornichons du vinaigre chaud jusqu'à 1/2 po (1 cm) du bord. À l'aide d'une spatule en caoutchouc, enlever les bulles d'air. Essuyer le col de chaque pot, au besoin, puis mettre le couvercle. Retourner les pots pour les sceller et laisser refroidir. Conserver au réfrigérateur.

PAR PORTION de 1/4 t (60 ml): cal.: 38; prot.: aucune; m.g.: aucune (aucun sat.); chol.: aucun; gluc.: 9 g; fibres: aucune; sodium: 291 mg.

# Jardinière de légumes marinés

DONNE ENVIRON 6 POTS DE 2 T (500 ML) CHACUN • PRÉPARATION: 30 MIN • CUISSON: 8 MIN
• TRAITEMENT: 10 MIN

*Les légumes et autres aliments peu acides sont habituellement traités dans un autoclave. Dans cette recette, la grande quantité de vinaigre sert d'agent de conservation, ce qui permet d'utiliser la méthode de traitement à l'eau bouillante.*

| | | |
|---|---|---|
| 3 t | oignons perlés | 750 ml |
| 4 t | vinaigre blanc | 1 L |
| 2 t | sucre | 500 ml |
| 1 c. à tab | gros sel | 15 ml |
| 1 c. à tab | graines de céleri | 15 ml |
| 1 c. à tab | graines de moutarde | 15 ml |
| 1 c. à thé | grains de poivre | 5 ml |
| 3 | feuilles de laurier | 3 |
| 1 lb | haricots verts coupés en morceaux de 2 po (5 cm) | 500 g |
| 2 | courgettes coupées en tranches | 2 |
| 3 t | petits bouquets de chou-fleur | 750 ml |
| 2 t | carottes coupées en tranches épaisses | 500 ml |

1   Dans une casserole d'eau bouillante, blanchir les oignons perlés pendant 30 secondes. Égoutter les oignons, les plonger dans un bol d'eau froide, les égoutter de nouveau et les peler. Réserver.

2   Dans une casserole autre qu'en aluminium, mélanger le vinaigre, le sucre, le sel, les graines de céleri et de moutarde, les grains de poivre et les feuilles de laurier. Porter à ébullition et laisser bouillir pendant 5 minutes. Ajouter les haricots verts, les courgettes, le chou-fleur, les carottes et les oignons réservés et porter de nouveau à ébullition. Retirer la casserole du feu (jeter les feuilles de laurier).

3   Dans six pots en verre chauds d'une capacité de 2 t (500 ml) chacun, répartir les légumes chauds jusqu'à 3/4 po (2 cm) du bord (bien les tasser). À l'aide d'un entonnoir, verser le mélange de vinaigre chaud sur les légumes jusqu'à 1/2 po (1 cm) du bord. À l'aide d'une spatule en caoutchouc, enlever les bulles d'air. Essuyer le col de chaque pot, au besoin, puis mettre le couvercle (ne pas trop serrer). Traiter à la chaleur pendant 10 minutes (pour plus de détails, voir Pour une mise en conserve réussie, p. 211).

PAR PORTION de 1/4 t (60 ml): cal.: 31; prot.: 1 g; m.g.: traces (aucun sat.); chol.: aucun; gluc.: 8 g; fibres: 1 g; sodium: 90 mg.

# Betteraves marinées

*Jardinière de légumes marinés*

*Betteraves marinées*

| | | |
|---|---|---|
| 3 1/2 lb | petites betteraves rouges avec les tiges et les racines, brossées | 1,75 kg |
| 2 1/2 t | vinaigre de cidre | 625 ml |
| 1 t | eau | 250 ml |
| 1/2 t | sucre | 125 ml |
| 2 1/2 c. à thé | gros sel | 12 ml |
| 4 c. à thé | graines de moutarde | 20 ml |
| 4 | anis étoilés | 4 |
| 4 | clous de girofle | 4 |
| 2 c. à thé | grains de poivre noir | 10 ml |
| 2 c. à thé | graines de coriandre | 10 ml |

1   Dans une grande casserole d'eau bouillante, cuire les betteraves de 30 à 35 minutes ou jusqu'à ce qu'elles soient tendres. Égoutter et laisser refroidir. Couper les tiges et les racines, puis enlever la peau. Couper les betteraves en cubes ou en tranches. Réserver.

2   Dans une grande casserole autre qu'en aluminium, mélanger le vinaigre de cidre, l'eau, le sucre et le gros sel. Porter à ébullition et laisser bouillir pendant environ 5 minutes ou jusqu'à ce que le sucre et le sel soient dissous.

3   Dans quatre pots en verre chauds stérilisés d'une capacité de 2 t (500 ml) chacun, mettre 1 c. à thé (5 ml) de graines de moutarde, 1 anis étoilé, 1 clou de girofle, 1/2 c. à thé (2 ml) de grains de poivre et 1/2 c. à thé (2 ml) de graines de coriandre. Répartir les betteraves réservées dans les pots jusqu'à 3/4 po (2 cm) du bord (au besoin, les tasser légèrement). À l'aide d'un entonnoir, verser le mélange de vinaigre chaud sur les betteraves jusqu'à 1/2 po (1 cm) du bord.

4   À l'aide d'une spatule en caoutchouc, enlever les bulles d'air. Essuyer le col de chaque pot, au besoin, puis mettre le couvercle (ne pas trop serrer). Traiter à la chaleur pendant 30 minutes (pour plus de détails, voir Pour une mise en conserve réussie, p. 211).

*Pour bien conserver ce légume-racine, on conseille d'utiliser un vinaigre de cidre qui contient au moins 5% d'acide acétique. Le vinaigre de cidre artisanal en contient en moyenne 4,5%.*

PAR PORTION de 1/4 t (60 ml): cal.: 20; prot.: 1 g; m.g.: aucune (aucun sat.); chol.: aucun; gluc.: 5 g; fibres: 1 g; sodium: 105 mg.

# Relish classique

DONNE ENVIRON 9 POTS DE 2 T (500 ML) CHACUN • PRÉPARATION: 1 H • REPOS: 24 H • CUISSON: 40 MIN
• TRAITEMENT: 10 MIN

| | | |
|---|---|---|
| 7 t | sucre | 1,75 ml |
| 1/2 t | farine | 125 ml |
| 1 c. à thé | curcuma moulu | 5 ml |
| 1 c. à thé | graines de céleri | 5 ml |

**1** Au robot culinaire ou au mélangeur, hacher finement les concombres, en plusieurs fois, et les mettre dans un bol. Ajouter le sel et mélanger. Couvrir et laisser reposer pendant 24 heures à la température ambiante. Bien égoutter les concombres, puis les presser avec les mains pour enlever le liquide. Mettre les concombres dans une grande casserole autre qu'en aluminium.

**2** Au robot culinaire ou au mélangeur, hacher le céleri avec les oignons, en plusieurs fois, et les mettre dans un bol. Presser le mélange de céleri avec les mains pour enlever le liquide, puis le mettre dans la casserole. Ajouter le vinaigre, porter à ébullition et laisser bouillir pendant 20 minutes.

**3** Au robot culinaire ou au mélangeur, hacher les poivrons et les mettre dans la casserole. Dans un bol, mélanger le sucre, la farine, le curcuma et les graines de céleri. Ajouter le mélange de sucre à la relish en brassant. Porter à ébullition et laisser bouillir, en brassant sans arrêt pour éviter que la préparation ne colle, pendant environ 15 minutes ou jusqu'à ce que la relish ait épaissi.

| | | |
|---|---|---|
| 8 | gros concombres, coupés en morceaux | 8 |
| 1/2 t | gros sel | 125 ml |
| 1 | pied de céleri coupé en morceaux | 1 |
| 6 | gros oignons, coupés en morceaux | 6 |
| 4 t | vinaigre blanc | 1 L |
| 4 | poivrons verts coupés en quatre | 4 |
| 3 | poivrons rouges coupés en quatre | 3 |

**4** Dans neuf pots en verre chauds stérilisés d'une capacité de 2 t (500 ml) chacun, répartir la relish chaude jusqu'à 1/2 po (1 cm) du bord. À l'aide d'une spatule en caoutchouc, enlever les bulles d'air. Essuyer le col de chaque pot, au besoin, puis mettre le couvercle (ne pas trop serrer). Traiter à la chaleur pendant 10 minutes (pour plus de détails, voir Pour une mise en conserve réussie, p. 211).

PAR PORTION de 1 c. à tab (15 ml): cal.: 24; prot.: traces; m.g.: aucune (aucun sat.); chol.: aucun; gluc.: 6 g; fibres: aucune; sodium: 194 mg.

# Relish à la courgette

DONNE ENVIRON 8 T (2 L) • PRÉPARATION: 40 MIN • TEMPS DE REPOS: 1 H • CUISSON: 20 MIN
• TRAITEMENT: 15 MIN

| | | |
|---|---|---|
| 9 | courgettes coupées en morceaux de 1 po (2,5 cm) (environ 3 lb/1,5 kg en tout) | 9 |
| 3 | oignons hachés | 3 |
| 2 | poivrons rouges coupés en dés | 2 |
| 1/4 t | gros sel | 60 ml |
| 2 1/2 t | sucre | 625 ml |
| 1 1/2 t | vinaigre de cidre | 375 ml |
| 1 c. à tab | moutarde en poudre | 15 ml |
| 1 c. à thé | graines de céleri | 5 ml |
| 1/2 c. à thé | gingembre moulu | 2 ml |
| 1/2 c. à thé | curcuma moulu | 2 ml |
| 1/2 c. à thé | flocons de piment fort | 2 ml |
| 1 c. à tab | fécule de maïs | 15 ml |
| 1 c. à tab | eau | 15 ml |

1   Au robot culinaire, hacher les courgettes, quelques morceaux à la fois, jusqu'à ce qu'elles aient la grosseur de grains de riz avec quelques morceaux plus gros. Mettre les courgettes dans un grand bol en acier inoxydable ou en verre. Ajouter les oignons, les poivrons et le sel et mélanger pour bien enrober les ingrédients. Laisser reposer pendant 1 heure en brassant de temps à autre. Bien égoutter. Rincer et égoutter de nouveau en pressant les légumes pour enlever le surplus d'eau.

2   Dans une grande casserole à fond épais, mélanger le sucre, le vinaigre de cidre, la moutarde en poudre, les graines de céleri, le gingembre, le curcuma et les flocons de piment fort. Porter à ébullition. Ajouter les légumes égouttés, réduire le feu et laisser mijoter, en brassant souvent, pendant environ 15 minutes ou jusqu'à ce que les légumes soient tendres. Dans un bol, mélanger la fécule de maïs et l'eau. Ajouter le mélange de fécule à la relish. Laisser mijoter, en brassant, pendant environ 5 minutes ou jusqu'à ce que la relish ait épaissi.

3   À l'aide d'une louche et d'un entonnoir, verser la relish dans quatre pots en verre chauds d'une capacité de 2 t (500 ml) jusqu'à 1/2 po (1 cm) du bord. À l'aide d'une spatule en caoutchouc, enlever les bulles d'air et essuyer le bord de chaque pot, au besoin. Centrer le couvercle sur le pot et visser l'anneau jusqu'au point de résistance (ne pas trop serrer). Traiter à la chaleur pendant 15 minutes (voir Pour une mise en conserve réussie p. 211).

### Marinades et influence british

Si les Québécois doivent beaucoup aux Amérindiens (maïs, courges, canneberges, sirop d'érable, pommes de terre, viandes et poissons fumés, etc.), ils ont aussi hérité de nombreuses recettes inspirées des Britanniques. La relish en est un bon exemple puisque les Anglais se sont pris d'affection pour les marinades et les chutneys de leur colonie indienne, les sambals, avant de les adapter à leurs propres goûts et aux produits disponibles chez eux, ce qui explique l'utilisation abondante des concombres. Lorsque le sandwich (une autre invention anglaise!) a commencé à gagner en popularité, on a entrepris de créer différents types de relishs pour l'agrémenter.

PAR PORTION de 1 c. à tab (15 ml): cal.: 19; prot.: traces; m.g.: aucune (aucun sat.); chol.: aucun; gluc.: 5 g; fibres: traces; sodium: 215 mg.

# Pâtes et casseroles

# Comment économiser et régaler la famille

Nos mamans ont toujours su tirer le meilleur parti des ressources souvent limitées de leur budget. D'où la création de nombreuses recettes permettant d'étirer les restes tout en faisant plaisir à l'ensemble de la maisonnée. Les casseroles de jambon, les poudings au pain salés, les gratins de légumes ou autres pâtés chinois en sont de bons exemples. Et comme le Québec a joui dès le début du XX$^e$ siècle de l'apport des immigrants italiens, les pâtes sont devenues un grand favori qui n'a eu de cesse de susciter notre créativité. En témoigne l'ajout de certains ingrédients peu orthodoxes tels que la saucisse à hot-dog, le fromage jaune à tartiner ou la crème de champignons en boîte.

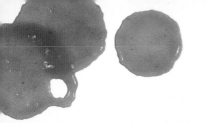

## Nostalgie

La cuisine de ma mère représente pour moi l'exploration. Ma mère tient cela de sa mère. Tout y passait: cours de cuisine indienne, sandwichs au tofu, gnocchis maison... C'était sa façon de nous faire voyager. Pour moi, chaque occasion est un prétexte pour cuisiner. En famille ou avec des amis, on partage des recettes et on prépare la nourriture ensemble. Au quotidien, je continue à explorer, mais je garde quelques classiques de ma grand-mère: osso buco, sucre à la crème, soupe aux légumes. Je n'écris pas ses recettes, préférant lui téléphoner chaque fois pour les lui redemander.

Anne Ringuette, enseignante, née à la fin des années 1970, mère de deux garçons

# Lasagne aux saucisses

8 PORTIONS • PRÉPARATION: 30 MIN • CUISSON: 1 H 40 MIN

| | | |
|---|---|---|
| 1 c. à tab | beurre | 15 ml |
| 1 c. à tab | huile d'olive | 15 ml |
| 1 | gros oignon, haché finement | 1 |
| 1 | paquet de champignons (227 g) | 1 |
| 1 | gousse d'ail hachée finement | 1 |
| 1/2 | poivron rouge haché finement | 1/2 |
| 1/3 t | céleri haché finement | 80 ml |
| 1 lb | saucisses italiennes fortes, la peau enlevée | 500 g |
| 2 | boîtes de tomates (28 oz/796 ml) | 2 |
| 1 t | jus de tomate | 250 ml |
| 2 c. à tab | pâte de tomates | 30 ml |
| 1 c. à tab | sucre | 15 ml |
| 2 c. à thé | basilic séché | 10 ml |
| 2 c. à thé | origan séché | 10 ml |
| 12 | lasagnes | 12 |
| 4 t | fromage mozzarella râpé | 1 L |
| | sel et poivre noir du moulin | |

1   Dans une casserole, chauffer le beurre et l'huile à feu moyen-vif. Ajouter l'oignon et les champignons et cuire, en brassant, de 3 à 5 minutes ou jusqu'à ce qu'ils soient tendres. Ajouter l'ail, le poivron et le céleri et cuire, en brassant, pendant environ 3 minutes. Ajouter la chair des saucisses, les tomates, le jus de tomate, la pâte de tomates, le sucre, le basilic et l'origan. Saler et poivrer. Porter à ébullition, réduire le feu et laisser mijoter pendant 30 minutes.

2   Entre-temps, dans une grande casserole d'eau bouillante salée, cuire les lasagnes de 8 à 10 minutes ou jusqu'à ce qu'elles soient al dente. Bien égoutter. Étendre trois lasagnes dans un plat de 9 po x 13 po (23 cm x 33 cm), huilé. Couvrir du quart de la sauce à la viande et du quart du fromage. Faire trois autres étages de la même manière en terminant par le fromage. Couvrir de papier d'aluminium et cuire au four préchauffé à 350°F (180°C) pendant environ 30 minutes. Retirer le papier d'aluminium et poursuivre la cuisson pendant 30 minutes ou jusqu'à ce que la lasagne soit bouillonnante.

PAR PORTION: cal.: 525; prot.: 30 g; m.g.: 26 g (11 g sat.); chol.: 60 mg; gluc.: 45 g; fibres: 4 g; sodium: 1 250 mg.

# Macaronis au fromage

4 À 6 PORTIONS • PRÉPARATION: 15 MIN • CUISSON: 31 À 45 MIN

| | | |
|---|---|---|
| 1 | paquet de macaronis (450 g) | 1 |
| 3 c. à tab | beurre | 45 ml |
| 2 | gros oignons, hachés | 2 |
| 1 | gousse d'ail hachée finement | 1 |
| 10 oz | cheddar marbré coupé en gros morceaux | 300 g |
| 1 | boîte de tomates broyées additionnées de purée (de type Pastene) (28 oz/796 ml) | 1 |
| 1/2 c. à thé | sel de céleri | 2 ml |
| | sel et poivre noir du moulin | |

1  Dans une grande casserole d'eau bouillante salée, cuire les pâtes de 8 à 10 minutes ou jusqu'à ce qu'elles soient al dente. Égoutter les pâtes et les passer sous l'eau froide. Réserver.

2  Dans la casserole, faire fondre le beurre à feu moyen. Ajouter les oignons et l'ail et cuire de 3 à 5 minutes ou jusqu'à ce qu'ils aient ramolli. Ajouter le cheddar, les tomates et le sel de céleri et bien mélanger (ne pas trop cuire). Saler et poivrer.

3  Dans un grand plat allant au four, mélanger les macaronis réservés et la préparation au fromage. Couvrir le plat de papier d'aluminium et cuire au four préchauffé à 350°F (180°C) de 20 à 30 minutes.

PAR PORTION: cal.: 590; prot.: 25 g; m.g.: 24 g (14 g sat.); chol.: 55 mg; gluc.: 70 g; fibres: 5 g; sodium: 685 mg.

# Sauce à spaghetti à la viande

DONNE ENVIRON 12 T (3 L) • PRÉPARATION: 20 MIN • CUISSON: 2 H

| | | |
|---|---|---|
| 1/4 t | huile végétale | 60 ml |
| 5 | oignons hachés | 5 |
| 8 | gousses d'ail hachées finement | 8 |
| 1 lb | boeuf haché maigre ou veau haché | 500 g |
| 1 lb | porc haché | 500 g |
| 2 | boîtes de jus de tomate (19 oz/540 ml chacune) | 2 |
| 2 | boîtes de pâte de tomates (5 1/2 oz/156 ml chacune) | 2 |
| 1 c. à thé | paprika | 5 ml |
| 1 c. à thé | poivre noir du moulin | 5 ml |
| 1 c. à thé | persil séché | 5 ml |
| 1 c. à thé | origan séché | 5 ml |
| 1 c. à thé | sel | 5 ml |
| 1 c. à thé | flocons de piment fort | 5 ml |
| 1 c. à thé | sauce Worcestershire | 5 ml |
| 3 à 4 | feuilles de laurier | 3 à 4 |

1  Dans une grande casserole, chauffer l'huile à feu moyen. Ajouter les oignons et l'ail et cuire, en brassant, pendant environ 3 minutes ou jusqu'à ce qu'ils aient ramolli. Ajouter le boeuf et le porc hachés en les défaisant à l'aide d'une cuillère de bois et cuire jusqu'à ce qu'ils aient perdu leur teinte rosée. Ajouter le reste des ingrédients et mélanger. Couvrir et laisser mijoter à feu moyen pendant environ 30 minutes. Réduire à feu doux et poursuivre la cuisson, à couvert, pendant environ 1 1/2 heure.

PAR PORTION de 1 t (250 ml): cal.: 220; prot.: 18 g; m.g.: 10 g (4 g sat.); chol.: 45 mg; gluc.: 14 g; fibres: 2 g; sodium: 690 mg.

Macaronis au fromage

# Spaghettis aux boulettes de veau

4 PORTIONS • PRÉPARATION: 25 MIN • CUISSON: 47 À 65 MIN

## BOULETTES DE VEAU

| | | |
|---|---|---|
| 10 oz | veau haché | 300 g |
| 1 | oeuf | 1 |
| 1/2 t | chapelure (environ) | 125 ml |
| 2 c. à tab | huile d'olive | 30 ml |

## SAUCE TOMATE

| | | |
|---|---|---|
| 2 c. à tab | huile d'olive | 30 ml |
| 1 | oignon haché grossièrement | 1 |
| 1 | poivron rouge coupé en dés | 1 |
| 1 | poivron vert coupé en dés | 1 |
| 3 | carottes coupées en dés | 3 |
| 2 | boîtes de tomates italiennes (28 oz/796 ml chacune) | 2 |
| 1 | brin de persil frais, haché | 1 |
| 3 | feuilles de basilic frais, hachées | 3 |
| 1 lb | spaghettis | 500 g |
| | parmesan râpé | |
| | sel et poivre noir du moulin | |

### PRÉPARATION DES BOULETTES

1   Dans un bol, mélanger le veau, l'oeuf et la chapelure. Façonner la préparation en boulettes de 3/4 po à 1 po (2 cm à 2,5 cm) de diamètre jusqu'à ce qu'elles soient fermes (au besoin, ajouter de la chapelure). Dans un poêlon, chauffer l'huile à feu moyen. Faire dorer les boulettes de 4 à 5 minutes en les retournant souvent. Réserver.

### PRÉPARATION DE LA SAUCE

2   Dans une grande casserole, chauffer l'huile à feu moyen. Ajouter l'oignon, les poivrons et les carottes et cuire, en brassant, de 3 à 5 minutes ou jusqu'à ce qu'ils aient ramolli. Ajouter les tomates en les écrasant à l'aide d'une fourchette et laisser mijoter pendant 10 minutes. Saler et poivrer. Réduire à feu doux, ajouter les boulettes de veau réservées et laisser mijoter de 30 à 45 minutes. Environ 10 minutes avant la fin de la cuisson, ajouter le persil et le basilic et mélanger.

3   Entre-temps, dans une grande casserole d'eau bouillante salée, cuire les pâtes de 7 à 10 minutes ou jusqu'à ce qu'elles soient al dente. Égoutter et répartir dans quatre assiettes. Napper de la sauce aux boulettes de veau et parsemer de parmesan.

PAR PORTION: cal.: 845; prot.: 37 g; m.g.: 21 g (5 g sat.); chol.: 95 mg; gluc.: 127 g; fibres: 11 g; sodium: 655 mg.

## Nostalgie

Dans ma famille, du côté maternel, les femmes ne cuisinaient pas. C'est mon père qui préparait les repas avec les recettes de sa maman, née en Italie. Pour moi, rien ne vaut l'osso buco, les spaghettis aux boulettes de veau, la lasagne aux foies de poulet ou la morue salée aux tomates du jardin. C'étaient les plats de nos dimanches. Mon père et ses deux frères les préparaient l'après-midi en buvant du vin (italien, bien sûr!) pendant que les femmes aidaient au service et à la vaisselle et que grand-mère Gambino se berçait.

Pascal Moreau, comptable, né dans les années 1980, père d'un garçon et d'une fille

# Spaghettis sauce à la viande

6 PORTIONS • PRÉPARATION: 20 MIN • CUISSON: 1 H 5 MIN

| | | |
|---|---|---|
| 1/4 lb | bacon coupé en dés | 125 g |
| 3 | carottes hachées finement | 3 |
| 2 | grosses branches de céleri, hachées finement | 2 |
| 1 | gros oignon, haché finement | 1 |
| 3/4 lb | boeuf haché maigre | 375 g |
| 1/2 lb | porc haché maigre | 250 g |
| 1/2 t | vin rouge | 125 ml |
| 1/2 t | bouillon de poulet | 125 ml |
| 2 c. à tab | pâte de tomates | 30 ml |
| 1 c. à thé | sel | 5 ml |
| 1/2 c. à thé | poivre noir du moulin | 2 ml |
| 16 oz | spaghettis | 500 g |
| 1 t | crème à cuisson à 35% | 250 ml |
| | parmesan râpé (facultatif) | |

**1** Dans une grande casserole, cuire le bacon à feu moyen, en brassant, pendant 5 minutes ou jusqu'à ce qu'il soit presque cuit. Augmenter à feu moyen-vif. Ajouter les légumes et cuire, en brassant, de 3 à 5 minutes ou jusqu'à ce que l'oignon ait ramolli. Dégraisser le poêlon.

**2** Ajouter le boeuf et le porc hachés et cuire, en brassant de temps à autre, pendant 8 minutes ou jusqu'à ce qu'ils aient perdu leur teinte rosée. Ajouter le vin, le bouillon, la pâte de tomates, le sel et le poivre et laisser mijoter à feu moyen-doux, en brassant de temps à autre, pendant 45 minutes ou jusqu'à ce que presque tout le liquide soit absorbé. (Vous pouvez préparer la sauce jusqu'à cette étape, la laisser refroidir et la mettre dans un contenant hermétique. Elle se conservera jusqu'à 2 jours au réfrigérateur ou jusqu'à 2 mois au congélateur.)

**3** Entre-temps, dans une grande casserole d'eau bouillante salée, cuire les pâtes pendant environ 10 minutes ou jusqu'à ce qu'elles soient al dente. Égoutter. Incorporer la crème à la sauce et poursuivre la cuisson pendant 2 minutes. Répartir les spaghettis dans les assiettes et les napper de sauce. Parsemer de parmesan, si désiré.

PAR PORTION: cal.: 930; prot.: 50 g; m.g.: 43 g (20 g sat.); chol.: 165 mg; gluc.: 72 g; fibres: 4 g; sodium: 855 mg.

# Macaronis au jambon et au fromage

4 À 6 PORTIONS • PRÉPARATION: 25 MIN • CUISSON: 14 À 17 MIN

| | | |
|---|---|---|
| 2 c. à tab | beurre | 30 ml |
| 1 | petit oignon, haché | 1 |
| 1 t | jambon cuit, coupé en dés (facultatif) | 250 ml |
| 1/3 t | farine | 80 ml |
| 3 t | lait | 750 ml |
| 1 c. à thé | moutarde sèche | 5 ml |
| 1/2 c. à thé | sel | 2 ml |
| 1/2 c. à thé | poivre noir du moulin | 2 ml |
| 1 | pincée de piment de Cayenne | 1 |
| 2 1/2 t | cheddar fort râpé (10 oz/300 g) | 625 ml |
| 3 t | macaronis | 750 ml |
| 1/2 t | mie de pain frais émiettée | 125 ml |
| 1/4 t | parmesan râpé | 60 ml |

1   Dans une casserole, faire fondre le beurre à feu moyen. Ajouter l'oignon et le jambon, si désiré, et cuire de 3 à 5 minutes ou jusqu'à ce que l'oignon ait ramolli. Ajouter la farine et cuire, en brassant, pendant 1 minute. Ajouter petit à petit le lait, en brassant à l'aide d'un fouet. Poursuivre la cuisson, en brassant, de 5 à 8 minutes ou jusqu'à ce que la sauce ait épaissi. Ajouter la moutarde sèche, le sel, le poivre, le piment de Cayenne et le cheddar et mélanger jusqu'à ce que le fromage ait fondu.

2   Entre-temps, dans une grande casserole d'eau bouillante salée, cuire les macaronis pendant environ 8 minutes ou jusqu'à ce qu'ils soient al dente. Égoutter et remettre dans la casserole. Ajouter la sauce et mélanger pour bien enrober les pâtes. Étendre la préparation dans un plat allant au four de 8 po (20 cm) de côté.

3   Dans un petit bol, mélanger la mie de pain et le parmesan. Parsemer la préparation de macaronis du mélange de mie de pain. Cuire sous le gril préchauffé du four pendant 3 minutes ou jusqu'à ce que la garniture soit dorée.

PAR PORTION: cal.: 578; prot.: 31 g; m.g.: 26 g (15 g sat.); chol.: 86 mg; gluc.: 54 g; fibres: 3 g; sodium: 1 142 mg.

# Coquilles farcies à la viande et au fromage

8 PORTIONS • PRÉPARATION: 45 MIN • CUISSON: 1 H 25 MIN À 1 H 30 MIN

## SAUCE TOMATE ET COQUILLES

| | | |
|---|---|---|
| 2 c. à tab | huile d'olive | 30 ml |
| 1 lb | boeuf haché maigre | 500 g |
| 2 | oignons hachés finement | 2 |
| 4 | gousses d'ail hachées finement | 4 |
| 1 1/2 c. à thé | basilic séché | 7 ml |
| 1 1/2 c. à thé | origan séché | 7 ml |
| 1 | pincée de flocons de piment fort | 1 |
| 1 | pincée de sel | 1 |
| 1 | pincée de poivre noir du moulin | 1 |
| 1 | boîte de tomates broyées (28 oz/796 ml) | 1 |
| 1 | boîte de sauce tomate (14 oz/398 ml) | 1 |
| 1 | boîte de coquilles géantes (340 g) | 1 |
| 1 t | fromage mozzarella râpé | 250 ml |
| 1/4 t | parmesan râpé | 60 ml |

## GARNITURE AU FROMAGE ET AUX ÉPINARDS

| | | |
|---|---|---|
| 1 | paquet d'épinards hachés surgelés, décongelés et bien égouttés (10 oz/300 g) | 1 |
| 1 | contenant de fromage ricotta (475 g) | 1 |
| 1/4 t | persil frais, haché | 60 ml |
| 2 | oignons verts hachés | 2 |
| 2 | oeufs battus | 2 |
| 1 c. à thé | basilic séché | 5 ml |
| 1/4 c. à thé | muscade moulue | 1 ml |
| 1/4 c. à thé | poivre noir du moulin | 1 ml |
| 1 t | fromage mozzarella râpé | 250 ml |
| 1 t | parmesan râpé | 250 ml |

## PRÉPARATION DE LA SAUCE ET DES COQUILLES

1  Dans un grand poêlon, chauffer la moitié de l'huile à feu moyen-vif. Ajouter le boeuf haché et cuire, en brassant, pendant 5 minutes ou jusqu'à ce qu'il ait perdu sa teinte rosée. À l'aide d'une écumoire, mettre le boeuf haché dans un bol et réserver. Dégraisser le poêlon.

2  Dans le poêlon, ajouter le reste de l'huile, les oignons et l'ail et cuire pendant 5 minutes, en brassant de temps à autre. Ajouter le basilic, l'origan, les flocons de piment fort, le sel, le poivre, les tomates et la sauce tomate. Remettre le boeuf haché réservé dans le poêlon et porter à ébullition. Réduire le feu et laisser mijoter, en brassant souvent, de 20 à 25 minutes ou jusqu'à ce que la sauce ait épaissi.

3  Entre-temps, dans une grande casserole d'eau bouillante salée, cuire les coquilles pendant environ 8 minutes ou jusqu'à ce qu'elles soient al dente. Égoutter et rafraîchir sous l'eau froide. Égoutter à nouveau et réserver sur un linge humide.

## PRÉPARATION DE LA GARNITURE ET ASSEMBLAGE

4  Entre-temps, dans un bol, mélanger tous les ingrédients de la garniture au fromage, sauf le fromage mozzarella et le parmesan. Verser la moitié de la sauce dans un plat allant au four de 13 po x 9 po (33 cm x 23 cm). Garnir chaque coquille réservée de 1 c. à tab (15 ml) de la garniture. Déposer les coquilles côte à côte dans le plat, l'ouverture dessus, et couvrir du reste de la sauce. Parsemer du fromage mozzarella et du parmesan. (Vous pouvez préparer les coquilles jusqu'à cette étape, les laisser refroidir et les couvrir d'une pellicule de plastique. Elles se conserveront jusqu'au lendemain au réfrigérateur ou jusqu'à 2 semaines au congélateur, enveloppées de papier d'aluminium. Laisser décongeler au réfrigérateur.)

5  Couvrir le plat de papier d'aluminium. Cuire au four préchauffé à 350°F (180°C) pendant 30 minutes. Retirer le papier d'aluminium et poursuivre la cuisson pendant 20 minutes ou jusqu'à ce que la garniture soit bien chaude.

PAR PORTION: cal.: 621; prot.: 39 g; m.g.: 30 g (16 g sat.); chol.: 146 mg; gluc.: 48 g; fibres: 5 g; sodium: 1 001 mg.

# Rigatoni à la saucisse et aux pommes

8 PORTIONS • PRÉPARATION: 35 MIN • CUISSON: 50 MIN

| | | |
|---|---|---|
| 3 t | cheddar fort râpé | 750 ml |
| 1 c. à thé | sauce tabasco | 5 ml |
| 1 c. à thé | sel | 5 ml |
| 1 lb | saucisse fumée ou saucisse de Toulouse, cuite et coupée en tranches | 500 g |
| 3 | pommes coupées en cubes | 3 |
| 2 | oignons verts coupés en tranches fines | 2 |

**1** Dans une grande casserole d'eau bouillante salée, cuire les pâtes de 8 à 10 minutes ou jusqu'à ce qu'elles soient al dente. Égoutter les pâtes et les remettre dans la casserole. Réserver.

**2** Entre-temps, dans une grande casserole à fond épais, chauffer l'huile à feu moyen-vif. Ajouter l'oignon et cuire de 5 à 7 minutes ou jusqu'à ce qu'il ait ramolli. Ajouter la farine et cuire, en brassant, pendant 1 minute. Ajouter petit à petit le lait en brassant à l'aide d'un fouet. Porter à ébullition en brassant sans arrêt et laisser bouillir pendant environ 1 minute ou jusqu'à ce que la sauce ait épaissi. Retirer la casserole du feu. Ajouter 2 t (500 ml) du cheddar, la sauce tabasco et le sel à la sauce blanche et mélanger.

**3** Ajouter la sauce au fromage, la saucisse et les pommes aux pâtes réservées et mélanger pour bien enrober tous les ingrédients. Verser la préparation de pâtes dans un plat allant au four d'une capacité de 12 t (3 L), huilé. Couvrir le plat de papier d'aluminium et cuire au four préchauffé à 350°F (180°C) pendant 30 minutes. Retirer le plat du four et remuer la préparation. Parsemer du reste du cheddar et des oignons verts. Poursuivre la cuisson au four à découvert pendant environ 10 minutes ou jusqu'à ce que le fromage ait fondu. Laisser reposer pendant 10 minutes avant de servir.

| | | |
|---|---|---|
| 16 oz | rigatoni (environ 5 t/1,25 L) | 500 g |
| 2 c. à tab | huile d'olive | 30 ml |
| 1 | oignon coupé en tranches | 1 |
| 1/4 t | farine | 60 ml |
| 4 t | lait | 1 L |

PAR PORTION: cal.: 485; prot.: 20 g; m.g.: 20 g (11 g sat.); chol.: 54 mg; gluc.: 56 g; fibres: 4 g; sodium: 577 mg.

# Casserole de poulet à la tetrazzini

6 PORTIONS • PRÉPARATION: 30 MIN • CUISSON: 35 MIN

| | | |
|---|---|---|
| 8 oz | spaghettis ou linguine cassés en deux | 250 g |
| 12 oz | asperges fraîches ou surgelées, coupées en morceaux de 1 po (2,5 cm) | 375 g |
| 2 c. à tab | beurre | 30 ml |
| 8 oz | petits champignons frais | 250 g |
| 3 | poivrons rouges ou jaunes coupés en morceaux de 1 po (2,5 cm) | 3 |
| 1/4 t | farine | 60 ml |
| 1 | pincée de poivre noir du moulin | 1 |
| 1 3/4 t | bouillon de poulet | 430 ml |
| 3/4 t | lait | 180 ml |
| 3 t | poulet cuit, coupé en morceaux | 750 ml |
| 1/2 t | fromage suisse ou emmenthal râpé (environ 2 oz/60 g) | 125 ml |
| 1 c. à tab | zeste de citron râpé finement | 15 ml |
| 2 | tranches de pain au levain coupées en cubes | 2 |
| 1 c. à tab | huile d'olive | 15 ml |
| 2 c. à tab | persil frais, haché finement | 30 ml |

1   Dans une casserole d'eau bouillante salée, cuire les pâtes de 7 à 9 minutes. Ajouter les asperges et poursuivre la cuisson pendant 1 minute. Égoutter les pâtes et les asperges et les remettre dans la casserole. Réserver.

2   Dans un grand poêlon, faire fondre le beurre à feu moyen. Ajouter les champignons et les poivrons et cuire, en brassant de temps à autre, de 8 à 10 minutes ou jusqu'à ce que les champignons soient tendres. Parsemer de la farine et du poivre et bien mélanger. Verser le bouillon de poulet et le lait en brassant. Porter à ébullition, réduire le feu et laisser mijoter jusqu'à ce que la sauce ait épaissi et soit bouillonnante. Ajouter la sauce aux champignons aux pâtes réservées, puis le poulet, le fromage et la moitié du zeste de citron et mélanger délicatement pour bien enrober les pâtes.

3   À l'aide d'une cuillère, étendre la préparation de pâtes dans un plat allant au four d'une capacité de 12 t (3 L). Dans un bol, mélanger les cubes de pain, l'huile et le reste du zeste de citron. Étendre le mélange de pain sur la préparation de pâtes. (Vous pouvez préparer la casserole jusqu'à cette étape et la couvrir. Elle se conservera jusqu'à 4 heures au réfrigérateur.)

4   Cuire au four préchauffé à 350°F (180°C) pendant 15 minutes ou jusqu'à ce que la préparation soit chaude. Déposer le plat sur une grille et laisser reposer pendant 5 minutes. Au moment de servir, parsemer du persil.

PAR PORTION: cal.: 470; prot.: 33 g; m.g.: 17 g (7 g sat.); chol.: 80 mg; gluc.: 47 g; fibres: 3 g; sodium: 430 mg.

# Rigatoni aux boulettes de porc

8 À 10 PORTIONS • PRÉPARATION: 30 MIN • CUISSON: 1 H 5 MIN • REPOS: 10 MIN

## BOULETTES DE PORC

| | | |
|---|---|---|
| 1 | oeuf | 1 |
| 1/4 t | chapelure | 60 ml |
| 1/4 t | oignon râpé | 60 ml |
| 1 | gousse d'ail hachée finement | 1 |
| 1/4 t | parmesan râpé | 60 ml |
| 1/2 c. à thé | origan séché | 2 ml |
| 1/4 c. à thé | sel | 1 ml |
| 1/4 c. à thé | poivre noir du moulin | 1 ml |
| 1 lb | porc haché maigre | 500 g |

## RIGATONI

| | | |
|---|---|---|
| 2 c. à tab | huile d'olive | 30 ml |
| 1 | oignon haché | 1 |
| 2 | gousses d'ail hachées finement | 2 |
| 1 | carotte hachée finement | 1 |
| 1 | branche de céleri hachée finement | 1 |
| 3 t | champignons coupés en tranches | 750 ml |
| 1 | poivron rouge ou jaune haché | 1 |
| 1 1/2 c. à thé | basilic séché | 7 ml |
| 1 1/2 c. à thé | origan séché | 7 ml |
| 1 1/2 c. à thé | sel | 2 ml |
| 1 1/2 c. à thé | poivre noir du moulin | 2 ml |
| 2 | boîtes de tomates (28 oz/796 ml chacune) | 2 |
| 2 c. à tab | pâte de tomates | 30 ml |
| 1 c. à tab | vinaigre balsamique | 15 ml |
| 12 oz | rigatoni (environ 4 t/1 L) | 375 g |
| 2 t | fromage provolone râpé | 500 ml |
| 1/2 t | parmesan râpé | 125 ml |

## PRÉPARATION DES BOULETTES

1   Dans un grand bol, mélanger l'oeuf, la chapelure, l'oignon, l'ail, le parmesan, l'origan, le sel et le poivre. Ajouter le porc haché et mélanger. Avec les mains mouillées, façonner la préparation de porc en boulettes, 1 c. à tab (15 ml) à la fois. Mettre les boulettes sur une plaque de cuisson huilée. Cuire au four préchauffé à 400°F (200°C) pendant 15 minutes ou jusqu'à ce que le porc ait perdu sa teinte rosée à l'intérieur. Réserver.

## PRÉPARATION DES RIGATONI

2   Entre-temps, dans une grande casserole, chauffer l'huile à feu moyen-vif. Ajouter l'oignon, l'ail, la carotte, le céleri, les champignons, le poivron, le basilic, l'origan, le sel et le poivre. Cuire, en brassant, pendant environ 10 minutes ou jusqu'à ce que les légumes aient ramolli. Pousser les légumes contre la paroi de la casserole. Ajouter les tomates, en les écrasant grossièrement à l'aide d'une cuillère de bois, puis la pâte de tomates. Porter à ébullition, réduire le feu et laisser mijoter pendant 20 minutes. Ajouter les boulettes de porc réservées et le vinaigre balsamique et laisser mijoter pendant 5 minutes ou jusqu'à ce que la préparation ait épaissi.

3   Entre-temps, dans une grande casserole d'eau bouillante salée, cuire les pâtes de 8 à 10 minutes ou jusqu'à ce qu'elles soient al dente. Égoutter les pâtes, les ajouter à la sauce aux boulettes et mélanger pour bien les enrober. Verser la préparation de pâtes dans un plat allant au four d'une capacité de 12 t (3 L), huilé. (Vous pouvez préparer les rigatoni jusqu'à cette étape, les laisser refroidir et les couvrir. Ils se conserveront jusqu'au lendemain au réfrigérateur. Ajouter 10 minutes au temps de cuisson au four.)

4   Parsemer du fromage provolone et du parmesan. Cuire au four préchauffé à 375°F (190°C) pendant environ 30 minutes ou jusqu'à ce que la préparation soit bouillonnante. Laisser reposer pendant 10 minutes avant de servir.

PAR PORTION: cal.: 418; prot.: 24 g; m.g.: 18 g (8 g sat.); chol.: 69 mg; gluc.: 40 g; fibres: 4 g; sodium: 842 mg.

## La cuisine favorite des enfants de toutes les époques

À une certaine époque, dans les cafétérias des écoles, les élèves les plus populaires étaient ceux qui apportaient leur lunch dans un thermos, qui contenait le plus souvent des pâtes en boîte réchauffées que tous les enfants adoraient. Beaucoup ont tenté en vain de troquer leur sandwich au jambon et leur biscuit au chocolat contre ce plat réconfortant. Cet engouement est facile à comprendre puisque les enfants raffolent de la texture tendre des pastas et de la viande, jumelée à l'acidité des tomates et au fondant du fromage: un trio imbattable! Cette préférence n'a pas changé, sauf qu'aujourd'hui les recettes sont plus authentiques et souvent plus abondantes en légumes.

# Casserole de saumon aux épinards

4 PORTIONS • PRÉPARATION: 15 MIN • CUISSON: 28 À 33 MIN

| | | |
|---|---|---|
| 1/2 | paquet de petites feuilles d'épinards (10 oz/284 g) | 1/2 |
| 3 c. à tab | eau | 45 ml |
| 1 2/3 t | riz blanc cuit | 410 ml |
| 1/2 c. à thé | sel | 2 ml |
| 1 | oeuf | 1 |
| 3/4 t | crème sure légère | 180 ml |
| 3 c. à tab | parmesan râpé | 45 ml |
| 1 c. à tab | moutarde de Dijon | 15 ml |
| 1/4 c. à thé | poivre noir du moulin | 1 ml |
| 1 lb | filet de saumon, la peau enlevée | 500 g |

1   Mettre les épinards et l'eau dans un plat peu profond allant au micro-ondes. Couvrir d'une pellicule de plastique en soulevant l'un des coins et cuire au micro-ondes à intensité maximale pendant 3 minutes. Égoutter dans une passoire en pressant pour enlever l'excédent d'eau.

2   Dans un grand bol, mélanger le riz, les épinards et la moitié du sel. Dans un petit bol, battre l'oeuf. Ajouter la crème sure, 2 c. à tab (30 ml) du parmesan, la moutarde, le reste du sel et le poivre et mélanger. Réserver 2 c. à tab (30 ml) de la préparation à la crème sure. Verser le reste sur la préparation au riz et mélanger pour bien enrober les ingrédients. Mettre la préparation au riz dans un plat allant au four d'une capacité de 6 t (1,5 L), légèrement huilé.

3   Couper le saumon sur le biais en tranches de 1/2 po (1 cm) d'épaisseur. Disposer les tranches de saumon en éventail sur la préparation au riz et napper de la préparation à la crème sure réservée. Parsemer du reste du parmesan. Cuire au four préchauffé à 350°F (180°C) de 25 à 30 minutes.

PAR PORTION: cal.: 471; prot.: 38 g; m.g.: 24 g (8 g sat.); chol.: 177 mg; gluc.: 24 g; fibres: 2 g; sodium: 948 mg.

# Quiche aux tomates du potager

6 PORTIONS • PRÉPARATION: 25 MIN • CUISSON: 50 À 55 MIN

*Il est important d'égoutter les tranches de tomates sur des essuie-tout avant de les ajouter à la quiche pour éviter qu'elles ne mouillent la croûte. Pour rendre la quiche encore plus alléchante, on peut utiliser des tomates de différentes couleurs.*

|  | pâte à tarte pour 1 abaisse de 9 po (23 cm) |  |
| --- | --- | --- |
| 12 oz | tomates coupées en tranches de 1/4 po (5 mm) d'épaisseur | 375 g |
| 1 c. à tab | beurre | 15 ml |
| 1/2 t | oignon haché | 125 ml |
| 3 | oeufs | 3 |
| 3/4 t | crème à 10% ou lait | 180 ml |
| 3 c. à tab | farine | 45 ml |
| 1 c. à tab | basilic frais, haché ou | 15 ml |
| 1 c. à thé | basilic séché | 5 ml |
| 1/2 c. à thé | sel | 2 ml |
| 1/4 c. à thé | moutarde en poudre | 1 ml |
| 1 | pincée de poivre noir du moulin | 1 |
| 1 t | fromage suisse, cheddar, monterey jack ou havarti, râpé | 250 ml |
|  | paprika |  |

**1** Sur une surface légèrement farinée, abaisser la pâte en un cercle de 11 po (23 cm) de diamètre. Presser l'abaisse dans une assiette à tarte de 9 po (23 cm). Couper l'excédent de pâte en laissant une bordure de 1/2 po (1 cm). Replier la bordure sous l'abaisse et canneler le pourtour, si désiré. Tapisser l'abaisse de papier d'aluminium, la remplir de haricots secs et cuire au four préchauffé à 425°F (220°C) pendant 8 minutes. Retirer délicatement les haricots secs et le papier d'aluminium et poursuivre la cuisson de 4 à 5 minutes ou jusqu'à ce que la croûte soit ferme.

**2** Étendre les tranches de tomates côte à côte sur des essuie-tout et laisser égoutter. Dans un petit poêlon, faire fondre le beurre à feu moyen. Ajouter l'oignon et cuire, en brassant de temps à autre, jusqu'à ce qu'il soit tendre. Dans un bol, mélanger les oeufs, la crème, la farine, le basilic, le sel, la moutarde en poudre et le poivre.

**3** Parsemer le fromage dans le fond de la croûte de tarte encore chaude et couvrir de l'oignon. Disposer les tranches de tomates égouttées en une seule couche, en les faisant se chevaucher légèrement. Arroser du mélange aux oeufs et parsemer de paprika. Cuire à découvert au four préchauffé à 375°F (190°C) de 35 à 40 minutes ou jusqu'à ce que la quiche ait pris au centre. (Au besoin, couvrir la croûte de papier d'aluminium pendant les 5 à 10 dernières minutes pour l'empêcher de trop dorer.) (Vous pouvez préparer la quiche à l'avance, la laisser refroidir complètement et la couvrir. Elle se conservera jusqu'au lendemain au réfrigérateur. Réchauffer au four préchauffé à 350°F/180°C de 15 à 20 minutes.)

PAR PORTION: cal.: 345; prot.: 12 g; m.g.: 23 g (10 g sat.); chol.: 135 mg; gluc.: 23 g; fibres: 2 g; sodium: 455 mg.

# Quiche au jambon et au brocoli

6 PORTIONS • PRÉPARATION: 20 MIN (PÂTE) + 30 MIN (QUICHE) • RÉFRIGÉRATION: 1 H 30 MIN (PÂTE)
• CUISSON: 55 MIN

|  | pâte brisée pour une abaisse de 9 po (23 cm) de diamètre (voir recette p. 98) | |
|---|---|---|
| 7 | oeufs | 7 |
| 1 t | petits bouquets de brocoli | 250 ml |
| 3/4 t | cheddar râpé | 180 ml |
| 4 | fines tranches de jambon, coupées en lanières | 4 |
| 2 | oignons verts coupés en tranches | 2 |
| 1/2 c. à thé | sel | 2 ml |
| 1/2 c. à thé | poivre noir du moulin | 2 ml |

1   Sur une surface farinée, abaisser la pâte à 1/4 po (5 mm) d'épaisseur. Presser délicatement l'abaisse dans le fond et sur la paroi d'un moule à tarte de 9 po (23 cm) de diamètre. Couper l'excédent de pâte en laissant une bordure de 1 po (2,5 cm). Replier la bordure sous l'abaisse, presser, puis canneler le pourtour. À l'aide d'une fourchette, piquer l'abaisse sur toute sa surface. Réfrigérer pendant 30 minutes.

2   Tapisser l'abaisse de papier d'aluminium et la remplir de haricots secs. Cuire dans le tiers inférieur du four préchauffé à 400°F (200°C) pendant environ 20 minutes ou jusqu'à ce que la bordure de la croûte soit dorée. Retirer délicatement les haricots secs et le papier d'aluminium. Déposer le moule sur une grille et laisser refroidir.

3   Dans un bol, à l'aide d'un fouet, mélanger les oeufs, le brocoli, 1/2 t (125 ml) du fromage, le jambon, les oignons verts, le sel et le poivre. Verser la garniture aux oeufs dans la croûte et parsemer du reste du fromage.

4   Cuire dans le tiers inférieur du four préchauffé à 350°F (180°C) pendant 35 minutes ou jusqu'à ce que la garniture ait pris (au besoin, couvrir la croûte de papier d'aluminium pour l'empêcher de brûler). Laisser reposer pendant 5 minutes avant de couper en pointes. (Vous pouvez préparer la quiche à l'avance, la laisser refroidir et la couvrir. Elle se conservera jusqu'à 3 jours au réfrigérateur ou jusqu'à 3 mois au congélateur, enveloppée de papier d'aluminium.)

PAR PORTION: cal.: 365; protéines: 16 g; m.g.: 22 g (5 g sat.); chol.: 275 mg; gluc.: 28 g; fibres: 1 g; sodium: 795 mg.

# Quiche aux épinards et au fromage

6 PORTIONS • PRÉPARATION: 20 MIN (PÂTE) + 30 MIN (QUICHE) • RÉFRIGÉRATION: 1 H 30 MIN (PÂTE)
• CUISSON: 55 MIN

|  | pâte brisée pour une abaisse de 9 po (23 cm) de diamètre (voir recette ci-contre) |  |
|---|---|---|
| 5 | oeufs | 5 |
| 3/4 t | lait | 180 ml |
| 1/2 c. à thé | sel | 2 ml |
| 1/4 c. à thé | poivre noir du moulin | 1 ml |
| 1/2 | paquet d'épinards hachés surgelés, décongelés et bien égouttés (la moitié d'un paquet de 10 oz/300 g) | 1/2 |
| 4 oz | gruyère râpé | 125 g |

1   Sur une surface farinée, abaisser la pâte à 1/4 po (5 mm) d'épaisseur. Presser délicatement l'abaisse dans le fond et sur la paroi d'un moule à tarte de 9 po (23 cm) de diamètre. Couper l'excédent de pâte en laissant une bordure de 1 po (2,5 cm). Replier la bordure sous l'abaisse, presser, puis canneler le pourtour. À l'aide d'une fourchette, piquer l'abaisse sur toute sa surface. Réfrigérer pendant 30 minutes.

2   Tapisser l'abaisse de papier d'aluminium et la remplir de haricots secs. Cuire dans le tiers inférieur du four préchauffé à 400°F (200°C) pendant 15 minutes. Retirer délicatement les haricots secs et le papier d'aluminium. Poursuivre la cuisson au four pendant 5 minutes ou jusqu'à ce que la croûte soit légèrement dorée. Déposer le moule sur une grille et laisser refroidir.

3   Dans un bol, à l'aide d'un fouet, mélanger les oeufs, le lait, le sel et le poivre. Étendre les épinards dans la croûte refroidie et les couvrir du mélange d'oeufs. Parsemer du fromage.

4   Cuire au four préchauffé à 375°F (190°C) pendant 15 minutes. Réduire la température à 325°F (160°C) et poursuivre la cuisson pendant 20 minutes ou jusqu'à ce que la garniture soit dorée (au besoin, couvrir la croûte de papier d'aluminium pour l'empêcher de brûler). Laisser reposer pendant 5 minutes avant de couper en pointes. (Vous pouvez préparer la quiche à l'avance, la laisser refroidir et la couvrir. Elle se conservera jusqu'à 3 jours au réfrigérateur ou jusqu'à 3 mois au congélateur, enveloppée de papier d'aluminium.)

## Pâte brisée classique

DONNE 2 ABAISSES DE 9 PO (23 CM) DE DIAMÈTRE.

| 2 t | farine | 500 ml |
|---|---|---|
| 1/2 c. à thé | sel | 2 ml |
| 2/3 t | beurre non salé froid, coupé en cubes | 160 ml |
| 1 | jaune d'oeuf | 1 |
| 1/2 t | eau glacée (environ) | 125 ml |

1   Dans un bol, mélanger la farine et le sel. Ajouter le beurre et, à l'aide d'un coupe-pâte ou de deux couteaux, travailler la préparation jusqu'à ce qu'elle ait la texture d'une chapelure fine parsemée de morceaux plus gros. Dans un bol, à l'aide d'un fouet, mélanger le jaune d'oeuf et l'eau. Arroser la préparation de farine du mélange de jaune d'oeuf et mélanger vivement à la fourchette jusqu'à ce que la pâte commence à se tenir (au besoin, ajouter jusqu'à 2 c. à tab/30 ml d'eau).

2   Diviser la pâte en deux portions. Façonner chaque portion en une boule, puis l'aplatir en un disque. Envelopper les disques de pâte d'une pellicule de plastique et réfrigérer pendant 1 heure ou jusqu'à ce que la pâte soit froide. (Vous pouvez préparer la pâte à tarte à l'avance. Elle se conservera jusqu'à 1 semaine au réfrigérateur ou jusqu'à 1 mois au congélateur, enveloppée de papier d'aluminium et glissée dans un sac de congélation de type Ziploc.)

PAR PORTION de quiche: cal.: 314; prot.: 13 g; m.g.: 20 g (9 g sat.); chol.: 203 mg; gluc.: 21 g; fibres: aucune; sodium: 444 mg.

Volaille

# Poule, coq, poulet: alouette!

Au Canada, le poulet est la viande la plus populaire, avec une consommation individuelle moyenne de 68 lb (31 kg) par année. Nos mères nous ont appris à l'apprêter de toutes les façons. Cette tradition vient d'Europe, car, même si nos ancêtres chassaient le gibier à plumes, la plupart possédaient aussi un poulailler qui les approvisionnait en volaille et en oeufs frais. Depuis quelques années, on observe une nouvelle tendance dans de nombreuses villes nord-américaines: l'implantation de poulaillers urbains. Une façon pour le moins originale de garantir la fraîcheur et la traçabilité des aliments consommés.

# Poulet chasseur

8 PORTIONS • PRÉPARATION: 20 MIN • CUISSON: 1 H 10 MIN

| | | |
|---|---|---:|
| 1/2 t | farine | 125 ml |
| 2 1/2 c. à thé | sel | 12 ml |
| 2 | pincées de poivre noir du moulin | 2 |
| 2 | poulets entiers, coupés en huit morceaux chacun, la peau et le gras enlevés (environ 3 lb/1,5 kg chacun) | 2 |
| 3 c. à tab | huile d'olive | 45 ml |
| 3 c. à tab | beurre | 45 ml |
| 2 | oignons hachés | 2 |
| 1 | poivron vert coupé en morceaux | 1 |
| 1 | gousse d'ail hachée finement | 1 |
| 1 | boîte de tomates, coupées en gros morceaux (19 oz/540 ml) | 1 |
| 1 | boîte de sauce tomate (7 1/2 oz/213 ml) | 1 |
| 1/4 t | persil frais, haché | 60 ml |
| 1/4 c. à thé | origan séché | 1 ml |
| 1/4 c. à thé | thym séché | 1 ml |
| 2 t | champignons coupés en tranches | 500 ml |

1  Dans un plat peu profond, mélanger la farine, 1 c. à thé (5 ml) du sel et 1 pincée du poivre. Ajouter les morceaux de poulet, quelques-uns à la fois, et les retourner pour bien les enrober (secouer l'excédent).

2  Dans une grande casserole, chauffer l'huile et le beurre à feu moyen-vif jusqu'à ce que le beurre ait fondu. Ajouter les morceaux de poulet, en plusieurs fois, et cuire pendant 3 minutes de chaque côté ou jusqu'à ce qu'ils soient dorés. Retirer le poulet de la casserole et réserver.

3  Dans la casserole, ajouter les oignons, le poivron et l'ail. Réduire à feu moyen et cuire, en brassant de temps à autre, pendant 5 minutes. Ajouter les tomates, la sauce tomate, le persil, l'origan, le thym et le reste du sel et du poivre et mélanger. Porter à ébullition. Remettre le poulet réservé dans la casserole, couvrir et cuire à feu moyen-doux pendant 30 minutes. Ajouter les champignons et poursuivre la cuisson de 20 à 30 minutes ou jusqu'à ce que le poulet ait perdu sa teinte rosée à l'intérieur et que la sauce ait réduit et épaissi.

PAR PORTION: cal.: 365; prot.: 35 g; m.g.: 18 g (6 g sat.); chol.: 110 mg; gluc.: 15 g; fibres: 2 g; sodium: 1 040 mg.

# Poulet rôti au four

4 À 6 PORTIONS • PRÉPARATION: 20 MIN • CUISSON: 1 H 30 MIN À 2 H

| | | |
|---|---|---|
| 1 | gros poulet (environ 3 1/2 à 5 lb/1,75 à 2,5 kg) | 1 |
| 1/4 t | huile d'olive | 60 ml |
| 1/4 t | moutarde de Dijon | 60 ml |
| 1/2 c. à thé | sel | 2 ml |
| 1/4 c. à thé | poivre noir du moulin | 1 ml |
| 1/2 c. à thé | estragon séché | 2 ml |
| 10 | pommes de terre grelots coupées en deux | 10 |
| 2 | branches de céleri coupées en morceaux de 1 po (2,5 cm) | 2 |
| 3 | carottes coupées en morceaux de 1 po (2,5 cm) | 3 |
| 1 | gros oignon, coupé en quatre | 1 |
| 1 1/2 t | bouillon de poulet maison ou du commerce | 375 ml |

1   Retirer les abats et le cou du poulet (les réserver pour un usage ultérieur). Rincer l'intérieur et l'extérieur du poulet. Éponger à l'aide d'essuie-tout.

2   Dans un petit bol, mélanger l'huile et la moutarde et en badigeonner le poulet. Attacher les cuisses ensemble avec de la ficelle à rôti. Mettre le poulet, la poitrine vers le haut, sur la grille huilée d'une rôtissoire. Parsemer du sel, du poivre et de l'estragon. Disposer les pommes de terre, le côté coupé dessous, autour du poulet avec le céleri, les carottes et l'oignon. Verser le bouillon dans la rôtissoire.

3   Cuire au four préchauffé à 375°F (190°C) de 1 1/2 à 2 heures ou jusqu'à ce que le jus qui s'écoule du poulet lorsqu'on le pique avec une fourchette soit clair et que les légumes soient tendres et dorés (arroser le poulet du jus de cuisson de temps à autre en cours de cuisson). Mettre le poulet dans une assiette et le couvrir de papier d'aluminium, sans serrer. Laisser reposer pendant 10 minutes. Retirer la ficelle. Au moment de servir, couper le poulet en tranches fines.

## Nostalgie

La cuisine de nos mères me rappelle certaines recettes traditionnelles d'Afrique du Nord avec ses parfums et ses saveurs d'épices qui marquaient les jours de fête. Ces recettes se perdent avec le temps. Je dois avouer que même si j'aime beaucoup cuisiner pour les miens, je n'ai jamais tenté de les reproduire. Il me semble que seules nos mères ont l'art de bien les réussir. Il n'en demeure pas moins que la cuisine est pour moi une activité valorisante qui me permet de faire plaisir à mes parents et à mes amis.

Dr Joseph Boushira, chirurgien-dentiste, né dans les années 1960

PAR PORTION: cal.: 615; prot.: 47 g; m.g.: 23 g (6 g sat.); chol.: 130 mg; gluc.: 55 g; fibres: 8 g; sodium: 365 mg.

# Vol-au-vent au poulet

6 PORTIONS • PRÉPARATION: 15 MIN • CUISSON: 17 À 20 MIN

| | | |
|---|---|---|
| 4 c. à tab | beurre | 60 ml |
| 1 t | champignons coupés en tranches | 250 ml |
| 1 | oignon haché | 1 |
| 1/4 t | céleri haché | 60 ml |
| 3 c. à tab | farine | 45 ml |
| 3 t | lait | 750 ml |
| 1 | pincée de muscade moulue | 1 |
| 2 t | poulet cuit, coupé en morceaux | 500 ml |
| 1/2 t | petits pois surgelés | 125 ml |
| 6 | vol-au-vent | 6 |
| | sel et poivre noir du moulin | |

1   Dans une casserole, faire fondre 1 c. à tab (15 ml) du beurre à feu moyen. Ajouter les champignons, l'oignon et le céleri et cuire, en brassant de temps à autre, pendant environ 5 minutes ou jusqu'à ce que les légumes soient tendres. Retirer les légumes de la casserole et réserver.

2   Dans la casserole, faire fondre le reste du beurre à feu moyen. Ajouter la farine et cuire, en brassant, de 1 à 2 minutes ou jusqu'à ce que le roux soit à peine doré. À l'aide d'un fouet, incorporer petit à petit le lait et porter à ébullition. Réduire le feu et laisser mijoter, en brassant sans arrêt, de 8 à 10 minutes ou jusqu'à ce que la sauce ait suffisamment épaissi pour napper le dos d'une cuillère. Ajouter la muscade, saler et poivrer. Incorporer les légumes réservés, le poulet et les petits pois. Poursuivre la cuisson à feu doux, en brassant de temps à autre, pendant environ 3 minutes ou jusqu'à ce que les petits pois soient tendres et que la préparation soit chaude.

3   Entre-temps, mettre les bases et les chapeaux des vol-au-vent sur une plaque de cuisson. Cuire au four préchauffé à 325°F (160°C) pendant environ 5 minutes ou jusqu'à ce que les vol-au-vent soient dorés.

4   Au moment de servir, répartir les bases des vol-au-vent dans les assiettes, les remplir de la sauce au poulet et couvrir des chapeaux.

PAR PORTION: cal.: 410; prot.: 23 g; m.g.: 23 g (11 g sat.); chol.: 65 mg; gluc.: 24 g; fibres: 3 g; sodium: 230 mg.

# Chop suey à la québécoise

6 PORTIONS • PRÉPARATION: 20 MIN • CUISSON: 20 MIN

| | | |
|---|---|---|
| 3 | gousses d'ail hachées | 3 |
| 3 c. à tab | gingembre frais, haché finement | 45 ml |
| 3 c. à tab | sauce soja réduite en sel | 45 ml |
| 1/2 c. à thé | sauce piquante | 2 ml |
| 1 t | bouillon de boeuf chaud | 250 ml |
| 2 c. à thé | fécule de maïs | 10 ml |
| 3 c. à tab | huile végétale | 45 ml |
| 1 | oignon haché finement | 1 |
| 3 | branches de céleri hachées | 3 |
| 1 | poivron vert coupé en dés | 1 |
| 2 t | champignons coupés en tranches | 500 ml |
| 1 lb | poitrines de poulet désossées, la peau et le gras enlevés, coupées en petits dés ou boeuf haché maigre | 500 g |
| 6 t | fèves germées (germes de haricots) | 1,5 L |
| 4 c. à tab | feuilles de coriandre fraîche (facultatif) | 60 ml |
| 4 c. à tab | arachides non salées, hachées (facultatif) | 60 ml |

1   Dans un petit bol, mélanger l'ail, le gingembre, la sauce soja, la sauce piquante, le bouillon de boeuf et la fécule de maïs. Réserver.

2   Dans une grande casserole, chauffer l'huile à feu vif. Ajouter l'oignon, le céleri, le poivron et les champignons et cuire, en brassant, pendant 5 minutes. Ajouter le poulet et cuire pendant 10 minutes ou jusqu'à ce qu'il soit légèrement doré et qu'il ait perdu sa teinte rosée. Ajouter les fèves germées, puis le mélange de bouillon réservé et mélanger. Couvrir et poursuivre la cuisson de 5 à 7 minutes ou jusqu'à ce que la sauce ait épaissi et que les fèves germées soient tendres mais encore croquantes.

3   Au moment de servir, parsemer de la coriandre et des arachides, si désiré.

### Puis vint le «chop suey»...

D'où vient le fameux chop suey de notre enfance? Il aurait été créé par des immigrants chinois venus aider à la construction des chemins de fer dans l'ouest des États-Unis, après quoi on l'a retrouvé dans un restaurant chinois de New York avant qu'il ne devienne populaire partout chez nos voisins du Sud. On imagine qu'un «cousin des États» l'aura fait découvrir à sa famille lors d'une visite au Québec. Chose certaine, ce mets était pour nos mères une autre façon d'offrir à leur famille un repas santé économique leur permettant de faire bon usage des restes de viande et de légumes.

PAR PORTION: cal.: 301; prot.: 21 g; m.g.: 18 g (4 g sat.); chol.: 40 mg; gluc.: 18 g; fibres: 5 g; sodium: 633 mg.

## Nostalgie

Chez nous, tous sont invités à participer à la préparation du repas. On prend un verre de vin, on discute et on reste dans la cuisine à regarder les plats évoluer. J'aime tellement cuisiner que j'ai modifié mon horaire pour pouvoir «popoter» à mon goût. Je me lance parfois des défis avec des recettes compliquées, mais les mijotés restent mes préférés, avec des coupes de viande moins nobles mises en valeur par une cuisson lente. Je crée parfois mes propres classiques, comme un cassoulet que m'a fait découvrir ma belle-mère originaire de Toulouse et que j'adapte selon mes goûts. Ma recette favorite? Le rôti de porc aux patates jaunes de maman!

Emmanuelle Choquette, consultante en agroalimentaire, née dans les années 1980, mère d'un garçon et d'une fille

# Mijoté de poulet à l'orange

6 PORTIONS • PRÉPARATION: 20 MIN • CUISSON: 1 H 10 MIN

| | | |
|---|---|---|
| 1/2 t | farine | 125 ml |
| 1 c. à thé | paprika | 5 ml |
| 1/8 c. à thé | poudre d'ail | 0,5 ml |
| 2 c. à thé | sel | 10 ml |
| 1/4 c. à thé | poivre noir du moulin | 1 ml |
| 6 | poitrines de poulet désossées, la peau et le gras enlevés, coupées en gros morceaux | 6 |
| 3 c. à tab | huile d'olive | 45 ml |
| 1 t | champignons coupés en tranches | 250 ml |
| 1 | boîte de crème de champignons (10 oz/284 ml) | 1 |
| 1/2 t | bouillon de poulet maison ou du commerce | 125 ml |
| 1/2 t | jus d'orange | 125 ml |
| 1/2 t | vin blanc sec | 125 ml |
| 1 c. à tab | cassonade | 15 ml |
| 3/4 c. à thé | gingembre moulu | 4 ml |
| 2 t | carottes coupées en tranches épaisses | 500 ml |
| 1 t | céleri coupé en tranches épaisses | 250 ml |
| | tranches d'orange | |

1  Dans un sac de plastique résistant, mélanger la farine, le paprika, la poudre d'ail, 1 c. à thé (5 ml) du sel et le poivre. Ajouter les morceaux de poulet, quelques-uns à la fois. Fermer le sac hermétiquement et l'agiter pour bien enrober le poulet.

2  Dans une casserole, chauffer l'huile à feu moyen-vif. Ajouter les morceaux de poulet, en plusieurs fois au besoin, et cuire pendant 3 minutes de chaque côté ou jusqu'à ce qu'ils soient dorés. Retirer le poulet de la casserole et réserver. Dans la casserole, ajouter les champignons et cuire, en brassant de temps à autre, pendant environ 3 minutes ou jusqu'à ce que le liquide se soit évaporé.

3  Entre-temps, dans un bol ou une grande tasse à mesurer, mélanger la crème de champignons, le bouillon, le jus d'orange, le vin, la cassonade, le gingembre et le reste du sel. Remettre le poulet réservé dans la casserole. Ajouter le mélange de crème de champignons et mélanger. Réduire le feu, couvrir et laisser mijoter pendant 30 minutes. Ajouter les carottes et le céleri et poursuivre la cuisson pendant 30 minutes ou jusqu'à ce que les carottes soient tendres. Au moment de servir, garnir chaque portion de tranches d'orange.

PAR PORTION: cal.: 325; prot.: 30 g; m.g.: 13 g (3 g sat.); chol.: 75 mg; gluc.: 20 g; fibres: 2 g; sodium: 1 255 mg.

# Casserole de poulet et de carottes à l'aigre-douce

12 PORTIONS • PRÉPARATION: 20 MIN • CUISSON: 1 H

| | | |
|---|---|---|
| 4 | oignons coupés en quartiers | 4 |
| 8 | carottes coupées en morceaux | 8 |
| 4 | poivrons verts coupés en carrés | 4 |
| 1/2 t | farine | 125 ml |
| 1 c. à thé | sel | 5 ml |
| 1 c. à thé | poivre noir du moulin | 5 ml |
| 12 | cuisses de poulet non désossées, la peau enlevée (8 lb/4 kg en tout) | 12 |
| 4 c. à tab | huile végétale | 60 ml |
| 1 t | jus d'orange | 250 ml |
| 1/2 t | miel liquide | 125 ml |
| 1/2 t | sauce soja | 125 ml |
| 1/2 t | pâte de tomates | 125 ml |
| 2 c. à tab | fécule de maïs | 30 ml |
| 6 | gousses d'ail hachées finement | 6 |

1   Mettre les légumes dans une grande rôtissoire, couvrir et cuire au four préchauffé à 400°F (200°C) pendant environ 10 minutes ou jusqu'à ce qu'ils aient légèrement ramolli.

2   Dans un plat peu profond, mélanger la farine, le sel et le poivre. Passer les cuisses de poulet dans le mélange de farine et les retourner pour bien les enrober. Dans un grand poêlon, chauffer la moitié de l'huile à feu moyen-vif. Faire dorer les cuisses de poulet, en plusieurs fois au besoin (ajouter le reste de l'huile au besoin). Mettre les cuisses de poulet sur les légumes.

3   Mélanger le reste des ingrédients. Verser le mélange sur le poulet et les légumes. Couvrir et cuire au four préchauffé à 400°F (200°C) pendant 20 minutes. Poursuivre la cuisson à découvert pendant 20 minutes ou jusqu'à ce que le poulet soit doré et que le jus qui s'en écoule lorsqu'on le pique avec une fourchette soit clair (badigeonner le poulet de temps à autre pendant la cuisson).

PAR PORTION: cal.: 386; prot.: 35 g; m.g.: 13 g (3 g sat.); chol.: 90 mg; gluc.: 33 g; fibres: 3 g; sodium: 747 mg.

# Pilons de poulet braisés au vin blanc

4 PORTIONS • PRÉPARATION: 15 MIN • CUISSON: 1 H 10 MIN

| | | |
|---|---|---|
| 8 | pilons de poulet (environ 2 lb/1 kg en tout) | 8 |
| 1/2 c. à thé | gros sel ou sel ordinaire (environ) | 2 ml |
| 3 c. à tab | beurre | 45 ml |
| 1 c. à tab | huile d'olive | 15 ml |
| 2 | oignons hachés | 2 |
| 1 | échalote française hachée finement | 1 |
| 2 | gousses d'ail hachées finement | 2 |
| 3/4 c. à thé | thym séché | 4 ml |
| 1/4 c. à thé | poivre noir du moulin (environ) | 1 ml |
| 1/2 t | vin blanc sec ou bouillon de poulet réduit en sel | 125 ml |
| 1 3/4 t | bouillon de poulet réduit en sel | 430 ml |
| 1 | feuille de laurier | 1 |
| | feuilles de menthe fraîche (facultatif) | |

1   Parsemer les pilons de poulet de 1/2 c. à thé (2 ml) du sel. Dans un grand poêlon, chauffer le beurre et l'huile à feu moyen-vif jusqu'à ce que le beurre soit fondu. Ajouter le poulet et cuire pendant 10 minutes (le retourner souvent). À l'aide d'une pince, retirer le poulet du poêlon et le réserver dans une assiette.

2   Dans le poêlon, ajouter les oignons, l'échalote et l'ail. Cuire, en raclant le fond du poêlon pour en détacher les particules, pendant 5 minutes ou jusqu'à ce que les oignons soient tendres.

3   Remettre le poulet réservé dans le poêlon et le parsemer du thym et de 1/4 c. à thé (1 ml) du poivre. Ajouter le vin blanc, le bouillon de poulet et la feuille de laurier et porter à ébullition. Réduire le feu, couvrir et laisser mijoter pendant 45 minutes ou jusqu'à ce que le poulet soit tendre (l'arroser du liquide de cuisson de temps à autre). Mettre le poulet dans un plat de service, couvrir et réserver au chaud. Laisser réduire le liquide de cuisson, à découvert, pendant 10 minutes ou jusqu'à ce qu'il ait la consistance d'une sauce. Saler et poivrer. Retirer la feuille de laurier.

4   Au moment de servir, garnir chaque portion du poulet réservé de la sauce à l'oignon et parsemer de la menthe, si désiré.

PAR PORTION: cal.: 325; prot.: 26 g; m.g.: 20 g (8 g sat.); chol.: 110 mg; gluc.: 10 g; fibres: 1 g; sodium: 485 mg.

# Poulet barbecue au four

12 PORTIONS • PRÉPARATION: 1 H • CUISSON: 1 H 55 MIN À 2 H 5 MIN

| | | |
|---|---|---|
| 1/2 t | beurre | 125 ml |
| 1 t | oignon haché finement | 250 ml |
| 1 c. à tab | ail haché finement | 15 ml |
| 1/2 c. à thé | sel (environ) | 2 ml |
| 1 1/2 c. à thé | flocons de piment fort | 7 ml |
| 1 c. à tab | paprika | 15 ml |
| 1 c. à tab | assaisonnement au chili | 15 ml |
| 1/2 c. à thé | poivre noir du moulin (environ) | 2 ml |
| 2 1/4 t | eau froide | 560 ml |
| 1 1/4 t | vinaigre de cidre | 310 ml |
| 1 t | cassonade tassée | 250 ml |
| 2 c. à tab | sauce Worcestershire | 30 ml |
| 1/4 t | mélasse | 60 ml |
| 1 t | pâte de tomates | 250 ml |
| 1/4 t | huile d'arachide (environ) | 60 ml |
| 7 lb | morceaux de poulet avec les os et la peau | 3,5 kg |

1  Dans une grande casserole, faire fondre le beurre à feu doux. Ajouter l'oignon, l'ail et le sel et cuire pendant 3 minutes ou jusqu'à ce que l'oignon ait ramolli. Ajouter les flocons de piment fort, le paprika, l'assaisonnement au chili et le poivre et poursuivre la cuisson, en brassant, pendant 1 minute.

2  Ajouter 2 t (500 ml) de l'eau, le vinaigre de cidre, la cassonade et la sauce Worcestershire et porter à ébullition. Ajouter la mélasse et la pâte de tomates, en brassant à l'aide d'un fouet. Réduire à feu doux et laisser mijoter à découvert, en brassant de temps à autre, de 10 à 15 minutes ou jusqu'à ce que la sauce ait épaissi. Prélever 1 1/2 t (375 ml) de la sauce pour préparer le poulet et réserver. Réfrigérer le reste de la sauce jusqu'au moment de servir. (Vous pouvez préparer la sauce à l'avance, la laisser refroidir et la mettre dans un contenant hermétique. Elle se conservera jusqu'à 1 semaine au réfrigérateur.)

3  Dans un grand poêlon, chauffer la moitié de l'huile à feu moyen. Saler et poivrer les morceaux de poulet, puis les faire dorer de 5 à 7 minutes, en plusieurs fois (ajouter de l'huile entre chaque cuisson, au besoin).

4  Déposer les morceaux de poulet, la peau dessus, dans deux plats allant au four. Verser 2 c. à tab (30 ml) de l'eau dans chacun des plats. Étendre la sauce réservée sur les morceaux de poulet. Couvrir hermétiquement le plat de papier d'aluminium. (Vous pouvez préparer le poulet jusqu'à cette étape. Il se conservera jusqu'à 4 heures au réfrigérateur.)

5  Cuire le poulet au four préchauffé à 325°F (160°C) pendant 1 heure 15 minutes ou jusqu'à ce qu'il ait perdu sa teinte rosée à l'intérieur. Augmenter la température du four à 450°F (230°C). Retirer le papier d'aluminium et étendre quelques cuillerées de la sauce réfrigérée sur le poulet. Poursuivre la cuisson à découvert de 10 à 15 minutes ou jusqu'à ce que les morceaux de poulet soient très tendres et bien glacés. (Vous pouvez préparer le poulet à l'avance, le laisser refroidir et le mettre dans un contenant hermétique. Il se conservera jusqu'à 2 jours au réfrigérateur ou jusqu'à 1 mois au congélateur.)

6  Entre-temps, dans une petite casserole, réchauffer le reste de la sauce. Servir le poulet avec la sauce chaude.

## Le poulet barbecue et l'influence américaine

Le poulet barbecue nous vient du Texas et des États voisins, là où la cuisson sur le gril est considérée comme un grand art. À l'origine, on badigeonnait des côtes de porc avec une sauce épaisse composée de cassonade, de mélasse, d'huile, de vinaigre, de pâte de tomates et de piment. Un jour, on a eu la bonne idée de l'utiliser sur des côtelettes, puis sur de la volaille grillée. En 1940, Heinz lance la première sauce barbecue commerciale au Québec. Nos mamans, toujours à l'affût de nouveaux trucs pour séduire leur marmaille, n'ont pas tardé à l'adopter.

PAR PORTION avec 1/4 t (60 ml) de sauce: cal.: 825; prot.: 51 g; m.g.: 54 g (18 g sat.); chol.: 235 mg; gluc.: 30 g; fibres: 1 g; sodium: 575 mg.

# Poulet frit au four

8 PORTIONS • PRÉPARATION: 25 MIN • RÉFRIGÉRATION: 1 H • CUISSON: 55 MIN

*Une version beaucoup plus santé que le poulet frit en grande friture, et tout aussi bonne à s'en lécher les doigts! Pour se faciliter la tâche, on se procure du poulet en morceaux (hauts de cuisses, pilons et poitrines) desquels il suffit d'enlever le gras et la peau (au besoin, couper les poitrines en deux pour avoir des morceaux d'égale grosseur).*

| | | |
|---|---|---|
| 1 1/2 t | babeurre | 375 ml |
| 2 c. à tab | moutarde de Dijon | 30 ml |
| 1 1/2 c. à thé | sel | 7 ml |
| 1 c. à thé | poudre d'ail | 5 ml |
| 1 c. à thé | poivre noir du moulin | 5 ml |
| 3/4 c. à thé | sauce tabasco | 4 ml |
| 4 1/2 lb | morceaux de poulet, la peau et le gras enlevés | 2,25 kg |
| 5 t | flocons de maïs (de type Corn Flakes) émiettés grossièrement | 1,25 L |
| 1/2 t | chapelure nature | 125 ml |
| 1/2 c. à thé | assaisonnement pour volaille | 2 ml |
| 1/2 c. à thé | paprika | 2 ml |
| 1 | pincée de piment de Cayenne | 1 |
| 2 c. à tab | huile végétale | 30 ml |

1 Dans un grand bol, à l'aide d'un fouet, mélanger le babeurre, la moutarde de Dijon, 3/4 c. à thé (4 ml) du sel, 1/2 c. à thé (2 ml) de la poudre d'ail, 1/2 c. à thé (2 ml) du poivre et la sauce tabasco. Ajouter les morceaux de poulet au mélange de babeurre et les retourner pour bien les enrober. Réfrigérer pendant 1 heure.

2 Dans un plat peu profond, mélanger les flocons de maïs, la chapelure, le reste du sel, de la poudre d'ail et du poivre, l'assaisonnement pour volaille, le paprika et le piment de Cayenne. Ajouter l'huile et mélanger. Retirer les morceaux de poulet du mélange de babeurre et les passer dans le mélange de flocons de maïs en pressant et en les retournant pour bien les enrober.

3 Mettre les morceaux de poulet sur la grille d'une rôtissoire ou sur une grille placée sur une plaque de cuisson vaporisée d'un enduit végétal antiadhésif (de type Pam). Cuire au four préchauffé à 400°F (200°C) pendant 55 minutes ou jusqu'à ce que le poulet ait perdu sa teinte rosée à l'intérieur (retourner les morceaux à la mi-cuisson).

EN ACCOMPAGNEMENT
## Salade de chou et de poivron rouge
8 PORTIONS

1 Dans un grand bol, mélanger 8 t (2 L) de chou râpé (environ le tiers d'un chou) et 1 c. à thé (5 ml) de sel. Dans un autre bol, mélanger 1 poivron rouge coupé en tranches fines et 1/4 c. à thé (1 ml) de sel. Laisser reposer le chou et le poivron pendant 1 heure. Dans une passoire, égoutter le chou, puis l'essorer par poignées pour retirer l'excédent de liquide. Remettre le chou dans le bol.

2 Ajouter le poivron (non égoutté), 1/2 oignon rouge coupé en tranches fines et 1 c. à tab (15 ml) d'aneth frais, haché, et mélanger pour bien enrober le chou.

3 Dans un petit bol, à l'aide d'un fouet, mélanger 1/4 t (60 ml) de vinaigre de vin rouge, 1 c. à tab (15 ml) chacun de sucre et d'huile végétale, 1 c. à thé (5 ml) de moutarde en poudre, 3/4 c. à thé (4 ml) de graines de céleri et 1/4 c. à thé (1 ml) de poivre noir du moulin.

4 Verser la vinaigrette sur la préparation de chou et mélanger pour bien enrober les ingrédients. Couvrir et réfrigérer pendant 1 heure. (Vous pouvez préparer la salade de chou à l'avance et la couvrir. Elle se conservera jusqu'à 2 jours au réfrigérateur.)

PAR PORTION (sans accompagnement): cal.: 300; prot.: 27 g; m.g.: 11 g (3 g sat.); chol.: 75 mg; gluc.: 23 g; fibres: 1 g; sodium: 830 mg.

# Poitrines de poulet aux fines herbes

4 PORTIONS • PRÉPARATION: 15 MIN • CUISSON: 15 MIN

| | | |
|---|---|---|
| 1/3 t | persil italien frais, haché | 80 ml |
| 1 c. à tab | origan frais, haché | 15 ml |
| 1 c. à tab | zeste de citron rapé finement | 15 ml |
| 3 | gousses d'ail hachées finement | 3 |
| 4 | poitrines de poulet désossées, la peau et le gras enlevés (environ 1 1/2 lb/750 g en tout) | 4 |
| 3 c. à tab | beurre | 45 ml |
| 1/4 t | bouillon de poulet | 60 ml |
| | sel et poivre noir du moulin | |

1   Dans un petit bol, mélanger le persil, l'origan, le zeste de citron et l'ail. Réserver. Saler et poivrer les poitrines de poulet.

2   Dans un grand poêlon, faire fondre le beurre à feu moyen-vif. Ajouter les poitrines de poulet et cuire pendant 6 minutes ou jusqu'à ce qu'elles soient dorées (les retourner à la mi-cuisson). Retirer le poulet du poêlon et le réserver dans une assiette. Ajouter la moitié du mélange de persil réservé et le bouillon de poulet. Porter à ébullition, en brassant et en raclant le fond du poêlon pour en détacher les particules. Remettre le poulet réservé dans le poêlon. Réduire le feu, couvrir et laisser mijoter pendant 8 minutes ou jusqu'à ce que le poulet ait perdu sa teinte rosée à l'intérieur.

3   Au moment de servir, napper chaque portion de la sauce et parsemer du reste du mélange de persil.

PAR PORTION: cal.: 275; prot.: 40 g; m.g.: 11 g (6 g sat.); chol.: 122 mg; gluc.: 2 g; fibres: traces; sodium: 356 mg.

# Pâtés au poulet

DONNE 2 PÂTÉS DE 6 PORTIONS CHACUN • PRÉPARATION: 30 MIN • CUISSON: 35 MIN

| | | |
|---|---|---|
| | pâte à tarte pour 4 abaisses de 9 po (23 cm) de diamètre (voir recette p. 261) | |
| 1 c. à tab | beurre | 15 ml |
| 1 1/2 t | champignons coupés en quartiers | 375 ml |
| 2 t | bouillon de poulet | 500 ml |
| 4 | carottes coupées en tranches | 4 |
| 2 | pommes de terre coupées en dés | 2 |
| 2 | petits oignons, hachés grossièrement | 2 |
| 1 t | lait | 250 ml |
| 1/4 t | farine | 60 ml |
| 1/2 c. à thé | sel | 2 ml |
| 1/2 c. à thé | paprika | 2 ml |
| 1 t | petits pois surgelés | 250 ml |
| 3 t | poulet cuit, coupé en dés | 750 ml |

**1** Sur une surface de travail légèrement farinée, abaisser la moitié de la pâte en deux cercles de 11 po (28 cm) de diamètre. Presser les abaisses dans deux assiettes à tarte de 9 po (23 cm) de diamètre et couper l'excédent de pâte. Réserver.

**2** Dans un poêlon, faire fondre le beurre à feu moyen. Cuire les champignons, en brassant, de 3 à 5 minutes ou jusqu'à ce qu'ils soient tendres. Réserver. Dans une casserole, porter le bouillon à ébullition. Ajouter les carottes, les pommes de terre et les oignons, couvrir et cuire à feu moyen pendant 10 minutes. Dans un pot, mélanger le lait, la farine, le sel et le paprika. Fermer le pot hermétiquement et secouer vigoureusement jusqu'à ce que le mélange soit homogène. Verser dans la casserole. Ajouter les petits pois et porter de nouveau à ébullition. Laisser bouillir, en brassant, pendant 1 minute ou jusqu'à ce que la sauce ait épaissi. Ajouter les champignons réservés et le poulet et mélanger. Verser la garniture au poulet dans les abaisses réservées.

**3** Abaisser le reste de la pâte en deux cercles de 11 po (28 cm) de diamètre. Humecter le pourtour des abaisses du dessous et déposer les abaisses sur la garniture au poulet. Couper l'excédent de pâte en laissant une bordure d'environ 3/4 po (2 cm). Plier la bordure de pâte sous l'abaisse du dessous. Sceller ensemble les deux abaisses en les pressant légèrement et canneler le pourtour. Faire trois entailles sur le dessus des pâtés pour permettre à la vapeur de s'échapper. Cuire au four préchauffé à 425°F (220°C) pendant environ 20 minutes ou jusqu'à ce que la croûte soit dorée et que la garniture soit bouillonnante.

PAR PORTION: cal.: 475; prot.: 18 g; m.g.: 26 g (10 g sat.); chol.: 45 mg; gluc.: 41 g; fibres: 3 g; sodium: 380 mg.

# Pâtés au poulet Parmentier

4 PORTIONS • PRÉPARATION: 30 MIN • CUISSON: 40 MIN

*Si désiré, on peut aussi préparer un seul gros pâté dans un plat allant au four d'une capacité de 10 tasses (2,5 L); le temps de cuisson sera alors d'environ 20 minutes (au lieu de 25).*

| | | |
|---|---|---|
| 6 | pommes de terre (de type Yukon Gold) pelées et coupées en cubes | 6 |
| 1/2 t | lait | 125 ml |
| 1/2 t | fromage à la crème | 125 ml |
| 2 c. à tab | beurre | 30 ml |
| 3/4 c. à thé | sel | 4 ml |
| 3/4 c. à thé | poivre noir du moulin | 4 ml |
| 2 t | bouillon de poulet | 500 ml |
| 1 lb | poitrines (ou hauts de cuisses) de poulet désossées, la peau et le gras enlevés, coupées en morceaux de 1/2 po (1 cm) | 500 g |
| 2 t | petits champignons frais, coupés en quatre | 500 ml |
| 1 | oignon haché | 1 |
| 2 | carottes hachées | 2 |
| 2 | gousses d'ail hachées finement | 2 |
| 2 | feuilles de laurier | 2 |
| 1 | pincée de muscade fraîchement râpée | 1 |
| 1 t | petits pois surgelés | 250 ml |
| 1 c. à thé | moutarde de Dijon | 5 ml |
| 1/2 c. à thé | jus de citron fraîchement pressé | 2 ml |
| 1/2 t | farine | 125 ml |
| 1/3 t | eau froide | 80 ml |

1 Dans une grande casserole d'eau bouillante salée, cuire les pommes de terre à couvert pendant 15 minutes ou jusqu'à ce qu'elles soient tendres. Égoutter les pommes de terre et les remettre dans la casserole. Ajouter le lait, le fromage à la crème, le beurre, 1/2 c. à thé (2 ml) du sel et 1/2 c. à thé (2 ml) du poivre. À l'aide d'un pilon à purée, réduire les pommes de terre en purée lisse. Réserver.

2 Entre-temps, dans une autre grande casserole, verser le bouillon de poulet et porter à ébullition. Ajouter le poulet, les champignons, l'oignon, les carottes, l'ail, les feuilles de laurier, le reste du sel et du poivre et la muscade. Réduire le feu, couvrir et laisser mijoter pendant environ 6 minutes ou jusqu'à ce que le poulet ait perdu sa teinte rosée à l'intérieur. Ajouter les petits pois, la moutarde de Dijon et le jus de citron et mélanger.

3 Dans un petit bol, à l'aide d'un fouet, mélanger la farine et l'eau jusqu'à ce que le mélange soit homogène. Verser ce mélange dans la préparation au poulet en fouettant. Porter à ébullition. Réduire le feu et poursuivre la cuisson, en brassant souvent, pendant environ 5 minutes ou jusqu'à ce que la sauce ait suffisamment épaissi pour napper le dos d'une cuillère.

4 À l'aide d'une grosse cuillère, répartir la préparation au poulet dans quatre ramequins ou plats allant au four d'une capacité de 2 tasses (500 ml) chacun. À l'aide de la cuillère, couvrir la préparation au poulet de la purée de pommes de terre réservée. (Vous pouvez préparer les pâtés au poulet jusqu'à cette étape, les laisser refroidir pendant 30 minutes, les réfrigérer jusqu'à ce qu'ils soient froids, puis les couvrir de papier d'aluminium. Ils se conserveront jusqu'au lendemain au réfrigérateur.)

5 Couvrir les ramequins de papier d'aluminium et les déposer sur une plaque de cuisson. Cuire au four préchauffé à 400°F (200°C) pendant environ 20 minutes ou jusqu'à ce que les pâtés soient chauds. Retirer le papier d'aluminium et poursuivre la cuisson sous le gril du four pendant 3 minutes ou jusqu'à ce que le dessus des pâtés soit doré.

PAR PORTION: cal.: 582; prot.: 40 g; m.g.: 20 g (8 g sat.); chol.: 109 mg; gluc.: 62 g; fibres: 7 g; sodium: 1 115 mg.

# Riz frit au poulet

4 PORTIONS • PRÉPARATION: 20 MIN • CUISSON: 7 MIN

| | | |
|---|---|---|
| 2 c. à tab | huile végétale | 30 ml |
| 2 | carottes coupées en tranches fines | 2 |
| 2 | branches de céleri hachées | 2 |
| 2 | gousses d'ail hachées finement | 2 |
| 1/2 c. à thé | poivre noir du moulin | 2 ml |
| 4 t | riz cuit, refroidi | 1 L |
| 3 t | poulet cuit, coupé en lanières (environ 3 poitrines) | 750 ml |
| 4 | oignons verts hachés | 4 |
| 1/4 t | sauce soja | 60 ml |
| 1/4 t | bouillon de poulet | 60 ml |
| 1/2 t | petits pois surgelés | 125 ml |
| 4 | oeufs brouillés cuits | 4 |

1 Dans un wok ou un grand poêlon, chauffer l'huile à feu moyen-vif. Ajouter les carottes, le céleri, l'ail et le poivre et cuire, en brassant, pendant 3 minutes ou jusqu'à ce que les légumes commencent à dorer. Ajouter le riz, le poulet, les oignons verts, la sauce soja, le bouillon, les petits pois et les oeufs brouillés et cuire, en brassant, pendant 3 minutes ou jusqu'à ce que le liquide soit absorbé.

PAR PORTION: cal.: 625; prot.: 39 g; m.g.: 23 g (5 g sat.); chol.: 290 mg; gluc.: 63 g; fibres: 3 g; sodium: 1 065 mg.

# Tourte au poulet

8 PORTIONS • PRÉPARATION: 25 MIN • CUISSON: 1 H 10 MIN • RÉFRIGÉRATION: 15 MIN

*Si on préfère utiliser un restant de poulet déjà cuit (environ 6 tasses/1,5 L), il n'est pas nécessaire de le faire dorer. Pour remplacer le vin, on peut utiliser 3/4 t (180 ml) de bouillon de poulet additionné de 1 c. à tab (15 ml) de jus de citron.*

| | | |
|---|---|---|
| 3 lb | poitrines de poulet désossées, la peau et le gras enlevés, coupées en morceaux | 1,5 kg |
| 1/2 c. à thé | sel | 2 ml |
| 1/2 c. à thé | poivre noir du moulin | 2 ml |
| 3 c. à tab | huile végétale | 45 ml |
| 1 | oignon haché | 1 |
| 2 | gousses d'ail hachées finement | 2 |
| 6 t | mélange de champignons shiitake (les chapeaux seulement) et de pleurotes, coupés en tranches (environ 2 lb/1 kg) | 1,5 L |
| 2 c. à thé | sauge séchée | 10 ml |
| 1 | pincée de flocons de piment fort | 1 |
| 1/2 t | vin blanc sec | 125 ml |
| 1/3 t | farine | 80 ml |
| 3 t | bouillon de poulet | 750 ml |
| 1/2 t | persil italien frais, haché | 125 ml |
| 1 | paquet de pâte à tarte feuilletée, décongelée (397 g) | 1 |
| 1 | jaune d'oeuf | 1 |

1   Parsemer le poulet de la moitié du sel et du poivre. Dans une grande casserole, chauffer le tiers de l'huile à feu moyen-vif. Faire dorer le poulet, en plusieurs fois au besoin (ajouter un deuxième tiers de l'huile, au besoin). Réserver.

2   Dans la casserole, ajouter le reste de l'huile, l'oignon et l'ail et cuire à feu moyen, en brassant de temps à autre, pendant environ 5 minutes ou jusqu'à ce que les légumes aient ramolli. Ajouter les champignons, la sauge, les flocons de piment fort et le reste du sel et du poivre. Cuire à feu moyen-vif pendant environ 10 minutes ou jusqu'à ce que les champignons soient dorés et que le liquide se soit évaporé.

3   Ajouter le vin blanc et cuire, en brassant, pendant 1 minute. Ajouter la farine et cuire, en brassant, pendant 1 minute. Ajouter le bouillon de poulet et porter à ébullition. Réduire le feu et laisser mijoter pendant 7 minutes ou jusqu'à ce que la préparation ait légèrement épaissi. Ajouter le persil et le poulet réservé et mélanger. (Vous pouvez préparer la garniture au poulet à l'avance, la laisser refroidir 30 minutes, la mettre dans des contenants hermétiques, la réfrigérer jusqu'à ce qu'elle soit froide, puis la couvrir. Elle se conservera jusqu'à 24 heures au réfrigérateur ou jusqu'à 2 semaines au congélateur. Décongeler avant de poursuivre la recette.) Laisser mijoter jusqu'à ce que la garniture soit chaude, puis la verser dans un plat en verre de 13 po x 9 po (33 cm x 23 cm).

4   Sur une surface légèrement farinée, abaisser la pâte en un rectangle de 14 po x 10 po (35 cm x 25 cm). Déposer l'abaisse sur une plaque de cuisson tapissée de papier-parchemin. En laissant une bordure intacte de 1/2 po (1 cm) de chaque côté, découper l'abaisse sur la largeur en bandes de 3/4 po (2 cm) de largeur. Réfrigérer pendant environ 15 minutes ou jusqu'à ce que la pâte soit ferme. Déposer la pâte sur la garniture au poulet et presser sur les parois du plat. Canneler, si désiré, et badigeonner légèrement la pâte du jaune d'oeuf. Cuire au four préchauffé à 400°F (200°C) pendant environ 40 minutes ou jusqu'à ce que la pâte soit dorée et gonflée.

PAR PORTION: cal.: 644; prot.: 49 g; m.g.: 29 g (5 g sat.); chol.: 132 mg; gluc.: 45 g; fibres: 5 g; sodium: 641 mg.

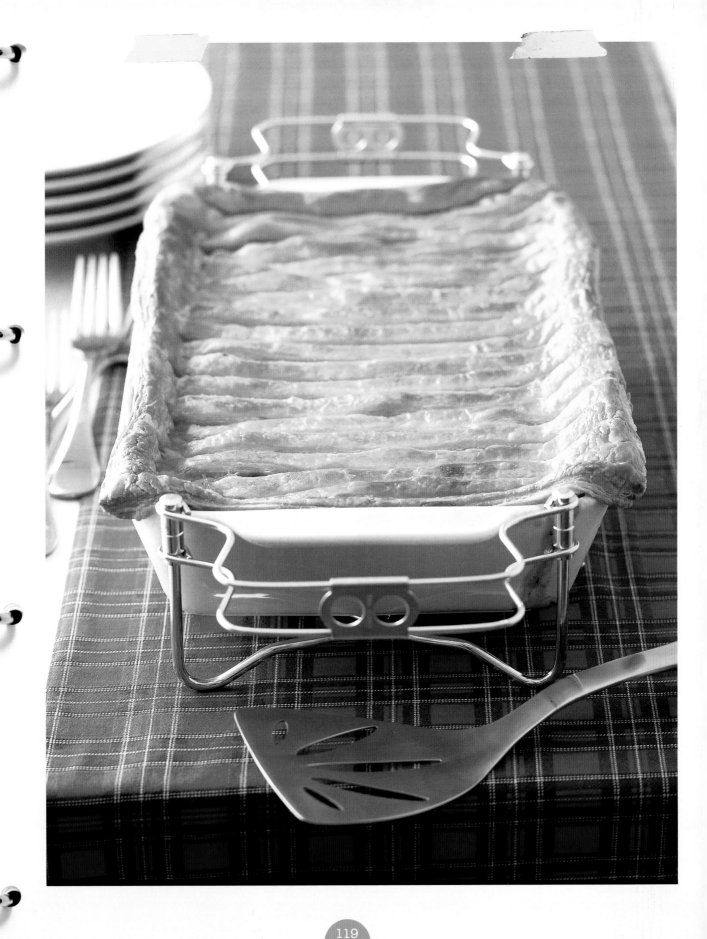

# Casserole de poulet à l'espagnole

8 PORTIONS • PRÉPARATION: 25 MIN • CUISSON: 1 H

| | | |
|---|---|---|
| 16 | hauts de cuisses de poulet, la peau enlevée (environ 4 lb/2 kg en tout) | 16 |
| 1 c. à thé | sel | 5 ml |
| 1/2 c. à thé | poivre noir du moulin | 2 ml |
| 2 c. à tab | huile d'olive | 30 ml |
| 1/2 t | vin blanc sec ou bouillon de poulet additionné de 2 c. à tab (30 ml) de vinaigre de vin blanc | 125 ml |
| 2 | oignons espagnols hachés | 2 |
| 6 | gousses d'ail hachées finement | 6 |
| 1 | boîte de tomates (28 oz/796 ml) | 1 |
| 4 c. à thé | paprika | 20 ml |
| 1 c. à thé | marjolaine (ou origan) séchée | 5 ml |
| 1/4 c. à thé | filaments de safran | 1 ml |
| 2 c. à tab | eau chaude | 30 ml |
| 1/3 t | amandes moulues | 80 ml |
| 1 c. à tab | jus de citron | 15 ml |
| 1 t | grosses olives vertes, coupées en deux | 250 ml |
| 1/4 t | persil frais, haché | 60 ml |

1   Parsemer les cuisses de poulet de 1/2 c. à thé (2 ml) du sel et du poivre. Dans un grand poêlon à surface antiadhésive, chauffer la moitié de l'huile à feu moyen-vif. Ajouter le poulet et le faire dorer, en plusieurs fois au besoin, pendant 6 minutes. Mettre le poulet dans un plat en verre de 13 po x 9 po (33 cm x 23 cm). Dégraisser le poêlon. Ajouter le vin et porter à ébullition en raclant le fond du poêlon pour en détacher les particules. Verser sur le poulet.

2   Essuyer le poêlon, ajouter le reste de l'huile et chauffer à feu moyen. Ajouter les oignons et 4 des gousses d'ail. Cuire, en brassant, pendant environ 4 minutes ou jusqu'à ce que l'ail soit doré. Ajouter les tomates, le paprika, la marjolaine et le reste du sel en défaisant les tomates à l'aide d'une cuillère de bois. Porter à ébullition. Verser la préparation aux tomates sur le poulet. Couvrir le plat de papier d'aluminium, sans serrer, et cuire au four préchauffé à 375°F (190°C) pendant environ 40 minutes ou jusqu'à ce que le poulet ait perdu sa teinte rosée à l'intérieur.

3   Entre-temps, émietter les filaments de safran dans un bol. Verser l'eau chaude sur le safran et laisser reposer pendant 5 minutes. Ajouter les amandes, le reste de l'ail et le jus de citron. Ajouter le mélange d'amandes et les olives à la préparation au poulet et mélanger. Poursuivre la cuisson à découvert pendant environ 10 minutes ou jusqu'à ce que la préparation soit chaude. (Vous pouvez préparer le poulet à l'avance, le laisser refroidir et le mettre dans des contenants hermétiques. Il se conservera jusqu'au lendemain au réfrigérateur ou jusqu'à 1 mois au congélateur. Laisser décongeler au réfrigérateur pendant 24 heures. Réchauffer au four préchauffé à 375°F/190°C pendant environ 40 minutes ou jusqu'à ce que la préparation soit chaude.) Au moment de servir, parsemer du persil.

PAR PORTION: cal.: 356; prot.: 35 g; m.g.: 17 g (3 g sat.); chol.: 76 mg; gluc.: 16 g; fibres: 4 g; sodium: 468 mg.

# Casserole de haricots blancs au dindon

4 PORTIONS • PRÉPARATION: 20 MIN • CUISSON: 5 MIN

| | | |
|---|---|---|
| 1 3/4 t | bouillon de dindon ou de poulet réduit en sel | 430 ml |
| 2 t | carottes râpées grossièrement | 500 ml |
| 2 | boîtes de haricots blancs (de type cannellini ou navy), égouttés et rincés (19 oz/540 ml chacune) | 2 |
| 3 t | dindon cuit, coupé en cubes | 750 ml |
| 3/4 c. à thé | fines herbes séchées à l'italienne | 4 ml |
| 1/4 t | parmesan râpé | 60 ml |
| 1 c. à tab | persil frais, haché | 15 ml |
| | croûtons de pain (facultatif) | |

1  Dans une grande casserole, porter le bouillon à ébullition. Ajouter les carottes et la moitié des haricots blancs. À l'aide d'une fourchette, écraser le reste des haricots blancs et les ajouter à la préparation de bouillon. Ajouter le dindon et les fines herbes et mélanger. Couvrir et laisser mijoter pendant 5 minutes.

2  Dans la casserole, ajouter le parmesan et le persil et mélanger. (Vous pouvez préparer la casserole de haricots à l'avance, la laisser refroidir et la mettre dans un contenant hermétique. Elle se conservera environ 3 jours au réfrigérateur ou jusqu'à 4 mois au congélateur.) Servir avec des croûtons de pain, si désiré.

PAR PORTION: cal.: 500; prot.: 53 g; m.g.: 7 g (2 g sat.); chol.: 90 mg; gluc.: 57 g; fibres: 21 g; sodium: 630 mg.

# Pâté au dindon et aux légumes

4 PORTIONS • PRÉPARATION: 30 MIN • RÉFRIGÉRATION: 30 MIN (PÂTE) • CUISSON: 1 H

*Un beau pâté facile à faire, avec une croûte unique sur le dessus. Pour gagner du temps, on peut utiliser de la pâte à tarte du commerce (environ la moitié d'un paquet de 1 lb/500 g).*

| | | |
|---|---|---|
| 1 c. à tab | huile d'olive | 15 ml |
| 1/2 | oignon coupé en dés | 1/2 |
| 1 t | poireaux hachés (les parties blanche et vert pâle seulement) | 250 ml |
| 1 t | céleri haché | 250 ml |
| 1 t | carottes hachées | 250 ml |
| 1 | paquet de champignons café, coupés en quatre (227 g) | 1 |
| 1 | gousse d'ail hachée finement | 1 |
| 1/3 t | farine | 80 ml |
| 1/2 c. à thé | sel | 2 ml |
| 1/2 c. à thé | thym séché | 2 ml |
| 1/4 c. à thé | poivre noir du moulin | 1 ml |
| 1/4 c. à thé | sarriette séchée | 1 ml |
| 6 t | bouillon de dindon ou de poulet réduit en sel | 1,5 L |
| 4 t | dindon cuit, haché | 1 L |
| 1 t | petits pois surgelés | 250 ml |
| | pâte brisée pour 1 abaisse de 9 po (23 cm) de diamètre (voir recette p. 98) | |

1  Dans une grande casserole, chauffer l'huile à feu moyen. Ajouter l'oignon, les poireaux, le céleri et les carottes et cuire, en brassant de temps à autre, pendant 5 minutes ou jusqu'à ce que les légumes aient ramolli. Ajouter les champignons et l'ail et cuire, en brassant de temps à autre, pendant 8 minutes ou jusqu'à ce qu'ils aient ramolli.

2  Ajouter la farine, le sel, le thym, le poivre et la sarriette et poursuivre la cuisson, en brassant, pendant 1 minute. Verser petit à petit le bouillon, en raclant le fond de la casserole pour en détacher les particules. Porter à ébullition. Réduire le feu et laisser mijoter pendant 10 minutes. Ajouter le dindon et les petits pois et mélanger. Verser la préparation dans une assiette à tarte profonde de 9 po (23 cm) de diamètre ou dans un plat allant au four d'une capacité de 6 à 8 t (1,5 à 2 L).

3  Sur une surface légèrement farinée, abaisser la pâte selon les dimensions de l'assiette ou du plat, en prévoyant un excédent de 3/4 po (2 cm) sur le pourtour. Déposer l'abaisse sur la garniture, replier la bordure à l'intérieur du plat et presser pour sceller. Canneler le pourtour. Badigeonner l'abaisse d'un peu d'eau et pratiquer des entailles au centre du pâté pour permettre à la vapeur de s'échapper.

4  Cuire au four préchauffé à 400°F (200°C) pendant 15 minutes. Réduire la température à 350°F (180°C) et poursuivre la cuisson pendant environ 20 minutes ou jusqu'à ce que la croûte soit dorée et que la garniture soit bouillonnante. (Vous pouvez préparer le pâté à l'avance, le laisser refroidir et le couvrir de papier d'aluminium. Il se conservera jusqu'à 2 jours au réfrigérateur ou jusqu'à 2 mois au congélateur, glissé dans un sac de congélation de type Ziploc.)

PAR PORTION: cal.: 620; prot.: 56 g; m.g.: 25 g (10 g sat.); chol.: 130 mg; gluc.: 40 g; fibres: 5 g; sodium: 546 mg.

# Casserole étagée au chili et aux tortillas

8 PORTIONS • PRÉPARATION: 30 MIN • CUISSON: 1 H 30 MIN (CHILI), 45 MIN (CASSEROLE)

| | | | |
|---|---|---|---|
| 6 t | chili aux haricots rouges et noirs (voir recette p. 125) | 1,5 L |
| 8 t | croustilles de tortillas cuites au four du commerce ou maison (voir recette ci-dessous) | 2 L |
| 2 t | crème sure légère | 500 ml |
| 1 | boîte de tomates en dés, égouttées (28 oz/796 ml) | 1 |
| 3 t | cheddar râpé | 750 ml |

1   Dans un plat en verre allant au four de 13 po x 9 po (33 cm x 23 cm), étendre la moitié du chili. Couvrir de la moitié des croustilles de tortillas, de la moitié de la crème sure, puis des tomates. Étendre le reste de la crème sure sur les tomates, puis couvrir du reste des croustilles et du chili. Parsemer du cheddar. Cuire au four préchauffé à 350°F (180°C) pendant environ 45 minutes ou jusqu'à ce que le fromage ait fondu et que la préparation soit bouillonnante.

## Croustilles de tortillas maison

Badigeonner d'huile d'olive chaque côté de huit tortillas de maïs de 6 po (15 cm) de diamètre. Superposer les tortillas et les couper en six pointes chacune. Étendre les pointes de tortillas sur des plaques de cuisson et cuire au four préchauffé à 350°F (180°C) de 12 à 15 minutes ou jusqu'à ce qu'elles soient croustillantes.

PAR PORTION: cal.: 671; prot.: 36 g; m.g.: 35 g (16 g sat.); chol.: 89 mg; gluc.: 55 g; fibres: 9 g; sodium: 1 103 mg.

# Chili aux haricots rouges et noirs

DONNE 10 TASSES (2,5 L)

| | | |
|---|---|---|
| 2 lb | boeuf haché maigre | 1 kg |
| 1 | oignon haché | 1 |
| 2 | gousses d'ail hachées finement | 2 |
| 2 c. à tab | assaisonnement au chili | 30 ml |
| 1/2 c. à thé | origan séché | 2 ml |
| 1/2 c. à thé | cumin moulu | 2 ml |
| 1 | pincée de piment de Cayenne | 1 |
| 1 | boîte de tomates en dés (28 oz/796 ml) | 1 |
| 1 | boîte de soupe aux tomates concentrée (10 oz/284 ml) | 1 |
| 1 | boîte de haricots noirs, égouttés et rincés (19 oz/540 ml) | 1 |
| 1 | boîte de haricots rouges, égouttés et rincés (19 oz/540 ml) | 1 |
| 1 t | maïs en grains surgelé | 250 ml |

1   Dans une grande casserole, cuire le boeuf haché à feu moyen-vif pendant 5 minutes. Ajouter l'oignon et l'ail et poursuivre la cuisson pendant environ 5 minutes ou jusqu'à ce que le boeuf haché ait perdu sa teinte rosée.

2   Dégraisser le poêlon. Ajouter l'assaisonnement au chili, l'origan, le cumin, le piment de Cayenne, les tomates et la soupe. Porter à ébullition. Réduire à feu doux, couvrir et laisser mijoter, en brassant de temps à autre, pendant 1 heure. Ajouter les haricots noirs et rouges et mélanger. Couvrir et poursuivre la cuisson pendant 15 minutes. Ajouter le maïs et cuire pendant environ 4 minutes ou jusqu'à ce qu'il soit chaud. (Vous pouvez préparer le chili à l'avance, le laisser refroidir et le mettre dans un contenant hermétique. Il se conservera jusqu'à 2 jours au réfrigérateur ou jusqu'à 1 mois au congélateur.)

# Courge poivrée
## farcie à la dinde et aux légumes

4 PORTIONS • PRÉPARATION: 20 MIN • CUISSON: 24 À 27 MIN

*Si on souhaite servir ce plat en accompagnement, compter une demi-courge par personne.*

| | | |
|---|---|---|
| 4 | courges poivrées | 4 |
| 1 c. à tab | beurre | 15 ml |
| 1/2 lb | dinde hachée | 250 g |
| 1 | oignon haché finement | 1 |
| 1/2 t | céleri haché finement | 125 ml |
| 1 t | champignons coupés en tranches | 250 ml |
| 3 | gousses d'ail hachées finement | 3 |
| 1/4 t | pâte de tomates | 60 ml |
| 2 t | mie de pain frais, émiettée | 500 ml |
| 2 t | cheddar ou jalsberg râpé | 500 ml |
| 2 c. à tab | graines de tournesol non salées | 30 ml |
| 1/2 c. à thé | sel | 2 ml |
| 1/4 c. à thé | poivre noir du moulin | 1 ml |
| 1/4 t | parmesan râpé | 60 ml |

1 Couper une tranche épaisse (environ au tiers de la courge) sur la longueur de chaque courge. Peler la tranche et la couper en cubes. Réserver. Épépiner les courges et égaliser le côté coupé. Mettre les courges dans un plat allant au micro-ondes et cuire à intensité maximale de 12 à 15 minutes ou jusqu'à ce qu'elles soient tendres.

2 Entre-temps, dans un grand poêlon, faire fondre le beurre à feu moyen. Ajouter la dinde hachée et cuire pendant 7 minutes, en brassant de temps à autre. Ajouter les cubes de courge réservés, l'oignon et le céleri et cuire, en brassant de temps à autre, pendant 7 minutes ou jusqu'à ce qu'ils aient ramolli. Ajouter les champignons et l'ail et cuire pendant 2 minutes. Ajouter la pâte de tomates et poursuivre la cuisson pendant 1 minute.

3 Dans un bol, mélanger la préparation de légumes, la mie de pain, le cheddar, les graines de tournesol, le sel et le poivre. Répartir la farce dans les courges, puis parsemer du parmesan. Cuire au four préchauffé à 450°F (230°C) de 7 à 10 minutes ou jusqu'à ce que la farce soit chaude et dorée.

PAR PORTION: cal.: 632; prot.: 27 g; m.g.: 37 g (18 g sat.); chol.: 80 mg; gluc.: 56 g; fibres: 12 g; sodium: 1 260 mg.

Boeuf, veau
et agneau

# Diversité au menu

Nos mères ont toujours su apprêter les viandes avec créativité : les coupes de boeuf moins tendres comme la palette ou la ronde étaient transformées en ragoûts, pot-au-feu et fricassées ; l'épaule d'agneau était apprêtée sous forme de braisés, de croquettes ou de pâtés, tandis que le boeuf haché servait à la préparation de plats savoureux comme le pâté chinois, les cigares au chou et le pain de viande. Allongeant les rations de viande avec des pommes de terre, du riz, des pâtes ou une sauce très goûteuse, elles ont su nous régaler et nous offrir de la variété tout en respectant leur budget.

# Ragoût de boeuf aux légumes

6 PORTIONS • PRÉPARATION: 35 MIN • CUISSON: 1 H 45 MIN

| | | |
|---|---|---|
| 1 c. à tab | huile végétale | 15 ml |
| 4 | carottes coupées en morceaux de 1 po (2,5 cm) | 4 |
| 2 | branches de céleri coupées en morceaux de 1 po (2,5 cm) | 2 |
| 1 | gros oignon, haché grossièrement | 1 |
| 6 | gousses d'ail hachées finement | 6 |
| 2 lb | cubes de boeuf à ragoût | 1 kg |
| 1 3/4 t | vin rouge ou bouillon de boeuf | 430 ml |
| 1 2/3 t | bouillon de boeuf | 410 ml |
| 2 c. à tab | pâte de tomates | 30 ml |
| 1 c. à tab | sauce Worcestershire | 15 ml |
| 1/4 à 1/2 c. à thé | flocons de piment fort | 1 à 2 ml |
| 2 | grosses pommes de terre non pelées, coupées en cubes de 1 po (2,5 cm) | 2 |
| 2 | poivrons rouges coupés en morceaux de 1 po (2,5 cm) | 2 |
| 2 c. à tab | eau froide | 30 ml |
| 1 c. à tab | fécule de maïs | 15 ml |

1   Dans une grosse cocotte en métal, chauffer l'huile à feu moyen. Ajouter les carottes, le céleri, l'oignon et l'ail et cuire, en brassant de temps à autre, pendant environ 5 minutes ou jusqu'à ce que l'oignon soit tendre. Ajouter les cubes de boeuf et cuire, en brassant de temps à autre, pendant 15 minutes ou jusqu'à ce que la viande soit dorée de tous les côtés.

2   Retirer le surplus de gras de la cocotte. Ajouter le vin, le bouillon, la pâte de tomates, la sauce Worcestershire et les flocons de piment fort et porter à ébullition. Réduire le feu, couvrir et laisser mijoter pendant 1 heure, en brassant de temps à autre. Ajouter les pommes de terre et les poivrons et porter de nouveau à ébullition. Réduire le feu, couvrir et laisser mijoter de 15 à 20 minutes ou jusqu'à ce que les pommes de terre soient tendres.

3   Dans un petit bol, mélanger l'eau et la fécule de maïs. Verser le mélange dans la cocotte et poursuivre la cuisson, en brassant, jusqu'à ce que la préparation ait épaissi et soit bouillonnante. Poursuivre la cuisson pendant 2 minutes, en brassant. (Vous pouvez préparer le ragoût à l'avance, le laisser refroidir et le mettre dans un contenant hermétique. Il se conservera jusqu'à 2 jours au réfrigérateur ou jusqu'à 4 mois au congélateur.)

### Réconfortant ragoût

Au Québec, les ragoûts les plus populaires sont le ragoût de rôti de palette à l'oignon et le bouilli de légumes. On préparait traditionnellement le bouilli en faisant rissoler des oignons dans le lard avant d'ajouter la viande, de couvrir avec de l'eau, puis d'ajouter les légumes du jardin en fin de cuisson. Aujourd'hui, on remplace le lard par de l'huile et on fait souvent mijoter la viande la veille pour dégraisser le bouillon avant d'y cuire les légumes. D'autres ragoûts sont épaissis à la farine, comme le steak à la suisse, le boeuf bourguignon et la blanquette de veau, que les Québécois ont adoptés dans les années 1960 pour les adapter à leur goût en y ajoutant librement carottes, champignons ou tomates.

PAR PORTION: cal.: 395; prot.: 37 g; m.g.: 10 g (3 g sat.); chol.: 82 mg; gluc.: 25 g; fibres: 4 g; sodium: 370 mg.

# Pot-au-feu classique

8 À 10 PORTIONS • PRÉPARATION: 45 MIN • CUISSON: 3 H 15 MIN

*Des coupes parfaites pour notre pot-au-feu: le rôti de palette et le rôti de côtes croisées, qui seront tendres une fois mijotés et donneront de la saveur à notre bouillon. Pour peler les oignons perlés facilement, les plonger 1 minute dans l'eau bouillante, les égoutter et les passer sous l'eau froide.*

| | | |
|---|---|---|
| 2 | gros panais, pelés | 2 |
| 2 | grosses carottes, pelées | 2 |
| 2 | navets pelés | 2 |
| 2 c. à tab | farine | 30 ml |
| 1/2 c. à thé | sel | 2 ml |
| 1/2 c. à thé | poivre noir du moulin | 2 ml |
| 1 | rôti de boeuf à braiser (environ 3 lb/1,5 kg) | 1 |
| 2 c. à tab | huile végétale | 30 ml |
| 1 | gros oignon, haché grossièrement | 1 |
| 3 | gousses d'ail coupées en tranches fines | 3 |
| 1 t | bouillon de boeuf | 250 ml |
| 1 | boîte de tomates entières, égouttées (28 oz/796 ml) | 1 |
| 1/2 c. à thé | marjolaine (ou thym) séchée | 2 ml |
| 2 | feuilles de laurier | 2 |
| 1 c. à tab | beurre | 15 ml |
| 1 | paquet d'oignons perlés, pelés (10 oz/284 g) | 1 |

**1** Couper les panais et les carottes en deux sur la longueur, puis en morceaux de 2 po (5 cm) de longueur. Couper les navets en quatre. Réserver.

**2** Dans un grand bol, mélanger la farine, le sel et le poivre. Passer le rôti dans la préparation de farine, en le retournant pour bien l'enrober. Dans une cocotte, chauffer la moitié de l'huile à feu moyen-vif. Ajouter le rôti et le faire dorer de tous les côtés. Réserver dans une assiette.

**3** Dans la cocotte, chauffer le reste de l'huile à feu moyen. Ajouter l'oignon haché et l'ail et cuire, en brassant de temps à autre, pendant 4 minutes ou jusqu'à ce qu'ils aient ramolli. Ajouter le bouillon, en raclant le fond de la cocotte pour en détacher les particules. Ajouter les tomates, les légumes réservés, la marjolaine et les feuilles de laurier et mélanger. Remettre le rôti réservé dans la cocotte avec le jus de cuisson accumulé dans l'assiette. Porter à ébullition, couvrir et poursuivre la cuisson au four préchauffé à 300°F (150°C) pendant 2 heures 30 minutes (arroser le rôti aux 30 minutes et le retourner à la mi-cuisson).

**4** Entre-temps, dans un poêlon, faire fondre le beurre à feu moyen. Ajouter les oignons perlés et cuire pendant environ 10 minutes ou jusqu'à ce qu'ils soient tendres et dorés. Mettre les oignons perlés dans la cocotte et poursuivre la cuisson à découvert pendant environ 30 minutes ou jusqu'à ce que le boeuf soit très tendre. Retirer les feuilles de laurier.

**5** Déposer le rôti sur une planche à découper et le couvrir de papier d'aluminium, sans serrer. Laisser reposer pendant 10 minutes, puis couper en tranches fines dans le sens contraire des fibres de la viande. Servir avec la sauce et les légumes.

PAR PORTION: cal.: 354; prot.: 30 g; m.g.: 18 g (7 g sat.); chol.: 83 mg; gluc.: 19 g; fibres: 4 g; sodium: 405 mg.

## Nostalgie

La cuisine de ma mère était simple et bonne. Nous mangions beaucoup de légumes de notre potager. Son bouilli de légumes était un de ses plats les plus savoureux. La nourriture passait avant tout autre luxe et elle y consacrait presque toute la journée. Les repas de fête étaient composés de cipâte, boeuf, saucisses, légumes, patates jaunes, salades, gâteaux et tartes variés, etc. Aujourd'hui, j'aime cuisiner un peu, mais comme mon conjoint est un grand chef, je me régale surtout de ses créations extraordinaires. En revanche, je fais encore les délicieux poudings aux fruits de ma mère, les préférés de mon mari, et sa sublime tarte au sucre.

Linda Therrien, administratrice de restaurant, née dans les années 1960, mère de deux fils et une fille, grand-mère de deux fillettes

# Boeuf bourguignon

6 PORTIONS • PRÉPARATION: 20 MIN • CUISSON: 2 H 15 MIN

| | | |
|---|---|---|
| 1/4 lb | lardons ou bacon coupé en dés | 125 g |
| 2 lb | cubes de boeuf | 1 kg |
| 1 t | oignon haché | 250 ml |
| 3 c. à tab | farine | 45 ml |
| 1 1/2 t | bouillon de boeuf | 375 ml |
| 2 t | vin rouge (environ) | 500 ml |
| 1 c. à tab | pâte de tomates | 15 ml |
| 1 c. à thé | persil frais, haché | 5 ml |
| 1/2 c. à thé | sel | 2 ml |
| 1/4 c. à thé | thym séché | 1 ml |
| 1 | pincée de sucre | 1 |
| 1 | pincée de poivre noir du moulin | 1 |
| 1 | feuille de laurier | 1 |
| 1 c. à tab | beurre | 15 ml |
| 1 | paquet de champignons, coupés en tranches (227 g) | 1 |

1  Dans une cocotte, cuire les lardons jusqu'à ce qu'ils commencent à dorer. Ajouter les cubes de boeuf, les faire dorer, puis les retirer de la cocotte. Ajouter l'oignon et le faire dorer. Parsemer de la farine et mélanger. Remettre le boeuf dans la cocotte. Ajouter le bouillon de boeuf petit à petit, en brassant. Incorporer le vin, la pâte de tomates, le persil, le sel, le thym, le sucre, le poivre et la feuille de laurier (au besoin, ajouter du vin pour couvrir le boeuf) et porter à ébullition.

2  Couvrir la cocotte et cuire au four préchauffé à 350°F (180°C) pendant 2 heures ou jusqu'à ce que la viande soit tendre. Entre-temps, dans un poêlon, faire fondre le beurre à feu moyen. Ajouter les champignons et cuire pendant 5 minutes ou jusqu'à ce qu'ils aient ramolli. Environ 30 minutes avant la fin de la cuisson du boeuf, ajouter les champignons dans la cocotte.

PAR PORTION: cal.: 420; prot.: 41 g; m.g.: 24 g (9 g sat.); chol.: 100 mg; gluc.: 8 g; fibres: 1 g; sodium: 600 mg.

# Boeuf en croûte

6 À 8 PORTIONS • PRÉPARATION: 25 MIN • RÉFRIGÉRATION: 30 MIN • CUISSON: 20 MIN

### PÂTE À TARTE

| | | |
|---|---|---|
| 2 t | farine | 500 ml |
| 1 c. à thé | poudre à pâte | 5 ml |
| 1/4 c. à thé | sel | 1 ml |
| 1/3 t | graisse végétale froide | 80 ml |
| 2/3 t | lait | 160 ml |

### GARNITURE À LA VIANDE

| | | |
|---|---|---|
| 2 c. à tab | beurre | 30 ml |
| 1 1/2 lb | boeuf haché maigre | 750 g |
| 1/2 t | oignon haché | 125 ml |
| 1/4 t | poivron vert haché | 60 ml |
| 1 t | céleri haché finement | 250 ml |
| 1 | boîte de soupe aux tomates (10 oz/284 ml) | 1 |
| 1 c. à tab | moutarde de Dijon | 15 ml |
| | sel et poivre noir du moulin | |

### PRÉPARATION DE LA PÂTE

1  Dans un bol, mélanger la farine, la poudre à pâte et le sel. Ajouter la graisse végétale et, à l'aide d'un coupe-pâte ou de deux couteaux, travailler la préparation jusqu'à ce qu'elle ait la texture d'une chapelure grossière. Ajouter petit à petit le lait et mélanger avec les doigts jusqu'à ce que la pâte commence à se tenir. Façonner la pâte en boule. Réfrigérer pendant 30 minutes.

### PRÉPARATION DE LA GARNITURE

2  Entre-temps, dans une casserole, faire fondre le beurre à feu moyen. Ajouter le boeuf haché, l'oignon, le poivron et le céleri et cuire, en brassant, pendant environ 5 minutes ou jusqu'à ce que le boeuf ait perdu sa teinte rosée. Ajouter la soupe aux tomates et la moutarde et bien mélanger. Saler et poivrer. Verser la garniture dans un plat allant au four de 8 po (20 cm) de côté.

3  Sur une surface farinée, abaisser la pâte (ou l'aplatir avec les doigts) en un carré de 10 po (25 cm)

de côté. Étendre l'abaisse sur la garniture à la viande. Couper l'excédent de pâte. Cuire au four préchauffé à 350°F (180°C) pendant environ 15 minutes ou jusqu'à ce que la croûte soit dorée.

PAR PORTION: cal.: 415; prot.: 23 g; m.g.: 21 g (9 g sat.); chol.: 60 mg; gluc.: 31 g; fibres: 2 g; sodium: 425 mg.

# Ragoût de boeuf aux légumes et à la bière

6 PORTIONS • PRÉPARATION: 30 MIN • CUISSON: 1 H 10 MIN À 1 H 25 MIN

| | | |
|---|---|---|
| 1/3 t | farine | 80 ml |
| 1 c. à tab | persil italien frais, haché | 15 ml |
| 1 c. à thé | thym frais, haché | 5 ml |
| | ou | |
| 1/2 c. à thé | thym séché | 2 ml |
| 1 c. à thé | poivre noir du moulin | 5 ml |
| 1/2 c. à thé | sel | 2 ml |
| 1 1/2 lb | rôti de palette de boeuf coupé en cubes de 1 po (2,5 cm) | 750 g |
| 2 c. à tab | huile d'olive | 30 ml |
| 1 | paquet d'oignons perlés, pelés (284 g) | 1 |
| | ou | |
| 1 | oignon coupé en quartiers | 1 |
| 4 | carottes coupées en morceaux de 1 po (2,5 cm) | 4 |
| 1 | paquet de champignons, coupés en deux (227 g) | 1 |
| 8 | petites pommes de terre jaunes (de type Yukon Gold), coupées en deux | 8 |
| 3 c. à tab | pâte de tomates | 45 ml |
| 2 c. à tab | moutarde de Dijon | 30 ml |
| 1 3/4 t | bouillon de boeuf | 430 ml |
| 1 | bouteille de bière rousse (341 ml) | 1 |
| 1 | feuille de laurier | 1 |

1 Dans un grand bol, mélanger la farine, le persil, le thym, le poivre et le sel. Ajouter les cubes de boeuf et mélanger pour bien les enrober. Dans une grande casserole à fond épais, chauffer l'huile à feu moyen-vif. Ajouter les cubes de boeuf, quelques-uns à la fois (réserver le mélange de farine), et les faire dorer de tous les côtés. Ajouter les oignons perlés, les carottes, les champignons et les pommes de terre et cuire, en brassant, pendant 3 minutes. Ajouter la pâte de tomates, la moutarde de Dijon et le mélange de farine réservé et mélanger.

2 Ajouter le bouillon, la bière et la feuille de laurier et porter à ébullition. Réduire le feu, couvrir et laisser mijoter de 1 heure à 1 heure 15 minutes ou jusqu'à ce que le boeuf soit tendre (retirer la feuille de laurier). (Vous pouvez préparer le ragoût à l'avance, le laisser refroidir et le mettre dans des contenants hermétiques. Il se conservera jusqu'à 3 jours au réfrigérateur ou jusqu'à 2 mois au congélateur.)

PAR PORTION: cal.: 426; prot.: 33 g; m.g.: 11 g (3 g sat.); chol.: 50 mg; gluc.: 43 g; fibres: 5 g; sodium: 880 mg.

# Boeuf braisé au vin rouge

8 PORTIONS • PRÉPARATION: 30 MIN • TEMPS DE MARINADE: 24 H
• CUISSON: 4 H 20 MIN

*La patte de porc utilisée ici donne de la saveur et de la texture au plat. Pour une présentation mémorable, servir le plat directement sur la table: les premiers effluves qui s'échappent lorsqu'on enlève la pâte scellant le couvercle séduiront les invités à coup sûr.*

| | | |
|---|---|---|
| 3 lb | rôti de palette désossé, coupé en gros morceaux | 1,5 kg |
| 1 | patte de porc (facultatif) | 1 |
| 1 1/4 t | vin rouge | 310 ml |
| 2 c. à thé | thym séché | 10 ml |
| 1/2 c. à thé | sel | 2 ml |
| 1/2 c. à thé | poivre noir du moulin | 2 ml |
| 8 | tranches de bacon, hachées grossièrement | 8 |
| 1 | boîte de tomates égouttées (28 oz/796 ml) | 1 |
| 2 t | champignons coupés en deux | 500 ml |
| 2 t | carottes coupées en tranches épaisses | 500 ml |
| 1/2 t | persil frais, haché | 125 ml |
| 2 | oignons hachés | 2 |
| 4 | gousses d'ail hachées finement | 4 |
| 2 | feuilles de laurier | 2 |
| 2 | lanières de zeste d'orange | 2 |
| 1/4 t | pâte de tomates | 60 ml |
| 1 t | farine | 250 ml |
| 1/2 t | eau | 125 ml |

1 Dans un bol (autre qu'en métal), mettre les morceaux de boeuf, la patte de porc, si désiré, le vin, le thym, le sel et le poivre et mélanger. Couvrir et laisser mariner au réfrigérateur, en brassant de temps à autre, pendant 24 heures.

2 Mettre la moitié du bacon dans un grand bol. Couper les tomates en deux, les épépiner et les mettre dans le bol. Ajouter les champignons, les carottes, le persil, les oignons et l'ail. Bien mélanger.

3 Mettre le reste du bacon dans une grande casserole. Couvrir de la patte de porc, si désiré, de la moitié du boeuf (réserver la marinade) et de la moitié de la préparation aux tomates. Ajouter les feuilles de laurier et le zeste d'orange. Couvrir du reste du boeuf et de la préparation aux tomates. Incorporer la pâte de tomates à la marinade et verser dans la casserole.

4 Mélanger la farine et l'eau de manière à obtenir une pâte assez ferme. Couvrir la casserole et, avec les mains farinées, sceller le pourtour du couvercle avec la pâte. Cuire au four préchauffé à 400°F (200°C) pendant 20 minutes. Réduire la température du four à 250°F (120°C) et poursuivre la cuisson pendant 4 heures. Au moment de servir, retirer la pâte qui scelle la cocotte. Dégraisser la préparation et retirer les feuilles de laurier.

PAR PORTION: cal.: 447; prot.: 40 g; m.g.: 20 g (7 g sat.); chol.: 108 mg; gluc.: 24 g; fibres: 3 g; sodium: 483 mg.

# Casserole de boeuf en croûte

6 PORTIONS • PRÉPARATION: 30 MIN • CUISSON: 45 MIN

*Pour une version plus rapide, on peut utiliser de la pâte phyllo en guise de croûte: superposer 6 feuilles de pâte beurrées et cuire 10 minutes au lieu de 20.*

### GARNITURE AU BOEUF

| | | |
|---|---|---|
| 1 c. à thé | huile végétale | 5 ml |
| 2 t | champignons coupés en quatre | 500 ml |
| 3/4 c. à thé | sel | 4 ml |
| 1/2 c. à thé | thym séché | 2 ml |
| 1/2 c. à thé | sarriette (ou origan) séchée | 2 ml |
| 1/4 c. à thé | poivre noir du moulin | 1 ml |
| 2 t | courge musquée (ou carottes) coupée en cubes | 500 ml |
| 2 | pommes de terre pelées et coupées en cubes | 2 |
| 1 1/2 t | bouillon de boeuf | 375 ml |
| 5 t | base au boeuf (voir recette) | 1,25 L |
| 1/3 t | farine | 80 ml |
| 1/2 lb | haricots verts parés, coupés en morceaux | 250 g |

### CROÛTE

| | | |
|---|---|---|
| 2 t | farine | 500 ml |
| 4 c. à thé | poudre à pâte | 20 ml |
| 1 c. à thé | sel | 5 ml |
| 1/3 t | graisse végétale | 80 ml |
| 3/4 t | lait | 180 ml |

### PRÉPARATION DE LA GARNITURE

1  Dans une grande casserole, chauffer l'huile à feu moyen. Ajouter les champignons, le sel, le thym, la sarriette et le poivre et cuire, en brassant souvent, pendant 5 minutes. Ajouter la courge, les pommes de terre et les deux tiers du bouillon. Porter à ébullition. Réduire à feu moyen-doux, couvrir et laisser mijoter pendant 10 minutes.

**2** Ajouter la base au boeuf et porter de nouveau à ébullition. Dans un bol, mélanger la farine avec le reste du bouillon. Verser ce mélange dans la casserole et cuire à feu moyen, en brassant souvent, pendant environ 5 minutes ou jusqu'à ce que la sauce ait épaissi. Ajouter les haricots verts, couvrir et poursuivre la cuisson pendant environ 5 minutes ou jusqu'à ce qu'ils soient tendres mais encore croquants. Verser dans un plat allant au four de 13 po x 9 po (33 cm x 23 cm). Réserver.

### PRÉPARATION DE LA CROÛTE

**3** Dans un bol, mélanger la farine, la poudre à pâte et le sel. Ajouter la graisse végétale et, à l'aide d'un coupe-pâte ou de deux couteaux, travailler la préparation jusqu'à ce qu'elle ait la texture d'une chapelure grossière. Ajouter le lait et mélanger à l'aide d'une fourchette jusqu'à ce que la préparation forme une pâte molle et légèrement collante. Sur une surface légèrement farinée, pétrir la pâte 10 fois.

**4** Aplatir la pâte en un rectangle de 13 po x 9 po (33 cm x 23 cm) et la couper en 12 carrés. Déposer les carrés de pâte sur la préparation au boeuf réservée. Cuire au four préchauffé à 450°F (230°C) pendant 20 minutes ou jusqu'à ce que la garniture au boeuf soit bouillonnante et que le dessous de la croûte soit cuit.

PAR PORTION: cal.: 664; prot.: 43 g; m.g.: 26 g (7 g sat.); chol.: 89 mg; gluc.: 62 g; fibres: 5 g; sodium: 895 mg.

## Base au boeuf
### DONNE ENVIRON 10 T (2,5 L)

*Avec cette base toute prête, on peut préparer la casserole au boeuf, bien sûr, mais aussi du chili (en ajoutant des haricots rouges, des tomates et de l'assaisonnement au chili), du boeuf Stroganoff (en ajoutant des champignons en tranches et de la crème sure) ou encore un sauté (en ajoutant de la pâte de cari, des pommes de terre coupées en dés et, au moment de servir, des épinards).*

| | | |
|---|---|---|
| 2 c. à tab | huile végétale | 30 ml |
| 4 lb | boeuf à ragoût coupé en cubes, le gras enlevé | 2 kg |
| 6 | oignons hachés grossièrement | 6 |
| 4 | gousses d'ail hachées finement | 4 |
| 2 | feuilles de laurier | 2 |
| 3 t | bouillon de boeuf | 750 ml |

**1** Dans une grande casserole, chauffer la moitié de l'huile à feu moyen-vif. Faire dorer le boeuf, en plusieurs fois au besoin. Réserver.

**2** Dans la casserole, ajouter le reste de l'huile, les oignons, l'ail et les feuilles de laurier et cuire à feu moyen, en brassant souvent, pendant environ 5 minutes. Remettre dans la casserole le boeuf réservé et son jus de cuisson. Ajouter le bouillon et porter à ébullition en raclant le fond de la casserole. Réduire le feu, couvrir et laisser mijoter pendant environ 2 heures ou jusqu'à ce que le boeuf soit tendre. Retirer les feuilles de laurier. (Vous pouvez préparer la base de boeuf à l'avance et la mettre dans des contenants hermétiques. Elle se conservera jusqu'à 2 semaines au congélateur.)

# Filet de boeuf en croûte

6 À 8 PORTIONS • PRÉPARATION: 30 MIN • CUISSON: 50 MIN

| | | |
|---|---|---|
| 2 c. à tab | beurre | 30 ml |
| 1/2 t | oignon haché finement | 125 ml |
| 1 t | champignons hachés finement | 250 ml |
| 2 oz | foie de veau haché | 60 g |
| 2 oz | chair à saucisse | 60 g |
| 1/2 c. à thé | sel | 2 ml |
| 2 c. à tab | cognac ou brandy | 30 ml |
| 3 c. à tab | chapelure | 45 ml |
| 4 à 6 c. à tab | farine | 60 à 90 ml |
| 20 à 28 oz | filet de boeuf paré | 600 à 800 g |
| 1 lb | pâte à tarte | 500 g |
| 4 | tranches de bacon | 4 |
| 1 | jaune d'oeuf | 1 |
| 1 c. à tab | lait | 15 ml |

1 Dans une casserole, faire fondre 1 c. à tab (15 ml) du beurre à feu moyen. Ajouter l'oignon et les champignons et cuire, en brassant, pendant environ 5 minutes ou jusqu'à ce qu'ils aient ramolli. Retirer du feu. Ajouter le foie de veau, la chair à saucisse, le sel, le cognac et la chapelure et mélanger. Réserver. (Vous pouvez préparer le mélange de foie à l'avance, le laisser refroidir et le couvrir. Il se conservera jusqu'à 8 heures au réfrigérateur.)

2 Mettre la farine dans un plat peu profond et y passer le filet de boeuf en le retournant pour bien l'enrober. Secouer pour enlever l'excédent. Dans un poêlon, chauffer le reste du beurre à feu vif et y faire dorer le filet de boeuf de tous les côtés. Retirer du feu.

3 Sur une surface farinée, abaisser la pâte en un rectangle assez grand pour recouvrir le filet de boeuf. Disposer les tranches de bacon côte à côte au centre de l'abaisse. Recouvrir le filet du mélange de foie réservé, puis le déposer sur l'abaisse, au centre du bacon. Rabattre les tranches de bacon une à une sur le filet, puis l'envelopper de la pâte en scellant les bords avec un peu d'eau. Si désiré, à l'aide d'un emporte-pièce, découper des motifs dans les retailles de pâte pour garnir le dessus de la croûte. Dans un petit bol, battre le jaune d'oeuf avec le lait. Badigeonner la pâte du mélange de jaune d'oeuf. Mettre le filet de boeuf sur une plaque de cuisson beurrée et cuire au four préchauffé à 400°F (200°C) pendant environ 45 minutes ou jusqu'à ce que la croûte soit dorée et qu'un thermomètre inséré au centre du filet indique 128°F (53°C).

PAR PORTION: cal.: 560; prot.: 25 g; m.g.: 36 g (12 g sat.); chol.: 110 mg; gluc.: 34 g; fibres: 3 g; sodium: 620 mg.

# Rosbif

6 À 8 PORTIONS • PRÉPARATION: 25 MIN • CUISSON: 54 MIN

| | | |
|---|---|---|
| 2 c. à tab | moutarde en poudre | 30 ml |
| 2 c. à tab | sucre | 30 ml |
| 1 | rôti de boeuf (coupe du roi ou français) (environ 3 lb/1,5 kg) | 1 |
| 1 | oignon haché finement | 1 |
| 1/3 t | beurre | 80 ml |
| 3 c. à tab | farine | 45 ml |
| 1 1/2 à 2 t | thé fort liquide (de type Earl Grey) | 375 à 500 ml |
| 2 c. à tab | bouillon de boeuf concentré (de type Bovril) | 30 ml |
| | sel et poivre noir du moulin | |

1  Dans un petit bol, mélanger la moutarde et le sucre. Badigeonner le rôti du mélange de moutarde et le mettre sur une grille placée dans un poêlon allant au four. Parsemer de l'oignon et d'environ 3 c. à tab (45 ml) du beurre. Cuire au four préchauffé à 450°F (230°C) pendant 15 minutes. Poursuivre la cuisson à 350°F (180°C) en comptant de 18 à 22 minutes par livre (500 g) au total pour une viande saignante. Retirer le rôti et la grille du poêlon. Enlever un peu de l'oignon haché sur le rôti et le mettre dans le poêlon. Mettre le rôti dans une assiette, couvrir de papier d'aluminium, sans serrer, et laisser reposer pendant environ 10 minutes.

2  Entre-temps, dans le poêlon, cuire l'oignon avec le reste du beurre et la farine et mélanger jusqu'à ce que la préparation forme une pâte. Ajouter le thé petit à petit, en brassant à l'aide d'un fouet. Porter à ébullition et laisser bouillir jusqu'à ce que la sauce ait épaissi (ajouter un peu de thé, au besoin). Ajouter le bouillon de boeuf concentré, saler et poivrer. Au moment de servir, couper le rôti en tranches et napper de la sauce.

PAR PORTION: cal.: 330; prot.: 40 g; m.g.: 15 g (7 g sat.); chol.: 110 mg; gluc.: 6 g; fibres: traces; sodium: 145 mg.

# Biftecks poêlés, sauce au vin rouge

4 PORTIONS • PRÉPARATION: 20 MIN • CUISSON: 17 MIN

| | | |
|---|---|---|
| 4 | biftecks de côte (6 à 8 oz/ 175 à 250 g chacun) | 4 |
| 1/4 c. à thé | sel et poivre noir du moulin | 1 ml |
| 1 c. à tab | huile d'olive | 15 ml |
| 1 t | vin rouge | 250 ml |
| 1/2 t | bouillon de boeuf | 125 ml |
| 1 c. à tab | brandy (facultatif) | 15 ml |
| 1/2 c. à thé | thym séché | 2 ml |
| 1/4 c. à thé | grains de poivre noir concassés | 1 ml |
| 2 c. à thé | beurre ramolli | 10 ml |
| 2 c. à thé | farine | 10 ml |
| 2 c. à tab | persil frais, haché | 30 ml |
| | brins de cresson (facultatif) | |

1   Parsemer les biftecks du sel et du poivre. Dans un grand poêlon, chauffer l'huile à feu vif. Ajouter les biftecks et cuire pendant environ 8 minutes pour une viande mi-saignante ou jusqu'à la cuisson désirée (retourner les biftecks à la mi-cuisson). Mettre les biftecks dans une assiette, les couvrir de papier d'aluminium, sans serrer, et réserver au chaud.

2   Dégraisser le poêlon. Ajouter le vin et porter à ébullition en raclant le fond du poêlon pour en détacher les particules. Laisser bouillir pendant environ 2 minutes ou jusqu'à ce que le vin ait réduit de moitié. Ajouter le bouillon, le brandy, si désiré, le thym et les grains de poivre et porter de nouveau à ébullition. Réduire le feu et laisser mijoter pendant environ 5 minutes ou jusqu'à ce que la sauce ait réduit de moitié.

3   Dans un petit bol, mélanger le beurre et la farine. À l'aide d'un fouet, incorporer le mélange de beurre à la sauce et laisser mijoter pendant environ 2 minutes ou jusqu'à ce qu'elle ait légèrement épaissi. Ajouter le persil et mélanger. Au moment de servir, napper les biftecks de la sauce. Garnir de brins de cresson, si désiré.

PAR PORTION: cal.: 283; prot.: 23 g; m.g.: 17 g (7 g sat.); chol.: 60 mg; gluc.: 2 g; fibres: traces; sodium: 319 mg.

# Frites au four

4 PORTIONS • PRÉPARATION: 15 MIN • CUISSON: 50 MIN

Pour des frites parfaites, choisir des pommes de terre Yukon Gold ou Idaho.

| | | |
|---|---|---|
| 3 | pommes de terre brossées (environ 1 1/2 lb/750 g en tout) | 3 |
| 1 c. à tab | huile végétale | 15 ml |
| 1/2 c. à thé | sel de mer ou fleur de sel | 2 ml |

1   Peler les pommes de terre, si désiré, et les couper sur la longueur en tranches de 1/2 po (1 cm) d'épaisseur, puis en bâtonnets de 1/2 po (1 cm) de largeur. Mettre les pommes de terre dans un bol, les arroser de l'huile, les parsemer du sel et mélanger pour bien les enrober. Étaler les pommes de terre sur une plaque de cuisson.

2   Cuire au four préchauffé à 450°F (230°C) pendant environ 50 minutes ou jusqu'à ce que les frites soient dorées et croustillantes (les retourner à la mi-cuisson).

PAR PORTION: cal.: 146; prot.: 2 g; m.g.: 4 g (sat.: traces); chol.: aucun; gluc.: 27 g; fibres: 2 g; sodium: 202 mg.

# Tomates italiennes rôties

4 PORTIONS • PRÉPARATION: 15 MIN • CUISSON: 50 MIN

| | | |
|---|---|---|
| 4 | tomates italiennes coupées en deux sur la longueur | 4 |
| 1 c. à tab | huile d'olive | 15 ml |
| 1/4 c. à thé | sel et poivre noir du moulin | 1 ml |

1   Mettre les tomates côte à côte dans un plat de cuisson, les arroser de l'huile et les parsemer du sel et du poivre.

2   Cuire au four préchauffé à 450°F (230°C) pendant environ 50 minutes ou jusqu'à ce que les tomates soient tendres et que leur peau soit légèrement plissée.

PAR PORTION: cal.: 42; prot.: 1 g; m.g.: 4 g (sat.: traces); chol.: aucun; gluc.: 3 g; fibres: 1 g; sodium: 149 mg.

# Boulettes de viande, sauce à l'ananas

4 PORTIONS • PRÉPARATION: 15 MIN • CUISSON: 38 MIN

*Les boulettes de viande qui entrent dans cette recette peuvent être préparées à l'avance et congelées (voir recette). On en utilise environ le quart pour ce plat qui marie avec bonheur fruits et légumes, et il n'est même pas nécessaire de les décongeler. Pratique!*

| | | |
|---|---|---|
| 1 c. à tab | huile végétale | 15 ml |
| 1 t | oignon rouge ou jaune haché | 250 ml |
| 2 | branches de céleri coupées en tranches | 2 |
| 1 | poivron jaune coupé en dés | 1 |
| 2 | gousses d'ail hachées finement | 2 |
| 1 | pincée de piment de Cayenne | 1 |
| 1/2 t | confiture d'abricots | 125 ml |
| 1 | boîte d'ananas en dés, égoutté (8 oz/227 ml) | 1 |
| 1/2 t + 1 c. à tab | eau | 140 ml |
| 35 | boulettes de viande congelées (environ) (voir recette) | 35 |
| 2 c. à thé | fécule de maïs | 10 ml |
| 2 c. à tab | coriandre (ou persil) fraîche, hachée | 30 ml |

1  Dans un grand poêlon, chauffer l'huile à feu moyen. Ajouter l'oignon, le céleri, le poivron, l'ail et le piment de Cayenne et cuire, en brassant de temps à autre, pendant environ 3 minutes ou jusqu'à ce que l'oignon ait ramolli.

2  Ajouter la confiture d'abricots, l'ananas et 1/2 tasse (125 ml) de l'eau et mélanger. Porter à ébullition. Réduire le feu et laisser mijoter pendant environ 10 minutes ou jusqu'à ce que la sauce ait épaissi. Ajouter les boulettes de viande et laisser mijoter, en brassant souvent, pendant 20 minutes ou jusqu'à ce que la préparation soit chaude.

3  Entre-temps, dans un petit bol, délayer la fécule de maïs dans le reste de l'eau. Incorporer le mélange de fécule à la préparation d'ananas. Laisser mijoter, en brassant, pendant 5 minutes ou jusqu'à ce que la sauce ait épaissi. Au moment de servir, parsemer de la coriandre.

## Boulettes de viande

DONNE ENVIRON 150 BOULETTES
(POUR 4 REPAS DE 4 PORTIONS CHACUN)

*On peut également préparer ces boulettes avec du poulet, de l'agneau, du porc ou du dindon haché.*

| | | |
|---|---|---|
| 4 | oeufs | 4 |
| 4 | petits oignons, râpés | 4 |
| 1 t | chapelure | 250 ml |
| 4 c. à thé | sauce Worcestershire | 20 ml |
| 4 c. à thé | moutarde de Dijon | 20 ml |
| 1 c. à thé | sel | 5 ml |
| 1 c. à thé | poivre noir du moulin | 5 ml |
| 4 lb | boeuf haché maigre | 2 kg |

1  Dans un bol, battre les oeufs. Ajouter les oignons, la chapelure, la sauce Worcestershire, la moutarde de Dijon, le sel et le poivre. Ajouter le boeuf haché et bien mélanger. Avec les mains mouillées, façonner la préparation en environ 150 boulettes, 1 c. à tab (15 ml) à la fois.

2  Mettre les boulettes de viande sur quatre grandes plaques de cuisson tapissées de papier d'aluminium, en laissant un espace d'environ 1/2 po (1 cm) entre chacune. Déposer une plaque sur la grille supérieure du four préchauffé à 450°C (230°F) et une autre sur la grille inférieure. Cuire pendant environ 10 minutes ou jusqu'à ce que les boulettes de viande aient perdu leur teinte rosée à l'intérieur (intervertir et tourner les plaques à la mi-cuisson). Cuire le reste des boulettes de la même manière. (Congeler les boulettes de viande sur les plaques de cuisson jusqu'à ce qu'elles aient durci, puis les répartir dans des sacs à congélation. Elles se conserveront jusqu'à 1 mois au congélateur.)

PAR PORTION: cal.: 501; prot.: 30 g; m.g.: 21 g (6 g sat.); chol.: 105 mg; gluc.: 51 g; fibres: 3 g; sodium: 334 mg.

# Boulettes de viande, sauce aigre-douce

DONNE 36 BOULETTES • PRÉPARATION: 20 MIN • CUISSON: 16 À 20 MIN

| | | |
|---|---|---|
| 1 1/2 lb | boeuf haché maigre | 750 g |
| 1/3 t | chapelure nature | 80 ml |
| 2 | oeufs battus | 2 |
| 1 c. à thé | assaisonnement au chili | 5 ml |
| 1/4 c. à thé | cumin moulu | 1 ml |
| 1/4 c. à thé | sel | 1 ml |
| 1 c. à tab | huile végétale | 15 ml |
| 1 t | ananas broyés, avec leur jus | 250 ml |
| 1 t | sauce tomate | 250 ml |
| 2 c. à tab | vinaigre de cidre | 30 ml |
| 1 c. à tab | sucre | 15 ml |

1 Dans un grand bol, mélanger le boeuf haché, la chapelure, les oeufs, l'assaisonnement au chili, le cumin et le sel. Avec les mains mouillées, façonner la préparation en 36 boulettes, environ 1 c. à tab (15 ml) à la fois.

2 Dans une casserole, chauffer l'huile à feu moyen-vif. Ajouter les boulettes, quelques-unes à la fois, et cuire de 2 à 3 minutes ou jusqu'à ce qu'elles soient dorées de tous les côtés. À l'aide d'une écumoire, retirer les boulettes de la casserole et les réserver dans une assiette tapissée d'essuie-tout. Dégraisser la casserole.

3 Dans la casserole, mélanger les ananas, la sauce tomate, le vinaigre de cidre et le sucre. Porter à ébullition. Ajouter les boulettes réservées, réduire le feu et laisser mijoter pendant environ 10 minutes ou jusqu'à ce que les boulettes aient perdu leur teinte rosée à l'intérieur et que la sauce ait épaissi. (Vous pouvez préparer les boulettes à l'avance, les laisser refroidir et les mettre dans un contenant hermétique. Elles se conserveront jusqu'à 2 jours au réfrigérateur ou jusqu'à 3 mois au congélateur.)

PAR BOULETTE: cal.: 42; prot.: 4 g; m.g.: 2 g (1 g sat.); chol.: 27 mg; gluc.: 2 g fibres: aucune; sodium: 73 mg.

# Boulettes de boeuf, sauce aux pêches

4 PORTIONS • PRÉPARATION: 15 MIN • CUISSON: 30 À 35 MIN

*Servir ces délicieuses boulettes sur du riz ou des pâtes cuites, ou encore comme amuse-gueule.*

BOULETTES DE BOEUF

| | | |
|---|---|---|
| 1 1/2 lb | boeuf haché maigre | 750 g |
| 1/2 t | mie de pain frais, émiettée | 125 ml |
| 1 | oeuf battu | 1 |
| 1 | petit oignon, haché | 1 |
| | sel et poivre noir du moulin | |

PRÉPARATION DES BOULETTES

1 Dans un bol, mélanger tous les ingrédients. Saler et poivrer. Environ 1 c. à tab (15 ml) à la fois, façonner la préparation en 12 à 15 boulettes. Mettre les boulettes dans un plat allant au four.

SAUCE AUX PÊCHES

| | | |
|---|---|---|
| 1 t | sauce chili | 250 ml |
| 1/2 t | cassonade | 125 ml |
| 2 c. à thé | sauce soja | 10 ml |
| 4 c. à thé | moutarde en poudre | 20 ml |
| 1 t | nectar de pêche | 250 ml |
| | tranches de pêche (facultatif) | |

PRÉPARATION DE LA SAUCE

2 Dans un bol, mélanger la sauce chili, la cassonade, la sauce soja, la moutarde et le nectar de pêche. Verser la sauce sur les boulettes. Cuire au four préchauffé à 350°F (180°C) de 30 à 35 minutes ou jusqu'à ce que les boulettes aient perdu leur teinte rosée à l'intérieur. Au moment de servir, garnir de tranches de pêche, si désiré.

PAR PORTION: cal.: 610; prot.: 42 g; m.g.: 27 g (11 g sat.); chol.: 165 mg; gluc.: 49 g; fibres: 5 g; sodium: 1 315 mg.

Boulettes de viande,
sauce aigre-douce

# Cigares au chou

6 À 8 PORTIONS • PRÉPARATION: 45 MIN • CUISSON: 2 H 30 MIN À 3 H 30 MIN

| | | |
|---|---|---|
| 1 c. à tab | zeste de citron râpé | 15 ml |
| | jus de 1/2 citron | |
| 1 1/2 lb | viande hachée (mélange de boeuf, de porc et de veau) | 750 g |
| 4 | tranches de bacon | 4 |
| 2 t | jus de tomate | 500 ml |
| 1 c. à thé | sucre | 5 ml |
| | poivre noir du moulin | |

1   Dans une grande casserole d'eau bouillante salée, cuire le chou pendant environ 15 minutes ou jusqu'à ce que les feuilles commencent à se détacher. Égoutter et laisser refroidir.

2   Dans une casserole, faire fondre le beurre à feu moyen. Ajouter les oignons et cuire, en brassant, de 3 à 5 minutes ou jusqu'à ce qu'ils aient ramolli. Ajouter le riz et le faire dorer de 3 à 5 minutes. Incorporer la pâte de tomates, la menthe, le paprika, le zeste et le jus de citron. Ajouter la viande hachée et cuire à feu vif, en brassant, jusqu'à ce qu'elle ait perdu sa teinte rosée. Laisser tiédir. Saler et poivrer.

3   Séparer les feuilles du chou (réserver les grandes feuilles). Mettre 2 c. à tab (30 ml) de la garniture à la viande à l'extrémité d'une feuille, replier les côtés sur la garniture, puis rouler. Répéter ces opérations avec le reste de la garniture à la viande.

4   Tapisser des feuilles de chou réservées le fond d'un grand plat allant au four, huilé, et y déposer les cigares au chou. Couvrir des tranches de bacon, ajouter le jus de tomate et parsemer du sucre. Couvrir et cuire au four préchauffé à 300°F (150°C) de 2 à 3 heures.

| | | |
|---|---|---|
| 1 | chou, le coeur enlevé | 1 |
| 2/3 t | beurre | 160 ml |
| 2 | oignons hachés finement | 2 |
| 3/4 t | riz cuit | 180 ml |
| 2 c. à tab | pâte de tomates | 30 ml |
| 1 c. à thé | menthe séchée | 5 ml |
| 1 c. à thé | paprika | 5 ml |

PAR PORTION: cal.: 450; prot.: 23 g; m.g.: 33 g (16 g sat.); chol.: 105 mg; gluc.: 17 g; fibres: 3 g; sodium: 345 mg.

# Poivrons farcis à la viande

8 PORTIONS • PRÉPARATION: 45 MIN • CUISSON: 1 H 45 MIN

## SAUCE TOMATE

| | | |
|---|---|---|
| 1 c. à tab | huile d'olive | 15 ml |
| 1 | oignon haché | 1 |
| 2 | gousses d'ail hachées finement | 2 |
| 1 c. à thé | basilic séché | 5 ml |
| 1 | boîte de tomates en dés (19 oz/540 ml) | 1 |
| 1 | boîte de pâte de tomates (5 1/2 oz/156 ml) | 1 |
| | sel et poivre noir du moulin | |

## POIVRONS FARCIS

| | | |
|---|---|---|
| 2 c. à tab | huile végétale | 30 ml |
| 2 | oignons hachés finement | 2 |
| 2 | branches de céleri hachées finement | 2 |
| 3 | gousses d'ail hachées finement | 3 |
| 1 lb | boeuf haché maigre | 500 g |
| 1/2 t | chair de saucisse italienne douce | 125 ml |
| 1 c. à thé | thym séché | 5 ml |
| 4 c. à tab | persil frais, haché finement | 60 ml |
| 3/4 c. à thé | sel | 4 ml |
| 1/2 c. à thé | poivre noir du moulin | 2 ml |
| 1 t | riz à grain long | 250 ml |
| 1 | boîte de pâte de tomates (5 1/2 oz/156 ml) | 1 |
| 1 t | bouillon de boeuf | 250 ml |
| 4 | poivrons verts | 4 |
| 4 | poivrons rouges | 4 |
| 1/2 t | fromage mozzarella râpé | 125 ml |
| 3 c. à tab | parmesan râpé | 45 ml |

## PRÉPARATION DE LA SAUCE

1   Dans un poêlon, chauffer l'huile à feu moyen. Ajouter l'oignon, l'ail et le basilic et cuire, en brassant de temps à autre, pendant 3 minutes. Ajouter les tomates et la pâte de tomates et porter à ébullition. Réduire le feu et laisser mijoter, en brassant souvent, pendant 20 minutes ou jusqu'à ce que la sauce ait épaissi. Saler et poivrer. Réserver.

## PRÉPARATION DES POIVRONS FARCIS

2   Dans un grand poêlon, chauffer l'huile à feu moyen-vif. Ajouter les oignons et le céleri et cuire, en brassant, pendant 5 minutes. Ajouter l'ail, le boeuf haché et la chair de saucisse et cuire, en défaisant la viande avec une cuillère de bois, pendant 10 minutes ou jusqu'à ce qu'elle ait perdu sa teinte rosée. Ajouter le thym, le persil, le sel, le poivre, le riz, la pâte de tomates et le bouillon et poursuivre la cuisson, en brassant de temps à autre, pendant 5 minutes.

3   Entre-temps, couper la calotte (le dessus) de chaque poivron. Enlever le coeur et retirer les membranes blanches. Dans une grande casserole d'eau bouillante salée, blanchir les poivrons et les calottes pendant 2 minutes, puis les plonger dans de l'eau glacée pour arrêter la cuisson et fixer la couleur. Bien égoutter.

4   Dans un plat rectangulaire allant au four, verser les deux tiers de la sauce tomate réservée. Ajouter le reste de la sauce, le fromage mozzarella et le parmesan à la préparation de viande et mélanger. Farcir les poivrons de ce mélange, les déposer dans le plat et couvrir chacun de sa calotte. Couvrir le plat de papier d'aluminium et cuire au four préchauffé à 350°F (180°C) pendant 30 minutes. Retirer le papier d'aluminium et poursuivre la cuisson pendant 30 minutes (arroser les poivrons deux fois de la sauce).

### Le boeuf haché, complice de notre enfance

Les Français mangent du boeuf haché principalement en tartare, tandis que les Américains en font des burgers et de la sauce à spaghetti. Au Québec, nous pouvons compter sur de nombreuses recettes pour réinventer cet humble ingrédient, grand favori des enfants. Croquettes, boulettes en sauce brune, soupes, pain de viande, cigares au chou, tomates et poivrons farcis, pâtes, chop suey, pâté chinois, riz frit, ragoût du campeur, pâté en croûte, pizza... voilà un ingrédient qui a su traverser les décennies en beauté.

PAR PORTION: cal.: 370; prot.: 24 g; m.g.: 11 g (6 g sat.); chol.: 85 mg; gluc.: 21 g; fibres: 4 g; sodium: 745 mg.

# Petits pains de viande classiques

8 PORTIONS • PRÉPARATION: 20 MIN • CUISSON: 20 MIN

| | | |
|---|---|---|
| 2 | oeufs battus | 2 |
| 1 t | ketchup | 250 ml |
| 1 t | chapelure nature | 250 ml |
| 1 | sachet de mélange pour soupe à l'oignon (de type Lipton) (38 g) | 1 |
| 1/4 c. à thé | poivre noir du moulin | 1 ml |
| 6 | gousses d'ail hachées finement | 6 |
| 2 lb | boeuf haché maigre | 1 kg |
| 2 c. à tab | cassonade | 30 ml |
| 1 c. à thé | moutarde en poudre | 5 ml |

1   Dans un grand bol, à l'aide d'un fouet, mélanger les oeufs et la moitié du ketchup. Ajouter la chapelure, le mélange pour soupe à l'oignon, le poivre, l'ail et le boeuf haché et bien mélanger avec les mains. Façonner la préparation en 8 pains de 4 po (10 cm) de longueur. Déposer les pains dans un plat allant au four tapissé de papier d'aluminium.

2   Cuire au four préchauffé à 350°F (180°C) pendant environ 20 minutes ou jusqu'à ce que les pains de viande aient perdu leur teinte rosée à l'intérieur. Laisser reposer pendant 10 minutes.

3   Entre-temps, dans une petite casserole, mélanger le reste du ketchup, la cassonade et la moutarde en poudre. Chauffer à feu moyen-doux, en brassant, jusqu'à ce que la cassonade soit dissoute. Étendre le mélange de ketchup sur les pains de viande chauds. (Vous pouvez préparer les pains de viande à l'avance et les laisser refroidir. Ils se conserveront jusqu'à 3 jours au réfrigérateur, dans un contenant hermétique, ou jusqu'à 3 mois au congélateur, emballés individuellement de papier d'aluminium.)

PAR PORTION: cal.: 315; prot.: 27 g; m.g.: 13 g (5 g sat.); chol.: 115 mg; gluc.: 23 g; fibres: 1 g; sodium: 905 mg.

# Pain de viande

6 PORTIONS • PRÉPARATION: 15 MIN • CUISSON: 1 H

| | | |
|---|---|---|
| 1 | oeuf battu | 1 |
| 1/4 t | lait | 60 ml |
| 1/2 t | ketchup | 125 ml |
| 1/2 t | chapelure | 125 ml |
| 2 lb | boeuf haché | 1 kg |
| 2 c. à tab | poivron vert haché finement | 30 ml |
| 2 c. à tab | oignon haché finement | 30 ml |
| 2 c. à thé | moutarde en poudre | 10 ml |
| 2 c. à thé | sauce Worcestershire | 10 ml |
| 2 c. à thé | sel (environ) | 10 ml |
| 1/2 c. à thé | poivre noir du moulin (environ) | 2 ml |
| 2 | tranches de bacon (facultatif) | 2 |
| 1 | boîte de jus de tomate (19 oz/540 ml) | 1 |

1   Dans un bol, mélanger l'oeuf, le lait et le ketchup. Ajouter la chapelure, le boeuf haché, le poivron vert, l'oignon, la moutarde, la sauce Worcestershire, le sel et le poivre et bien mélanger. Mettre la préparation dans un moule à pain de 9 po x 5 po (23 cm x 13 cm) en pressant légèrement. Couvrir des tranches de bacon, si désiré.

2   Cuire le pain de viande au four préchauffé à 350°F (180°C) pendant 1 heure ou jusqu'à ce que le boeuf ait perdu sa teinte rosée. Verser le jus de tomate dans un bol. Saler et poivrer. Arroser le pain de viande du jus de tomate à la mi-cuisson.

PAR PORTION: cal.: 425; prot.: 37 g; m.g.: 23 g (10 g sat.); chol.: 135 mg; gluc.: 17 g; fibres: 1 g; sodium: 1 440 mg.

*Petit pain de viande classique*

# Pâtés de boeuf haché, sauce aux petits pois et aux oignons

4 PORTIONS • PRÉPARATION: 15 MIN • CUISSON: 12 MIN

| | | |
|---|---|---|
| 1 | oeuf | 1 |
| 1/3 t | chapelure | 80 ml |
| 1 c. à tab | sauce Worcestershire | 15 ml |
| 2 c. à thé | moutarde de Dijon | 10 ml |
| 1 1/2 t | bouillon de boeuf | 375 ml |
| 1/2 c. à thé | sel | 2 ml |
| 1/2 c. à thé | poivre noir du moulin | 2 ml |
| 1 lb | boeuf haché maigre | 500 g |
| 2 c. à thé | huile végétale | 10 ml |
| 1 c. à tab | fécule de maïs | 15 ml |
| 1 1/3 t | petits pois surgelés | 330 ml |
| 2/3 t | petits oignons marinés, rincés et égouttés | 160 ml |

1 Dans un bol, mélanger l'oeuf, la chapelure, 2 c. à thé (10 ml) de la sauce Worcestershire, 1 c. à thé (5 ml) de la moutarde, 1/4 t (60 ml) du bouillon, le sel et le poivre. Ajouter le boeuf haché et mélanger. Façonner la préparation en huit pâtés de 1/2 po (1 cm) d'épaisseur.

2 Dans un poêlon, chauffer l'huile à feu moyen. Ajouter les pâtés de boeuf et cuire pendant environ 10 minutes ou jusqu'à ce qu'ils soient dorés à l'extérieur et qu'ils aient perdu leur teinte rosée à l'intérieur (les retourner à la mi-cuisson). Mettre les pâtés dans une assiette et réserver au chaud. Dégraisser le poêlon.

3 Dans un petit bol, mélanger le reste du bouillon, de la moutarde et de la sauce Worcestershire et la fécule de maïs. Verser dans le poêlon. Ajouter les petits pois. Laisser mijoter, en brassant souvent, pendant environ 2 minutes ou jusqu'à ce que la sauce ait épaissi. Ajouter les petits oignons et napper les pâtés de la sauce.

EN ACCOMPAGNEMENT
## Purée de pommes de terre
4 PORTIONS

Dans une grande casserole d'eau bouillante, cuire 4 grosses pommes de terre pelées et coupées en cubes jusqu'à ce qu'elles soient tendres. Égoutter les pommes de terre et les réduire en purée lisse avec 1/4 t (60 ml) de lait chaud et 2 c. à tab (30 ml) de beurre. Saler et poivrer.

PAR PORTION: cal.: 294; prot.: 26 g; m.g.: 15 g (6 g sat.); chol.: 110 mg; gluc.: 13 g; fibres: 2 g; sodium: 983 mg.

## Nostalgie

Quand je pense à la cuisine de ma mère, je me souviens du retour de l'école et des plats réconfortants qu'elle préparait pour nous, comme le pâté chinois. Elle adorait recevoir et accordait une grande importance aux produits saisonniers. Elle m'a transmis sa passion avant de nous quitter, de sorte que je cuisine maintenant avec ma fille de trois ans et ma femme, autant au quotidien que pour la «visite». Le pâté chinois est toujours un favori, de même que les merveilleuses garnitures à sandwichs de maman.

Jean-François Archambault, fondateur et directeur général de la Tablée des chefs, né dans les années 1970, père de deux fillettes

155

# Fricassée au rôti de boeuf et aux pommes de terre

4 À 6 PORTIONS • PRÉPARATION: 15 MIN • CUISSON: 1 H 20 MIN

| | | |
|---|---|---|
| 2 c. à tab | huile végétale | 30 ml |
| 2 c. à tab | beurre | 30 ml |
| 2 à 3 t | rôti de boeuf cuit, coupé en cubes de 1/2 po (1 cm) | 500 à 750 ml |
| 1 | gros oignon blanc, haché finement | 1 |
| 2 à 3 t | pommes de terre pelées, coupées en cubes de 1/2 po (1 cm) | 500 à 750 ml |
| 2 t | bouillon de boeuf (environ) | 500 ml |
| 1/2 à 3/4 t | demi-glace du commerce ou reste de sauce du rôti de boeuf | 125 à 180 ml |
| 1/2 t | ketchup | 125 ml |
| 2 c. à tab | moutarde de Dijon | 30 ml |
| 1 c. à tab | sauce Worcestershire | 15 ml |
| | sel et poivre noir du moulin | |

1   Dans une cocotte, chauffer la moitié de l'huile et du beurre à feu moyen-vif. Ajouter les cubes de boeuf et les faire dorer. Réserver dans une assiette. Dans la cocotte, ajouter l'oignon et cuire à feu doux, en brassant souvent, de 8 à 10 minutes ou jusqu'à ce qu'il soit translucide. Réserver avec le boeuf.

2   Dans la cocotte, chauffer le reste de l'huile et du beurre. Ajouter les pommes de terre et cuire à feu moyen, en brassant souvent, de 8 à 10 minutes ou jusqu'à ce qu'elles soient tendres. Ajouter le boeuf et l'oignon réservés, le bouillon de boeuf, la demi-glace, le ketchup, la moutarde de Dijon et la sauce Worcestershire et bien mélanger. Saler et poivrer. Couvrir et cuire à feu doux pendant environ 1 heure ou jusqu'à ce que la sauce ait épaissi (ajouter du bouillon de boeuf à la mi-cuisson, au besoin).

### La fricassée et le fricot

En France, la fricassée est différente de celle du Québec. Il s'agit d'un ragoût de volaille ou de viande cuit sans coloration. On y ajoute ensuite de la farine pour épaissir la sauce. Chez nous, il s'agit plutôt d'un plat apprêté avec des restes de boeuf, de l'oignon, des carottes, des pommes de terre et parfois des petits pois, que l'on fait mijoter dans du consommé ou du bouillon de boeuf. En France, notre fricassée porterait plutôt le nom de fricot ou de ragoût.

PAR PORTION: cal.: 280; prot.: 19 g; m.g.: 13 g (7 g sat.); chol.: 65 mg; gluc.: 21 g; fibres: 1 g; sodium: 630 mg.

# Gigot d'agneau à l'ail et au romarin

6 PORTIONS • PRÉPARATION: 25 MIN • CUISSON: 2 H • REPOS: 15 MIN

On favorise l'agneau du Québec, plus gros que l'agneau de la Nouvelle-Zélande et dont la chair est très délicate, ou, pour un petit luxe, l'agneau de Charlevoix, plus petit mais moins gras et encore plus tendre. L'agneau de la Nouvelle-Zélande, souvent vendu congelé, n'est pas recommandé ici. On le choisit surtout pour les plats mijotés.

| | | |
|---|---|---|
| 1 | gigot d'agneau non désossé (environ 4 lb/2 kg) | 1 |
| 6 | gousses d'ail coupées en bâtonnets | 6 |
| 2 | tranches de bacon coupées en dés | 2 |
| 2 c. à tab | huile d'olive | 30 ml |
| 1 c. à tab | romarin frais, haché ou | 15 ml |
| 1 c. à thé | romarin séché | 5 ml |
| 1 c. à thé | sel | 5 ml |
| 1 c. à thé | poivre noir du moulin | 5 ml |
| 1/2 t | eau | 125 ml |

1  À l'aide d'un couteau bien aiguisé, faire de petites incisions sur toute la surface du gigot d'agneau et y insérer l'ail et le bacon. Badigeonner le gigot de l'huile et le parsemer du romarin, du sel et du poivre.

2  Mettre le gigot sur la grille d'une rôtissoire et cuire au four préchauffé à 325°F (160°C) de 1 heure 40 minutes à 2 heures ou jusqu'à ce qu'un thermomètre à viande inséré dans la partie la plus épaisse du gigot indique 145°F (63°C) pour une viande mi-saignante ou 150°F (71°C) pour une viande rosée. Déposer le gigot d'agneau sur une planche à découper et le couvrir de papier d'aluminium, sans serrer. Laisser reposer pendant 15 minutes.

3  Dégraisser le jus de cuisson. Ajouter l'eau et porter à ébullition en raclant le fond de la rôtissoire pour en détacher toutes les particules. Dans une passoire placée sur un bol, filtrer le jus de cuisson. Réserver au chaud.

4  Au moment de servir, mettre le gigot d'agneau sur une planche à découper, le côté le plus charnu dessus. En tenant l'os fermement avec un linge, couper le gigot jusqu'à l'os en tranches de 1/4 po (5 mm). En plaçant le couteau à l'horizontale, couper ensuite les tranches le long de l'os. Retourner le gigot et couper le reste de la viande de la même manière. Déposer les tranches d'agneau dans une assiette de service et les arroser du jus de cuisson réservé.

PAR PORTION: cal.: 445; prot.: 43 g; m.g.: 29 g (11 g sat.); chol.: 139 mg; gluc.: 1 g; fibres: traces; sodium: 523 mg.

# Tourtière du Lac-Saint-Jean

12 PORTIONS • PRÉPARATION: 45 MIN • RÉFRIGÉRATION: 30 MIN • CUISSON: 6 À 7 H
• REPOS: 30 MIN

## PÂTE BRISÉE

| | | |
|---|---|---|
| 5 t | farine | 1,25 L |
| 1 lb | saindoux (ou graisse végétale) froid | 500 g |
| 2 c. à thé | sel | 10 ml |
| 1 t | eau glacée (environ) | 250 ml |
| 1 c. à tab | vinaigre | 15 ml |

## GARNITURE À LA VIANDE

| | | |
|---|---|---|
| 1 1/2 lb | rôti de longe de porc désossé, coupé en cubes de 1/2 po (1 cm) | 750 g |
| 1 1/2 lb | rôti ou bifteck de ronde désossé, coupé en cubes de 1/2 po (1 cm) | 750 g |
| 2 | poitrines de poulet désossées, coupées en cubes de 1/2 po (1 cm) (environ 1 lb/500 g en tout) | 2 |
| 1 | gros oignon, haché | 1 |
| 3 1/2 oz | lard salé coupé en dés de 1/4 po (5 mm) | 105 g |
| 4 t | pommes de terre coupées en cubes de 1/2 po (1 cm) (environ) | 1 L |
| 1 à 1 1/2 t | bouillon de boeuf ou de poulet (environ) | 250 à 375 ml |
| | sel et poivre noir du moulin | |

## PRÉPARATION DE LA PÂTE

1  Dans un grand bol, mettre la farine. Ajouter le saindoux et, à l'aide d'un coupe-pâte ou de deux couteaux, travailler la préparation jusqu'à ce qu'elle ait la texture d'une chapelure grossière. Dans un petit bol, mélanger le sel, l'eau et le vinaigre. Ajouter petit à petit le mélange liquide à la préparation de farine et mélanger avec les doigts jusqu'à ce que la pâte commence à se tenir. Diviser la pâte en deux portions (un tiers, deux tiers) et la façonner en boules. Aplatir chaque portion en un disque et les envelopper séparément d'une pellicule de plastique. Réfrigérer pendant au moins 30 minutes.

## PRÉPARATION DE LA GARNITURE

2  Dans un autre grand bol, mélanger les cubes de porc, de boeuf et de poulet, l'oignon et le lard salé. Saler et poivrer.

3  Sur une surface de travail bien farinée, abaisser les deux tiers de la pâte à environ 1/4 po (5 mm) d'épaisseur. Dans un grand plat en fonte émaillée (de type Le Creuset) ou en porcelaine (de type CorningWare) d'une capacité de 12 t (3 L), déposer l'abaisse en la pressant légèrement dans le fond et sur la paroi du plat et en laissant dépasser l'excédent.

4  Ajouter les pommes de terre à la préparation à la viande et mélanger (le volume de pommes de terre doit être égal à celui de la préparation à la viande). Mettre la garniture dans le plat. Ajouter suffisamment du bouillon pour couvrir la garniture.

5  Sur une surface de travail bien farinée, abaisser le reste de la pâte à environ 1/4 po (5 mm) d'épaisseur. Déposer l'abaisse sur la garniture à la viande. Couper l'excédent de pâte. Sceller les deux abaisses en les pressant ensemble. Découper un cercle sur le dessus de la tourtière pour permettre à la vapeur de s'échapper. Si désiré, à l'aide d'un emporte-pièce, découper des motifs dans les retailles de pâte pour garnir le dessus de la tourtière. Couvrir le plat (la tourtière doit être couverte hermétiquement) et cuire au four préchauffé à 400°F (200°C) pendant 1 heure. Réduire la température du four à 300°F (150°C) et poursuivre la cuisson à couvert de 5 à 6 heures ou jusqu'à ce que la croûte soit dorée.

PAR PORTION: cal.: 895; prot.: 44 g; m.g.: 56 g (22 g sat.); chol.: 90 mg; gluc.: 50 g; fibres: 3 g; sodium: 525 mg.

### Pas de chicane sur la tourtière!

Entre le six-pâtes gaspésien, le cipâte de Charlevoix,
le cipaille du Bas-du-fleuve, la tourtière du Lac-Saint-Jean
et le sea pie des Maritimes, le torchon brûle souvent, chaque
amateur étant persuadé d'avoir la seule et unique recette
authentique! La vérité, c'est que, comme pour le ragoût,
il existe autant de versions de ce pâté en croûte cuit dans
une cocotte profonde qu'il y a de cuisiniers pour le préparer.
Chose certaine, il s'agit d'alterner des rangs de viande
(gibier, venaison ou viandes de boucherie) avec des pommes
de terre en cubes et de l'oignon haché. Dans certains cas,
on alterne une couche de pâte et une couche de viande,
mais ce n'est pas la coutume. On ajoute de l'eau ou du
bouillon, on assaisonne simplement et on cuit au moins trois
heures au four. Il était préparé à l'origine avec des tourtes.
Ce plat se sert de nos jours surtout dans le temps des fêtes.

# Veau mijoté

4 PORTIONS • PRÉPARATION: 15 MIN • CUISSON: 1 H 5 MIN

| | | |
|---|---|---|
| 1/4 t | farine | 60 ml |
| 1 c. à tab | paprika | 15 ml |
| 1 c. à thé | sel | 5 ml |
| 1/4 c. à thé | poivre noir du moulin | 1 ml |
| 1 | tranche de pointe de surlonge de veau d'environ 1 1/2 po (4 cm) d'épaisseur, coupée en quatre morceaux (environ 2 lb/1 kg en tout) | 1 |
| 2 c. à tab | huile végétale | 30 ml |
| 3 | oignons coupés en tranches fines | 3 |
| 2 c. à tab | beurre | 30 ml |
| 1 t | bouillon de poulet bouillant | 250 ml |
| 1 t | crème sure | 250 ml |
| 2 c. à tab | xérès (sherry) sec | 30 ml |
| 1/4 c. à thé | origan séché | 1 ml |

1 Dans une assiette, mélanger la farine, le paprika, le sel et le poivre. Ajouter les morceaux de veau et les retourner pour bien les enrober. Secouer pour enlever l'excédent. Réserver le mélange de farine.

2 Dans un grand poêlon à fond épais, chauffer l'huile à feu doux. Ajouter les oignons et cuire, en brassant, de 3 à 5 minutes ou jusqu'à ce qu'ils soient translucides. Retirer les oignons. Faire fondre le beurre à feu moyen-vif. Ajouter les morceaux de veau et les faire dorer de chaque côté. Parsemer du mélange de farine réservé. Étendre les oignons sur les morceaux de veau. Ajouter le bouillon de poulet et porter à ébullition à feu moyen. Réduire le feu, couvrir et laisser mijoter pendant 1 heure ou jusqu'à ce que le veau soit tendre. Retirer la viande du poêlon et réserver au chaud.

3 Ajouter la crème sure, le xérès et l'origan au jus de cuisson et réchauffer. Au moment de servir, napper les tranches de veau de la sauce.

PAR PORTION: cal.: 660; prot.: 59 g; m.g.: 38 g (17 g sat.); chol.: 160 mg; gluc.: 18 g; fibres: 2 g; sodium: 905 mg.

# Rôti de veau

6 À 8 PORTIONS • PRÉPARATION: 10 MIN • CUISSON: 2 H

| | | |
|---|---|---|
| 2 c. à tab | huile d'olive | 30 ml |
| 1 | rôti de longe de veau avec l'os (4 à 5 lb/2 à 2,5 kg) | 1 |
| 1 c. à tab | moutarde en poudre | 15 ml |
| 3 c. à tab | vinaigre | 45 ml |
| 1 c. à tab | cassonade | 15 ml |
| 1 c. à thé | sauge séchée | 5 ml |
| 1 t | eau froide | 250 ml |
| 4 | tranches de bacon | 4 |

1 Dans une cocotte, chauffer l'huile à feu moyen-vif. Faire dorer le rôti de veau de chaque côté. Entre-temps, dans un bol, mélanger la moutarde, le vinaigre, la cassonade, la sauge et l'eau. Déposer les tranches de bacon sur le rôti et l'arroser de la sauce.

2 Cuire au four préchauffé à 375°F (190°C) pendant environ 2 heures ou jusqu'à ce qu'un thermomètre à viande inséré au centre du rôti indique 165°F (74°C) (arroser le rôti de temps à autre). Au moment de servir, couper le rôti en tranches et napper de la sauce.

PAR PORTION: cal.: 415; prot.: 58 g; m.g.: 18 g (5 g sat.); chol.: 235 mg; gluc.: 1 g; fibres: aucune; sodium: 355 mg.

*Veau mijoté*

# Pâté chinois à l'agneau et aux champignons

6 PORTIONS • PRÉPARATION: 30 MIN • TEMPS DE TREMPAGE: 30 MIN • CUISSON: 2 H À 2 H 10 MIN

## GARNITURE À LA VIANDE

| | | |
|---|---|---|
| 1/2 t | eau bouillante | 125 ml |
| 7 oz | champignons séchés (de type porcini) | 200 g |
| 1 c. à tab | huile d'olive | 15 ml |
| 1 lb | agneau haché | 500 g |
| 1 oz | pancetta (ou bacon) coupée en dés | 30 g |
| 1/2 | oignon haché finement | 1/2 |
| 1 | branche de céleri coupée en petits dés | 1 |
| 1 | carotte coupée en petits dés | 1 |
| 1 | gousse d'ail hachée finement | 1 |
| 1/2 c. à thé | romarin (ou marjolaine) séché | 2 ml |
| 1/2 c. à thé | thym séché | 2 ml |
| 1/4 c. à thé | sel | 1 ml |
| 1/4 c. à thé | poivre noir du moulin | 1 ml |
| 1 t | champignons frais, coupés en quatre | 250 ml |
| 1/4 t | vin rouge ou bouillon de boeuf réduit en sel | 60 ml |
| 1 t | bouillon de boeuf réduit en sel | 250 ml |
| 1 c. à tab | pâte de tomates | 15 ml |
| 1 c. à thé | sauce Worcestershire | 5 ml |
| 1 1/2 c. à tab | farine | 22 ml |
| 2 c. à tab | eau | 30 ml |

## PURÉE DE POMMES DE TERRE

| | | |
|---|---|---|
| 4 | pommes de terre (de type Yukon Gold) pelées et coupées en cubes | 4 |
| 2 c. à tab | lait ou crème à 10% | 30 ml |
| 1 c. à tab | beurre | 15 ml |
| 1/2 c. à thé | moutarde de Dijon | 2 ml |
| 1/4 c. à thé | sel | 1 ml |
| 1/4 c. à thé | poivre noir du moulin | 1 ml |
| 1 c. à tab | huile d'olive | 15 ml |
| 1 | poireau, les parties blanche et vert pâle seulement, coupé en tranches fines | 1 |

## PRÉPARATION DE LA GARNITURE À LA VIANDE

1   Verser l'eau bouillante dans un bol, ajouter les champignons séchés et laisser reposer pendant 30 minutes ou jusqu'à ce qu'ils aient ramolli.

2   Entre-temps, dans un grand poêlon, chauffer la moitié de l'huile à feu moyen-vif. Ajouter l'agneau haché et la pancetta et cuire, en brassant de temps à autre, pendant environ 8 minutes ou jusqu'à ce que l'agneau ait perdu sa teinte rosée. À l'aide d'une écumoire, mettre le mélange de viande dans un bol tapissé d'essuie-tout. Dégraisser le poêlon.

3   Dans le poêlon, chauffer le reste de l'huile à feu moyen. Ajouter l'oignon, le céleri, la carotte, l'ail, le romarin, le thym, le sel et le poivre et cuire, en brassant de temps à autre, pendant environ 6 minutes ou jusqu'à ce que les légumes aient ramolli. Ajouter les champignons frais et cuire pendant environ 6 minutes ou jusqu'à ce qu'ils soient dorés. Ajouter le vin en raclant le fond du poêlon à l'aide d'une cuillère de bois pour en détacher les particules et laisser bouillir jusqu'à ce que tout le liquide se soit évaporé. Ajouter le bouillon, la pâte de tomates, la sauce Worcestershire, les champignons séchés avec leur eau de trempage et le mélange de viande. Porter à ébullition, réduire le feu et laisser mijoter à découvert pendant 25 minutes.

4   Dans un petit bol, mélanger la farine et l'eau. Incorporer ce mélange à la préparation de viande. Porter à ébullition et laisser bouillir pendant 5 minutes ou jusqu'à ce que la garniture ait épaissi. Étendre la garniture à la viande dans un plat allant au four d'une capacité de 12 t (3 L).

PRÉPARATION DE LA PURÉE DE POMMES DE TERRE

5  Dans une grande casserole d'eau bouillante salée, cuire les pommes de terre à couvert pendant environ 20 minutes ou jusqu'à ce qu'elles soient tendres. Égoutter les pommes de terre, les remettre dans la casserole et cuire à feu doux pendant environ 1 minute pour les assécher. À l'aide d'un presse-purée, réduire les pommes de terre en purée. Ajouter le lait, le beurre, la moutarde, le sel et le poivre et bien mélanger.

6  Entre-temps, dans une petite casserole, chauffer l'huile à feu moyen-doux. Ajouter le poireau et cuire, en brassant de temps à autre, pendant 6 minutes ou jusqu'à ce qu'il ait ramolli. Ajouter le poireau à la purée de pommes de terre et bien mélanger. Étendre la purée de pommes de terre sur la garniture à la viande.

7  Cuire au four préchauffé à 375°F (190°C) de 50 à 60 minutes ou jusqu'à ce que la purée de pommes de terre soit dorée et légèrement croustillante. (Vous pouvez préparer le pâté chinois à l'avance, le laisser refroidir pendant 30 minutes à la température ambiante, le réfrigérer jusqu'à ce qu'il soit froid, puis le couvrir d'une pellicule de plastique. Il se conservera jusqu'au lendemain au réfrigérateur. Réchauffer au four à 375°F/190°C pendant 30 minutes.)

PAR PORTION: cal.: 414; prot.: 19 g; m.g.: 14 g (6 g sat.); chol.: 48 mg; gluc.: 56 g; fibres: 7 g; sodium: 507 mg.

Porc

# Le porc, grand favori des Québécois

À la manière des paysans français, les premiers colons de la Nouvelle-France ont très vite appris à faire le meilleur usage de toutes les parties du porc tout en apprenant à le préserver durant les longs mois d'hiver (jambon, lard salé, etc.).

Aujourd'hui encore, cette viande économique et savoureuse qui a inspiré les plus grands maîtres charcutiers est très appréciée des Québécois.

En rôtis, en pâtés, en mijotés, en côtelettes, haché ou sous forme de jambon, de saucisses, de boudin et de terrines, le porc a toujours la cote.

Bonne nouvelle puisque le Québec est un important producteur de porc.

# Côtelettes de porc aux oignons et aux champignons

4 PORTIONS • PRÉPARATION: 20 MIN • CUISSON: 18 À 20 MIN

| | | |
|---|---|---|
| 4 | côtelettes de longe de porc désossées (environ 5 oz/150 g chacune) | 4 |
| 1/4 c. à thé | sel | 1 ml |
| 1/4 c. à thé | poivre noir du moulin | 1 ml |
| 2 c. à tab | huile végétale | 30 ml |
| 1 | oignon haché finement | 1 |
| 1 | paquet de champignons de Paris coupés en quartiers (8 oz/227 g) | 1 |
| 1/4 c. à thé | thym séché | 1 ml |
| 1/4 c. à thé | romarin séché | 1 ml |
| 2 c. à tab | farine | 30 ml |
| 1 t | bouillon de poulet | 250 ml |
| 1/4 t | eau | 60 ml |
| 2 c. à tab | persil frais, haché | 30 ml |
| 2 c. à thé | jus de citron | 10 ml |

1  Parsemer les côtelettes de la moitié du sel et du poivre. Dans un poêlon à fond épais, chauffer la moitié de l'huile à feu vif. Ajouter les côtelettes et cuire 4 minutes ou jusqu'à ce qu'elles soient dorées (les retourner à la mi-cuisson). Réserver dans une assiette.

2  Dans le poêlon, ajouter le reste de l'huile, l'oignon, les champignons, le thym, le romarin et le reste du sel et du poivre. Cuire à feu moyen, en brassant de temps à autre, pendant 5 minutes ou jusqu'à ce que les légumes soient dorés.

3  Ajouter la farine et cuire pendant 1 minute, en brassant. Ajouter petit à petit le bouillon et l'eau et porter à ébullition en raclant le fond du poêlon. Remettre les côtelettes réservées dans le poêlon. Ajouter le persil et le jus de citron, couvrir et laisser mijoter à feu moyen de 3 à 4 minutes ou jusqu'à ce que les côtelettes soient encore légèrement rosées à l'intérieur et que la sauce ait épaissi.

PAR PORTION: cal.: 364; prot.: 43 g; m.g.: 11 g (2 g sat.); chol.: 87 mg; gluc.: 22 g; fibres: 2 g; sodium: 185 mg.

# Côtelettes de porc barbecue

5 PORTIONS • PRÉPARATION: 15 MIN • CUISSON: 1 H 15 MIN

| | | |
|---|---|---|
| 10 | côtelettes de porc avec l'os, le gras enlevé (environ 2 lb/1 kg en tout) | 10 |
| 2 c. à tab | beurre | 30 ml |
| 2 | oignons hachés | 2 |
| 1 1/2 t | ketchup | 375 ml |
| 1/4 t | vinaigre | 60 ml |
| 1/4 c. à thé | thym séché | 1 ml |
| 1/4 c. à thé | sarriette séchée | 1 ml |
| 1/3 t | sucre | 80 ml |
| 1 t | eau | 250 ml |
| | sel et poivre noir du moulin | |

1  Dans un poêlon, à feu moyen, faire dorer les côtelettes dans le beurre, quelques-unes à la fois, environ 2 minutes de chaque côté. Réserver dans un plat allant au four.

2  Dans le poêlon, ajouter les oignons et cuire, en brassant, de 3 à 5 minutes ou jusqu'à ce qu'ils aient ramolli. Ajouter le ketchup, le vinaigre, le thym, la sarriette, le sucre et l'eau. Saler et poivrer. Porter à ébullition et laisser mijoter pendant 5 minutes. Verser la sauce sur les côtelettes réservées. Couvrir de papier d'aluminium et cuire au four préchauffé à 325°F (160°C) environ 1 heure ou jusqu'à ce qu'elles soient tendres (ajouter un mélange d'eau et de ketchup à parts égales si la sauce réduit trop).

PAR PORTION: cal.: 465; prot.: 37 g; m.g.: 20 g (8 g sat.); chol.: 130 mg; gluc.: 36 g; fibres: 1 g; sodium: 925 mg.

Côtelette de porc aux oignons
et aux champignons

# Côtelettes de porc glacées aux pêches

6 PORTIONS • PRÉPARATION: 15 MIN • CUISSON: 13 MIN

| | | |
|---|---|---|
| 1 | boîte de pêches en tranches, égouttées (28 oz/796 ml) | 1 |
| 1/3 t | cassonade tassée | 80 ml |
| 1/3 t | vinaigre de cidre | 80 ml |
| 1 c. à tab + 2 c. à thé | huile végétale | 25 ml |
| 2 c. à thé | flocons d'oignon | 10 ml |
| 2 c. à thé | moutarde de Dijon | 10 ml |
| 1/2 c. à thé | bouillon de poulet concentré (de type Bovril) | 2 ml |
| 1/2 c. à thé | romarin séché | 2 ml |
| 1/4 c. à thé | poivre noir du moulin | 1 ml |
| 6 | côtelettes de longe de porc désossées (environ 5 oz/150 g chacune) | 6 |
| 1/4 c. à thé | sel | 1 ml |
| 2 c. à thé | fécule de maïs | 10 ml |

1   Dans un bol, mélanger les pêches, la cassonade, le vinaigre de cidre, 1 c. à tab (15 ml) de l'huile, les flocons d'oignon, la moutarde, le bouillon concentré, le romarin et la moitié du poivre. Réserver. Parsemer les côtelettes du sel et du reste du poivre. Dans un grand poêlon, chauffer le reste de l'huile à feu moyen-vif et cuire les côtelettes de 5 à 6 minutes ou jusqu'à ce qu'elles soient encore légèrement rosées à l'intérieur (les retourner à la mi-cuisson). Réserver au chaud.

2   Prélever 1/4 t (60 ml) du liquide de la préparation aux pêches réservée. Dans un petit bol, mélanger le liquide et la fécule de maïs. Verser la préparation aux pêches dans le poêlon et porter à ébullition. Réduire à feu moyen-doux et laisser mijoter pendant 3 minutes. Ajouter le mélange de fécule et poursuivre la cuisson, en brassant, pendant 1 minute ou jusqu'à ce que la sauce ait épaissi. Au moment de servir, napper les côtelettes réservées de la sauce.

PAR PORTION: cal.: 290; prot.: 28 g; m.g.: 10 g (3 g sat.); chol.: 70 mg; gluc.: 21 g; fibres: 2 g; sodium: 295 mg.

# Côtes levées épicées, sauce barbecue

6 À 8 PORTIONS • PRÉPARATION: 20 MIN • RÉFRIGÉRATION: 4 H • CUISSON: 3 H

## CÔTES LEVÉES ÉPICÉES

| | | |
|---|---|---|
| 5 lb | côtes levées de porc | 2,5 kg |
| 1/4 t | cassonade tassée | 60 ml |
| 2 c. à tab | paprika | 30 ml |
| 2 c. à tab | assaisonnement au chili | 30 ml |
| 1 c. à tab | cumin moulu | 15 ml |
| 1 c. à tab | sel | 15 ml |
| 1 c. à thé | poivre noir du moulin | 5 ml |
| 1 c. à thé | piment de Cayenne | 5 ml |
| 1/2 c. à thé | clou de girofle moulu | 2 ml |

## SAUCE BARBECUE

| | | |
|---|---|---|
| 2 c. à tab | huile végétale | 30 ml |
| 1 | oignon haché | 1 |
| 4 | gousses d'ail hachées finement | 4 |
| 1 c. à tab | paprika | 15 ml |
| 1 c. à tab | assaisonnement au chili | 15 ml |
| 1 c. à thé | sel | 5 ml |
| 1 c. à thé | poivre noir du moulin | 5 ml |
| 1 | boîte de tomates (19 oz/540 ml) | 1 |
| 1 | boîte de pâte de tomates (5 1/2 oz/156 ml) | 1 |
| 2/3 t | vinaigre blanc | 160 ml |
| 1/3 t | cassonade tassée | 80 ml |
| 2 c. à tab | moutarde de Dijon | 30 ml |
| 1/2 t | mélasse | 125 ml |

## PRÉPARATION DES CÔTES LEVÉES

1  À l'aide d'un couteau bien aiguisé, enlever l'excédent de gras des côtes levées. Au besoin, retirer la membrane sous les côtes. Mettre les côtes dans un grand plat peu profond.

2  Dans un petit bol, mélanger la cassonade, le paprika, l'assaisonnement au chili, le cumin, le sel, le poivre, le piment de Cayenne et le clou de girofle. Frotter uniformément les côtes levées du mélange d'épices. Couvrir d'une pellicule de plastique et réfrigérer pendant au moins 4 heures ou jusqu'au lendemain.

## PRÉPARATION DE LA SAUCE

3  Entre-temps, dans une grande casserole, chauffer l'huile à feu moyen. Ajouter l'oignon et l'ail et cuire, en brassant de temps à autre, pendant 5 minutes ou jusqu'à ce qu'ils aient ramolli. Ajouter le paprika, l'assaisonnement au chili, le sel et le poivre et cuire pendant 2 minutes.

4  Ajouter les tomates, la pâte de tomates, le vinaigre, la cassonade et la moutarde de Dijon. Porter à ébullition. Réduire le feu et laisser mijoter, en brassant de temps à autre, pendant environ 1 heure ou jusqu'à ce que la préparation ait réduit du tiers. Laisser refroidir légèrement. Verser la préparation dans le récipient du robot culinaire ou du mélangeur et la réduire en purée lisse. Ajouter la mélasse et mélanger. Réserver 1 t (250 ml) de la sauce barbecue en guise d'accompagnement et utiliser le reste pour badigeonner les côtes levées en cours de cuisson.

5  Allumer un seul brûleur du barbecue et le régler à puissance moyenne. Mettre les côtes levées sur la grille huilée du barbecue, du côté éteint. Fermer le couvercle et cuire pendant 50 minutes (au besoin, ajuster l'intensité du brûleur de manière que la température interne du barbecue se maintienne entre 250°F/120°C et 300°F/150°C). Retourner les côtes levées et poursuivre la cuisson pendant 50 minutes ou jusqu'à ce que la viande soit tendre et que les os soient visibles aux extrémités.

6  Badigeonner généreusement les côtes levées de la sauce barbecue et poursuivre la cuisson pendant 20 minutes ou jusqu'à ce qu'elles soient bien dorées et croustillantes (les retourner une fois et les badigeonner souvent de la sauce). À l'aide d'un couteau bien aiguisé, couper les côtes levées en portions de 2 à 3 côtes. Accompagner de la sauce barbecue réservée.

PAR PORTION: cal.: 395; prot.: 38 g; m.g.: 17 g (6 g sat.); chol.: 90 mg; gluc.: 22 g; fibres: 2 g; sodium: 675 mg.

# Pâtés à la viande

DONNE ENVIRON 5 PÂTÉS DE 6 PORTIONS CHACUN • PRÉPARATION: 40 MIN • CUISSON: 2 H 50 MIN

| | pâte pour 10 abaisses de 9 po (23 cm) de diamètre (voir recette, p. 183) | |
|---|---|---|
| 1/2 lb | boeuf haché | 250 g |
| 1 lb | porc haché | 500 g |
| 1 1/2 lb | veau haché | 750 g |
| 2 | oignons coupés en dés | 2 |
| 2 | gousses d'ail hachées finement | 2 |
| 1 1/2 c. à thé | sel | 7 ml |
| 1 1/2 c. à thé | sarriette séchée | 7 ml |
| 3/4 c. à thé | graines de céleri | 4 ml |
| 3/4 c. à thé | clou de girofle moulu | 4 ml |
| 1 1/2 t | bouillon de poulet ou eau | 375 ml |
| 2 | feuilles de laurier | 2 |
| 1 à 1 1/2 t | chapelure | 250 à 375 ml |

1   Sur une surface de travail légèrement farinée, abaisser la moitié de la pâte en cinq cercles de 11 po (28 cm) de diamètre. Presser les abaisses dans des assiettes à tarte de 9 po (23 cm) de diamètre chacune. Couper l'excédent de pâte. Réserver.

2   Dans une grande casserole, mettre tous les ingrédients, sauf la chapelure. Porter à ébullition. Laisser mijoter à découvert pendant environ 2 heures.

Retirer du feu. Ajouter quelques cuillerées de la chapelure et laisser reposer pendant 10 minutes (si le gras est suffisamment absorbé par la chapelure, il n'est pas nécessaire d'en rajouter; sinon continuer d'en ajouter de la même manière, en évitant toutefois de trop en mettre, ce qui assécherait les pâtés. Pour vérifier, prendre une cuillerée de garniture et presser la viande: si le gras s'écoule généreusement, ajouter de la chapelure, puis laisser reposer encore 10 minutes.) Retirer les feuilles de laurier et laisser refroidir complètement. Verser la garniture à la viande dans les abaisses réservées.

3   Abaisser le reste de la pâte en cinq cercles de 11 po (28 cm) de diamètre. Humecter le pourtour des abaisses du dessous et déposer les abaisses sur la garniture à la viande. Couper l'excédent de pâte en laissant une bordure d'environ 3/4 po (2 cm). Plier la bordure de pâte sous l'abaisse du dessous. Sceller ensemble les deux abaisses en les pressant légèrement et canneler le pourtour. Faire des entailles sur le dessus de chaque pâté pour permettre à la vapeur de s'échapper. Cuire au four préchauffé à 450°F (230°C) pendant environ 15 minutes. Réduire la température du four à 400°F (200°C) et poursuivre la cuisson de 30 à 40 minutes ou jusqu'à ce que la croûte soit dorée.

PAR PORTION: cal.: 455; prot.: 15 g; m.g.: 30 g (12 g sat.); chol.: 40 mg; gluc.: 31 g; fibres: 1 g; sodium: 315 mg.

# Rôti de porc
## et pommes de terre à l'ail

8 PORTIONS • PRÉPARATION: 20 MIN • CUISSON: 2 H 30 MIN

| | | |
|---|---|---|
| 1 c. à tab | huile végétale | 15 ml |
| 1 c. à tab | beurre | 15 ml |
| 1 | carré de porc paré (environ 4 lb/2 kg) | 1 |
| 4 à 5 | gousses d'ail coupées en tranches | 4 à 5 |
| 3 c. à tab | moutarde de Dijon | 45 ml |
| 3 à 4 | brins de thym frais (environ) | 3 à 4 |
| 8 | pommes de terre coupées en quartiers | 8 |
| | sel et poivre noir du moulin | |

1   Dans une casserole, chauffer l'huile et le beurre à feu moyen-vif. Faire dorer le rôti de chaque côté et le mettre sur une planche à découper. Inciser le rôti à plusieurs endroits et insérer les tranches d'ail. Badigeonner de la moutarde. Saler et poivrer. Remettre le rôti dans la casserole et y déposer les brins de thym.

2   Ajouter assez d'eau dans la casserole pour en couvrir le fond. Couvrir et cuire à feu moyen de 1 3/4 à 2 heures, ou jusqu'à ce que le porc soit encore légèrement rosé à l'intérieur ou qu'un thermomètre inséré au centre du rôti indique 165°F (74°C) (au besoin, ajouter un peu d'eau pour couvrir le fond). Mettre le rôti dans une assiette et le couvrir de papier d'aluminium, sans serrer. Réserver au chaud.

3   Dans la casserole, ajouter les pommes de terre au jus de cuisson. Couvrir et cuire à feu doux, en brassant de temps à autre, de 20 à 25 minutes ou jusqu'à ce qu'elles soient tendres. Au moment de servir, couper le rôti de porc en tranches. Accompagner des pommes de terre.

### Nostalgie

Comme ma mère travaillait, elle préparait dès le vendredi soir des plats pour toute la semaine. Je me souviens de l'odeur, quand je me réveillais le samedi matin, des viandes en train de cuire au four. Elle utilisait souvent les quatre ronds du poêle en même temps, en plus du four. On congelait plusieurs fruits en saison et maman préparait souvent de la pâte à tarte. Le fait de l'aider me donnait le privilège de grignoter les retailles, de dessiner les motifs et de canneler les contours. D'ailleurs, j'aime toujours faire des tartes: quel arôme en cuisine!

Sylvie Beaulieu, conseillère en communications, née dans les années 1960, mère de deux adolescentes

PAR PORTION: cal.: 515; prot.: 55 g; m.g.: 15 g (5 g sat.); chol.: 145 mg; gluc.: 38 g; fibres: 5 g; sodium: 205 mg.

# Longe de porc et patates douces rôties au thym et à l'ail

8 PORTIONS • PRÉPARATION: 30 MIN • CUISSON: 2 H

| | | |
|---|---|---|
| 4 | gousses d'ail hachées finement | 4 |
| 3 c. à thé | thym frais, haché finement | 15 ml |
| 2 c. à thé | romarin frais, haché finement | 10 ml |
| 1 c. à thé | graines de coriandre légèrement broyées | 5 ml |
| 1 c. à thé | sel | 5 ml |
| 1 c. à thé | poivre noir du moulin | 5 ml |
| 4 c. à tab | huile d'olive | 60 ml |
| 2 c. à tab | moutarde de Dijon | 30 ml |
| 1 | rôti de milieu de longe de porc désossé (environ 3 lb/1,5 kg) | 1 |
| 2 | bulbes d'ail entiers | 2 |
| 4 | patates douces pelées et coupées en quartiers | 4 |

1   Dans un petit bol, mélanger l'ail haché, 2 c. à thé (10 ml) du thym, le romarin, les graines de coriandre, la moitié du sel, du poivre et de l'huile et la moutarde. Badigeonner uniformément le rôti de porc du mélange à la moutarde (**photo A**). Mettre le rôti dans une rôtissoire ou un plat allant au four. Réserver.

2   Couper une tranche sur le dessus des bulbes d'ail de manière à exposer les gousses (**photo B**). Dans un bol, mélanger les bulbes d'ail, les patates douces et le reste de l'huile, du sel, du poivre et du thym. Répartir le mélange autour du rôti dans la rôtissoire (**photo C**).

3   Cuire au centre du four préchauffé à 325°F (160°C) pendant 2 heures ou jusqu'à ce qu'un thermomètre à viande inséré au centre du rôti indique 160°F (70°C) pour une cuisson légèrement rosée. Mettre le rôti de porc sur une planche à découper et le couvrir de papier d'aluminium, sans serrer (**photo D**). Laisser reposer pendant 10 minutes avant de couper le rôti en tranches. Servir avec les patates douces et l'ail rôti.

PAR PORTION: cal.: 365; prot.: 42 g; m.g.: 8 g (2 g sat.); chol.: 115 mg; gluc.: 29 g; fibres: 4 g; sodium: 450 mg.

# Filets de porc, sauce crémeuse aux fines herbes

4 À 6 PORTIONS • PRÉPARATION: 15 MIN • CUISSON: 33 MIN

| | | |
|---|---|---|
| 2 | gros filets de porc (environ 2 lb/1 kg en tout) | 2 |
| 1/4 c. à thé | sel | 1 ml |
| 1/4 c. à thé | poivre noir du moulin | 1 ml |
| 1 c. à tab | huile végétale | 15 ml |
| 1 c. à tab | beurre | 15 ml |
| 1/2 t | oignon coupé en petits dés | 125 ml |
| 1 | gousse d'ail hachée finement | 1 |
| 1/2 t | jus de pomme brut (de type Tradition) | 125 ml |
| 1/2 t | bouillon de poulet réduit en sel | 125 ml |
| 1/4 t | crème à 35% | 60 ml |
| 1 c. à thé | moutarde de Dijon | 5 ml |
| 1 c. à thé | fécule de maïs | 5 ml |
| 2 c. à thé | eau | 10 ml |
| 1 c. à tab | thym frais, haché finement | 15 ml |
| 1 c. à tab | persil frais, haché finement | 15 ml |

1  Parsemer les filets de porc du sel et du poivre. Dans un grand poêlon allant au four, chauffer l'huile à feu moyen-vif. Ajouter les filets de porc et les faire dorer de tous les côtés pendant environ 6 minutes. Poursuivre la cuisson au four préchauffé à 400°F (200°C) pendant environ 15 minutes ou jusqu'à ce que le porc soit encore légèrement rosé à l'intérieur. Mettre les filets de porc dans une assiette et les couvrir de papier d'aluminium, sans serrer. Laisser reposer pendant 5 minutes, puis les couper en tranches.

2  Dans le poêlon, faire fondre le beurre à feu moyen. Ajouter l'oignon et cuire, en brassant de temps à autre, pendant environ 5 minutes ou jusqu'à ce qu'il ait ramolli. Ajouter l'ail et cuire pendant 1 minute. Ajouter le jus de pomme et porter à ébullition en raclant le fond du poêlon pour en détacher les particules. Ajouter le bouillon de poulet, la crème et la moutarde de Dijon et laisser bouillir pendant environ 5 minutes ou jusqu'à ce que la sauce ait réduit à environ 1 t (250 ml). Dans un petit bol, mélanger la fécule de maïs et l'eau. Ajouter le mélange de fécule, le thym et le persil à la sauce et cuire, en brassant, pendant environ 1 minute ou jusqu'à ce qu'elle ait épaissi. Servir le porc accompagné de la sauce.

## Les plats «à la canadienne»

Dans son *Encyclopédie de la cuisine canadienne*, Jehane Benoît ajoute à plusieurs de ses recettes les épithètes «à la canadienne» ou «à la mode du Québec». Ainsi y trouve-t-on le rôti de porc et la graisse de rôti à la mode du Québec, la galantine de porc du Vieux Québec, le jambon bouilli à la canadienne, le bouilli de poulet québécois, le cipaille du Québec, la galantine de poulet à la mode du Québec, le canard sauvage de Châteauguay, les betteraves à la canadienne ou les concombres à la crème à la québécoise. Ces plats, qui venaient s'inscrire dans un large répertoire de recettes d'inspiration française, italienne, indienne, anglaise ou espagnole, indiquaient avec fierté au reste du monde qu'il fallait désormais compter sur une cuisine originale bien de chez nous.

PAR PORTION: cal.: 259; prot.: 34 g; m.g.: 11 g (5 g sat.); chol.: 100 mg; gluc.: 5 g; fibres: traces; sodium: 242 mg.

# Purée de pommes de terre au jambon et aux champignons

4 PORTIONS • PRÉPARATION: 30 MIN • CUISSON: 25 MIN

*On peut servir cette savoureuse purée nappée de crème de champignons ou de sauce béchamel.*

| | | |
|---|---|---|
| 5 | grosses pommes de terre, pelées et coupées en quatre | 5 |
| 3 c. à tab | beurre | 45 ml |
| 3/4 t | lait | 180 ml |
| 1/2 c. à thé | sauge séchée | 2 ml |
| 2 c. à tab | persil frais, haché | 30 ml |
| 1/4 c. à thé | sel | 1 ml |
| 1/4 c. à thé | poivre noir du moulin | 1 ml |
| 1 | oignon espagnol haché finement | 1 |
| 2 t | champignons blancs coupés en tranches | 500 ml |
| 1 1/2 t | jambon cuit, coupé en petits dés | 375 ml |
| 1 | boîte de crème de champignons (10 oz/284 ml) | 1 |

1   Dans une grande casserole d'eau bouillante salée, cuire les pommes de terre de 25 à 35 minutes ou jusqu'à ce qu'elles soient tendres. Égoutter les pommes de terre, les remettre dans la casserole et les réduire en purée à l'aide d'un presse-purée. Ajouter 1 c. à tab (15 ml) du beurre, 2 c. à tab (30 ml) du lait, la sauge, le persil, le sel et le poivre et mélanger. Réserver au chaud.

2   Dans un poêlon, faire fondre le reste du beurre à feu vif jusqu'à ce qu'il commence à mousser. Ajouter l'oignon et les champignons et cuire de 10 à 12 minutes ou jusqu'à ce qu'ils soient dorés. Ajouter les légumes et le jambon à la purée de pommes de terre réservée et bien mélanger. Réserver au chaud.

3   Entre-temps, dans une petite casserole, à l'aide d'un fouet, diluer la crème de champignons avec le reste du lait. Chauffer à feu moyen en brassant sans arrêt jusqu'à ce qu'elle commence à bouillir. Retirer aussitôt du feu.

4   Au moment de servir, répartir la purée de pommes de terre réservée dans des assiettes (la réchauffer à feu doux au besoin). Napper chaque portion de la crème de champignons.

PAR PORTION: cal.: 367; prot.: 17 g; m.g.: 17 g (8 g sat.); chol.: 52 mg; gluc.: 38 g; fibres: 4 g; sodium: 1 342 mg.

# Ragoût de boulettes et de pattes de porc

8 À 10 PORTIONS • PRÉPARATION: 1 H 30 MIN • CUISSON: 3 H 40 MIN À 4 H 10 MIN • RÉFRIGÉRATION: 12 H

## PATTES DE PORC

| | | |
|---|---|---|
| 6 | jarrets de porc | 6 |
| 10 t | eau froide | 2,5 L |
| 3 c. à tab | huile végétale | 45 ml |
| 1 | gros oignon, haché | 1 |
| 2 | branches de céleri hachées | 2 |
| 1 | carotte coupée en rondelles | 1 |
| 3 | gousses d'ail écrasées | 3 |
| 2 | feuilles de laurier | 2 |
| 3 | brins de thym frais | 3 |
| 3 | brins de sarriette fraîche | 3 |
| 2 c. à thé | clou de girofle moulu | 10 ml |
| 2 c. à thé | piment de la Jamaïque moulu | 10 ml |
| 1 c. à thé | cannelle moulue | 5 ml |
| 1 c. à thé | sel | 5 ml |
| 1 c. à thé | poivre noir du moulin | 5 ml |

## BOULETTES DE PORC

| | | |
|---|---|---|
| 2 lb | porc haché maigre | 1 kg |
| 1 | gros oignon, râpé | 1 |
| 2 | oeufs | 2 |
| 1/2 t | mie de pain frais, émiettée | 125 ml |
| 1/2 t | persil frais, haché finement | 125 ml |
| 1 c. à thé | sauge moulue | 5 ml |
| 2 c. à thé | clou de girofle moulu | 10 ml |
| 2 c. à thé | piment de la Jamaïque moulu | 10 ml |
| 1 c. à thé | cannelle moulue | 5 ml |
| 1 c. à thé | sel | 5 ml |
| 1 c. à thé | poivre noir du moulin | 5 ml |
| 2 t | bouillon de poulet | 500 ml |
| 1 t | farine grillée | 250 ml |

## PRÉPARATION DES PATTES DE PORC

1   Dans une grande casserole, mettre les jarrets de porc et les couvrir de l'eau froide. Ajouter le reste des ingrédients. Porter à ébullition. Réduire le feu, couvrir et laisser mijoter de 2 heures 30 minutes à 3 heures ou jusqu'à ce que la chair des jarrets se détache facilement (écumer de temps à autre). Retirer la casserole du feu et laisser refroidir.

2   Retirer les jarrets de porc de la casserole, les mettre dans une assiette et les laisser refroidir. Dans une passoire fine placée sur un grand bol, filtrer le liquide de cuisson. Couvrir d'une pellicule de plastique et réfrigérer jusqu'au lendemain.

3   Lorsque les pattes de porc ont suffisamment refroidi pour se manipuler facilement, retirer et jeter le gras qui les recouvre, puis les désosser (jeter les os). Défaire la chair en grosses bouchées et la mettre dans un bol. Couvrir d'une pellicule de plastique et réfrigérer jusqu'au lendemain.

## PRÉPARATION DES BOULETTES

4   Dans un grand bol, mélanger tous les ingrédients des boulettes de porc, sauf le bouillon de poulet et la farine grillée. Façonner la préparation en boulettes d'environ 2 po (5 cm) de diamètre. Réserver.

5   Entre-temps, dégraisser le liquide de cuisson refroidi, le verser dans une grande casserole et ajouter le bouillon de poulet. Porter à ébullition à feu vif à découvert. Réduire à feu moyen et écumer au besoin.

6   Dans un bol, verser 2 t (500 ml) du bouillon chaud. Saupoudrer de 2/3 t (160 ml) de la farine grillée et mélanger à l'aide d'un fouet jusqu'à ce que le mélange forme une pâte. Incorporer ce mélange au reste du bouillon en fouettant sans arrêt. Laisser mijoter, en brassant de temps à autre, pendant 15 minutes ou jusqu'à ce que la sauce ait épaissi. Ajouter délicatement les boulettes de porc réservées et cuire pendant 20 minutes. Réduire le feu, ajouter la viande des jarrets de porc et poursuivre la cuisson pendant 30 minutes. (Si la sauce n'est pas assez épaisse, ajouter le reste de la farine grillée en la saupoudrant et cuire en brassant pendant 15 minutes.)

PAR PORTION: cal.: 480; prot.: 50 g; m.g.: 23 g (8 g sat.); chol.: 174 mg; gluc.: 17 g; fibres: 1 g; sodium: 854 mg.

# Jambon à l'ananas

10 À 12 PORTIONS • PRÉPARATION: 25 MIN • CUISSON: 2 H 30 MIN À 3 H 10 MIN

## JAMBON BOUILLI À LA BIÈRE

| | | |
|---|---|---|
| 1 | demi-fesse de jambon avec l'os (5 lb/2,5 kg en tout) | 1 |
| 4 t | eau froide (environ) | 1 L |
| 4 t | bière | 1 L |
| 1 t | mélasse | 250 ml |
| 2 | oignons coupés en quartiers | 2 |
| 1 | carotte coupée en morceaux | 1 |
| 1 | branche de céleri coupée en morceaux | 1 |
| 1 | feuille de laurier | 1 |
| 10 | clous de girofle | 10 |
| 1/2 t | cassonade | 125 ml |
| 1/2 t | chapelure | 125 ml |
| 1 c. à tab | moutarde en poudre sel et poivre | 15 ml |

## SAUCE À L'ANANAS

| | | |
|---|---|---|
| 3/4 t | ananas broyé en boîte, égoutté | 180 ml |
| 1 t | jus d'ananas | 250 ml |
| 3/4 t | cassonade | 180 ml |
| 3 c. à tab | fécule de maïs | 45 ml |
| 3 c. à tab | eau froide | 45 ml |

## GARNITURE

| | | |
|---|---|---|
| 1 c. à tab | beurre | 15 ml |
| 6 à 10 | tranches d'ananas | 6 à 10 |
| 6 à 10 | cerises au marasquin | 6 à 10 |

## PRÉPARATION DU JAMBON

1 Dans une grande casserole, mettre le jambon, l'eau, la bière, la mélasse, les oignons, la carotte, le céleri et la feuille de laurier. Saler et poivrer. Porter à ébullition. Réduire à feu doux et laisser mijoter de 2 à 2 1/2 heures. Piquer les clous de girofle dans le jambon et le laisser refroidir dans le liquide de cuisson.

2 Dans un bol, mélanger la cassonade, la chapelure et la moutarde. Ajouter juste assez d'eau pour obtenir une pâte. Mettre le jambon dans un plat allant au four (réserver environ 2 t/500 ml du liquide de cuisson) et le badigeonner du mélange de moutarde. Poursuivre la cuisson au four préchauffé à 400°F (200°C) de 30 à 40 minutes ou jusqu'à ce que le jambon soit doré.

## PRÉPARATION DE LA SAUCE

3 Entre-temps, dans une petite casserole, mélanger l'ananas, le jus d'ananas, la cassonade et le liquide de cuisson réservé. Dans un petit bol, délayer la fécule de maïs dans l'eau froide et verser dans la casserole. Cuire, en brassant, pendant environ 1 minute ou jusqu'à ce que la sauce ait épaissi.

## PRÉPARATION DE LA GARNITURE

4 Dans un poêlon, chauffer le beurre à feu moyen. Ajouter les tranches d'ananas et les faire dorer. Au moment de servir, garnir le jambon des tranches d'ananas et des cerises et napper de la sauce. Couper en tranches.

PAR PORTION: cal.: 405; prot.: 40 g; m.g.: 11 g (4 g sat.); chol.: traces; gluc.: 35 g; fibres: 1 g; sodium: 275 mg.

## Nostalgie

La cuisine de nos mères évoque le terroir gaspésien, des recettes simples à base d'ingrédients locaux. C'est l'odeur de la soupe quand on venait manger le midi, du pain chaud, des pâtisseries et de la confiture aux fraises. Excellente cuisinière, ma mère était une référence pour ses soeurs. Elle était très fière de dire qu'elle n'achetait rien de préparé. J'ai conservé plusieurs recettes, dont sa tarte au caramel, son poulet farci et son six-pâtes gaspésien. Nos mères cuisinaient avec peu de moyens, tandis que celles d'aujourd'hui se préoccupent davantage de faire une cuisine santé, variée et rapide.

Adélia Guité, spécialiste en ressources humaines,
née dans les années 1950

# Jambon glacé à l'érable et au beurre de pomme

14 À 18 PORTIONS • PRÉPARATION: 25 MIN • CUISSON: 2 H • REPOS: 20 MIN

*Pour une jolie présentation, on peut garnir l'assiette de service de demi-poires ou de demi-pommes légèrement braisées au four. Il suffit de badigeonner les fruits coupés d'un peu de la glace à l'érable et de les mettre au four durant les 20 dernières minutes de cuisson du jambon.*

| | | |
|---|---|---|
| 1 | demi-jambon fumé avec l'os, entièrement cuit (8 à 10 lb/4 à 5 kg) | 1 |
| 1/2 t | sirop d'érable | 125 ml |
| 2 c. à tab | moutarde de Dijon | 30 ml |
| 1/4 t | beurre de pomme | 60 ml |
| 1 t | jus de pomme naturel | 250 ml |
| 1 t | eau | 250 ml |

1   À l'aide d'un couteau bien aiguisé, retirer la couenne et, au besoin, amincir la couche de gras à la surface du jambon à environ 1/4 po (5 mm) d'épaisseur (**photo A**). Avec le couteau, faire des entailles d'environ 1/4 po (5 mm) de profondeur à la surface du gras ou de la chair de manière à former des losanges (**photo B**). Déposer le jambon sur la grille d'une rôtissoire.

2   Dans un bol, à l'aide d'un fouet, mélanger le sirop d'érable, la moutarde de Dijon et la moitié du beurre de pomme. À l'aide d'un pinceau, badigeonner le jambon d'environ le quart de la glace à l'érable (**photo C**). Verser le jus de pomme et l'eau dans la rôtissoire (**photo D**).

3   Cuire au four préchauffé à 325°F (160°C) pendant 2 heures ou jusqu'à ce qu'un thermomètre à viande inséré dans la partie la plus charnue du jambon indique 140°F (60°C) (le badigeonner du reste de la glace toutes les 30 minutes). Déposer le jambon sur une planche à découper, le couvrir de papier d'aluminium, sans serrer, et laisser reposer pendant 20 minutes. (Vous pouvez préparer le jambon à l'avance, le laisser refroidir et l'envelopper de papier d'aluminium. Il se conservera jusqu'à 3 jours au réfrigérateur.)

4   Entre-temps, verser le jus de cuisson dans une petite casserole et mettre au congélateur pendant 10 minutes. Dégraisser. Porter à ébullition, baisser le feu et laisser réduire de 8 à 10 minutes. Incorporer le reste du beurre de pomme. Couper le jambon en tranches fines et servir accompagné de la sauce.

PAR PORTION: cal.: 172; prot.: 21 g; m.g.: 5 g (2 g sat.); chol.: 50 mg; gluc.: 8 g; fibres: aucune; sodium: 1 150 mg.

# Nostalgie

Chez nous, la table de cuisine était le coeur de la maisonnée. Papa était l'expert du poisson et des légumes grillés, tandis que maman excellait dans les paellas et les mijotés. Pendant le brunch du dimanche, nous préparions en famille la liste des menus dont nous avions envie en fouillant dans le gros cartable de recettes que mes parents avaient rapporté d'Espagne et du Portugal, où ils sont nés. Nous aimions aussi essayer des recettes d'autres cultures, celles de l'Italie ou du Vietnam par exemple, car nous avions des camarades de toutes les origines.

Mona Ribeiro, fonctionnaire, née au milieu des années 1970,
maman de deux filles et d'un garçon

181

# Tourtières traditionnelles

DONNE 2 TOURTIÈRES DE 6 À 8 PORTIONS CHACUNE • PRÉPARATION: 1 H 30 MIN • CUISSON: 1 H 25 MIN

| | | |
|---|---|---|
| 3 t | pommes de terre pelées et coupées en cubes | 750 ml |
| 4 lb | porc haché maigre | 2 kg |
| 4 t | champignons coupés en tranches | 1 L |
| 1 1/2 t | céleri haché | 375 ml |
| 1 1/2 t | bouillon de poulet | 375 ml |
| 4 | oignons hachés | 4 |
| 6 | gousses d'ail hachées finement | 6 |
| 1 1/2 c. à thé | sel | 7 ml |
| 1 c. à thé | poivre noir du moulin | 5 ml |
| 1 c. à thé | sarriette séchée | 5 ml |
| 1 c. à thé | thym séché | 5 ml |
| 1/2 c. à thé | clou de girofle moulu | 2 ml |
| 1/2 c. à thé | cannelle moulue | 2 ml |
| 2 | feuilles de laurier | 2 |
| | pâte à tarte pour quatre abaisses de 9 po (23 cm) de diamètre (voir recette, p. 183) | |
| 1 | jaune d'oeuf | 1 |
| 2 c. à thé | eau (environ) | 10 ml |

1 Dans une casserole d'eau bouillante salée, cuire les pommes de terre à couvert pendant 12 minutes ou jusqu'à ce qu'elles soient tendres. Égoutter et réduire en purée. Réserver.

2 Entre-temps, dans un poêlon profond, cuire le porc haché à feu moyen-vif pendant 8 minutes ou jusqu'à ce qu'il ait perdu sa teinte rosée. Dégraisser le poêlon.

3 Dans le poêlon, ajouter les champignons, le céleri, le bouillon de poulet, les oignons, l'ail, le sel, le poivre, la sarriette, le thym, le clou de girofle, la cannelle et les feuilles de laurier. Porter à ébullition. Réduire le feu, couvrir et laisser mijoter pendant 25 minutes ou jusqu'à ce que presque tout le liquide se soit évaporé. Retirer les feuilles de laurier. Ajouter la purée de pommes de terre réservée et mélanger. Laisser refroidir.

4 Sur une surface légèrement farinée, abaisser deux disques de pâte à 1/4 po (5 mm) d'épaisseur. Presser délicatement les abaisses dans le fond et sur les côtés de deux assiettes à tarte de 9 po (23 cm) de diamètre. Étendre la moitié de la préparation de viande dans chacune des croûtes. Abaisser deux autres disques de pâte en deux cercles de 11 po (28 cm) de diamètre. Badigeonner le pourtour des tourtières d'un peu d'eau, puis déposer les abaisses sur la garniture à la viande. Presser pour sceller. Couper l'excédent de pâte (réserver les retailles) et canneler le pourtour des tourtières.

5 Rassembler les retailles de pâte réservées et les abaisser. À l'aide d'un petit emporte-pièce, découper des étoiles dans la pâte. (Vous pouvez préparer les tourtières et les étoiles de pâte jusqu'à cette étape et les envelopper séparément. Elles se conserveront jusqu'au lendemain au réfrigérateur ou jusqu'à 2 semaines au congélateur, enveloppées de papier d'aluminium résistant. Décongeler au réfrigérateur.)

6 Dans un petit bol, mélanger le jaune d'oeuf et l'eau. Badigeonner le dessus des tourtières des trois quarts du mélange. Disposer les étoiles de pâte sur les tourtières et les badigeonner du reste du mélange de jaune d'oeuf. Faire des entailles sur le dessus des tourtières pour permettre à la vapeur de s'échapper.

7 Cuire dans le tiers inférieur du four préchauffé à 400°F (200°C) pendant 50 minutes ou jusqu'à ce que la garniture soit chaude et que le dessus des tourtières soit doré. (Si les tourtières ont été congelées, augmenter le temps de cuisson de 20 à 30 minutes et les couvrir de papier d'aluminium après 45 minutes de cuisson. Retirer le papier d'aluminium pour les 10 dernières minutes.)

PAR PORTION: cal.: 649; prot.: 28 g; m.g.: 39 g (18 g sat.); chol.: 171 mg; gluc.: 45 g; fibres: 3 g; sodium: 831 mg.

## Pâte à tarte

DONNE 4 ABAISSES DE 9 PO (23 CM) DE DIAMÈTRE

| | | |
|---|---|---|
| 6 t | farine | 1,5 L |
| 2 c. à thé | sel | 10 ml |
| 1 t | beurre froid, coupé en cubes | 250 ml |
| 1 t | saindoux froid, coupé en cubes | 250 ml |
| 2 | oeufs | 2 |
| 4 c. à thé | vinaigre | 20 ml |
| | eau glacée | |

1   Dans un grand bol, mélanger la farine et le sel. Ajouter le beurre et le saindoux et, à l'aide d'un coupe-pâte ou de deux couteaux, travailler la préparation jusqu'à ce qu'elle ait la texture d'une chapelure grossière.

2   Dans une tasse à mesurer, battre les oeufs avec le vinaigre. Ajouter suffisamment d'eau glacée pour obtenir 1 1/3 t (330 ml) de liquide. Verser le mélange d'oeufs sur la préparation de farine et mélanger jusqu'à ce que la pâte commence à se tenir, sans plus.

3   Diviser la pâte en quatre portions et aplatir chacune en un disque. Envelopper les disques d'une pellicule de plastique et réfrigérer pendant 30 minutes ou jusqu'à ce que la pâte soit froide. (Vous pouvez préparer la pâte à l'avance. Elle se conservera jusqu'à 4 jours au réfrigérateur ou jusqu'à 2 mois au congélateur, dans un sac de congélation.)

Poissons
et fruits de mer

# Du poisson,
## pas seulement le vendredi...

Beaucoup de Québécois nés dans les années 1950 ou avant ont appris à associer le poisson avec les «jours maigres» à cause de la tradition catholique qui voulait qu'on fasse pénitence le vendredi en ne mangeant pas de viande. Les mamans choisissaient souvent de mettre du poisson au menu ce jour-là. Certains croient toujours que poissons et fruits de mer riment avec «privation» et «fadeur». Voilà peut-être pourquoi le répertoire traditionnel québécois n'est pas très riche en produits de la mer sauf, bien sûr, si l'on se rapproche des côtes et que l'on va du côté du Bas-du-fleuve, de la Gaspésie, des Îles-de-la-Madeleine ou de la Côte-Nord.

# Filets de poisson croustillants

4 PORTIONS • PRÉPARATION: 20 MIN • CUISSON: 6 À 8 MIN

| | | |
|---|---|---|
| 8 | filets de sole (2 oz/60 g chacun) | 8 |
| 1/2 t | céréales (de type Corn Flakes) émiettées | 125 ml |
| 1/4 t | parmesan râpé | 60 ml |
| 4 c. à thé | beurre fondu | 20 ml |
| 1 c. à thé | zeste de citron râpé finement | 5 ml |
| | poivre noir du moulin | |
| | quartiers de citron | |

1   Rincer les filets de poisson et les éponger à l'aide d'essuie-tout. En commençant par l'un des côtés courts, rouler les filets, puis les déposer dans un plat peu profond allant au four, légèrement huilé.

2   Dans un petit bol, mélanger les céréales, le parmesan, le beurre et le zeste de citron. Parsemer les filets roulés du mélange de céréales et presser légèrement pour le faire adhérer. Poivrer.

3   Cuire au four préchauffé à 450°F (230°C) de 6 à 8 minutes ou jusqu'à ce que les filets de poisson soient dorés et qu'ils se défassent facilement à la fourchette. Servir avec des quartiers de citron.

PAR PORTION: cal.: 191; prot.: 25 g; m.g.: 7 g (4 g sat.); chol.: 71 mg; gluc.: 7 g; fibres: aucune; sodium: 230 mg.

# Coquilles Saint-Jacques

DONNE 8 COQUILLES (8 PORTIONS EN ENTRÉE OU 4 PORTIONS EN PLAT PRINCIPAL)
• PRÉPARATION: 35 MIN • CUISSON: 15 À 20 MIN

| | | |
|---|---|---|
| 1 lb | petits pétoncles | 500 g |
| 1 lb | petites crevettes, décortiquées et déveinées | 500 g |
| 12 oz | champignons coupés en tranches | 375 g |
| 1 t | vin blanc sec | 250 ml |
| 1 | petit oignon, haché | 1 |
| 1 c. à tab | persil frais, haché | 15 ml |
| 2 c. à tab | jus de citron | 30 ml |
| 1 | pincée de sel | 1 |
| 5 c. à tab | beurre | 75 ml |
| 6 c. à tab | farine | 90 ml |
| 1 t | crème à 10% | 250 ml |
| 2 oz | gruyère râpé | 60 g |
| 1 | pincée de poivre noir du moulin | 1 |
| 1 1/2 t | mie de pain frais émiettée | 375 ml |

1 Dans une casserole, mélanger les pétoncles, les crevettes, les champignons, le vin, l'oignon, le persil, le jus de citron et le sel. Porter à ébullition, réduire à feu moyen-doux et laisser mijoter pendant 5 minutes ou jusqu'à ce que les fruits de mer soient opaques (ne pas trop cuire). Dans une passoire placée sur une tasse à mesurer, égoutter la préparation en réservant 1 t (250 ml) du liquide de cuisson.

2 Dans la casserole, faire fondre 4 c. à tab (60 ml) du beurre à feu moyen. Ajouter la farine et bien mélanger. Verser d'un seul coup la crème et le liquide de cuisson réservé et cuire, en brassant, de 3 à 5 minutes ou jusqu'à ce que la sauce ait épaissi et soit bouillonnante. Retirer du feu. Ajouter le fromage et le poivre et mélanger jusqu'à ce que le fromage ait fondu. Incorporer la préparation de fruits de mer. Répartir la préparation dans 8 coquilles beurrées ou l'étendre dans un plat allant au four beurré.

3 Dans un bol allant au micro-ondes, faire fondre le reste du beurre. Ajouter la mie de pain et mélanger. Répartir le mélange sur les coquilles. Cuire sous le gril préchauffé du four de 2 à 3 minutes ou jusqu'à ce que la préparation soit bouillonnante et que la garniture soit dorée.

PAR COQUILLE: cal.: 305; prot.: 29 g; m.g.; 14 g (8 g sat.); chol.: 150 mg; gluc.: 15 g; fibres: 1 g; sodium: 335 mg.

# Pavés de saumon au basilic

4 PORTIONS • PRÉPARATION: 25 MIN • CUISSON: 20 MIN

| 1 c. à tab | beurre | 15 ml |
| 2 | échalotes françaises hachées finement | 2 |
| 1 t | feuilles de basilic frais, bien tassées | 250 ml |
| 1/2 t | vin blanc sec | 125 ml |
| 1/2 t | fumet de poisson ou bouillon de légumes | 125 ml |
| 1/2 t | crème à 35% | 125 ml |
| 4 | filets de saumon, la peau enlevée (environ 6 oz/175 g chacun) | 4 |
| | sel et poivre du moulin | |

1 Dans une casserole, faire fondre le beurre à feu moyen. Ajouter les échalotes et cuire, en brassant de temps à autre, de 2 à 3 minutes ou jusqu'à ce qu'elles commencent à ramollir. Ajouter le basilic et cuire, en brassant, pendant 2 minutes. Verser le vin blanc et porter à ébullition. Réduire le feu et laisser mijoter pendant 3 minutes. Ajouter le fumet de poisson et la crème et mélanger. Laisser mijoter pendant 5 minutes ou jusqu'à ce que la sauce ait épaissi (pour une sauce de consistance plus lisse, la réduire en purée au robot culinaire). Saler et poivrer.

2 Entre-temps, saler et poivrer les filets de saumon. Chauffer un grand poêlon à surface antiadhésive à feu moyen-vif. Ajouter les filets de saumon et cuire pendant environ 5 minutes, sans les retourner, ou jusqu'à ce que la chair se défasse facilement à la fourchette. Au moment de servir, napper le saumon de la sauce au basilic.

PAR PORTION: cal.: 385; prot.: 36 g; m.g.: 25 g (10 g sat.); chol.: 145 mg; gluc.: 2 g; fibres: traces; sodium: 155 mg.

# Pâté au saumon

6 PORTIONS • PRÉPARATION: 30 MIN • RÉFRIGÉRATION: 30 MIN • CUISSON: 50 MIN

## PÂTE À TARTE

| | | |
|---|---|---|
| 2 3/4 t | farine | 680 ml |
| 1 c. à thé | sel | 5 ml |
| 1/2 lb | saindoux (ou graisse végétale) froid | 250 g |
| 1 | oeuf légèrement battu | 1 |
| 1 c. à thé | vinaigre | 5 ml |
| | eau froide | |

## GARNITURE AU SAUMON

| | | |
|---|---|---|
| 1 c. à tab | huile | 15 ml |
| 1 | gros oignon, haché | 1 |
| 6 à 8 | pommes de terre coupées en quartiers | 6 à 8 |
| 1/2 t | lait chaud | 125 ml |
| 1 | boîte de saumon (de type sockeye), égoutté (7 1/2 oz/213 g) | 1 |

## PRÉPARATION DE LA PÂTE

1  Dans un bol, mélanger la farine et le sel. Ajouter le saindoux et, à l'aide d'un coupe-pâte ou de deux couteaux, travailler la préparation jusqu'à ce qu'elle ait la texture d'une chapelure grossière. Dans une tasse à mesurer, mélanger l'oeuf et le vinaigre et ajouter suffisamment d'eau pour obtenir environ 2/3 t (160 ml) de liquide. Ajouter petit à petit le mélange liquide aux ingrédients secs et mélanger avec les doigts jusqu'à ce que la pâte commence à se tenir. Façonner la pâte en boule et la diviser en quatre portions. Aplatir chaque portion en un disque et les envelopper séparément d'une pellicule de plastique. Réfrigérer pendant 30 minutes.

## PRÉPARATION DE LA GARNITURE

2  Dans un poêlon, chauffer l'huile à feu moyen. Ajouter l'oignon et cuire, en brassant, de 2 à 3 minutes. Dans une casserole d'eau bouillante salée, cuire les pommes de terre de 15 à 20 minutes ou jusqu'à ce qu'elles soient tendres. Égoutter les pommes de terre, les remettre dans la casserole et les réduire en purée avec le lait. Ajouter l'oignon et le saumon et mélanger.

3  Sur une surface de travail légèrement farinée, abaisser le quart de la pâte en un cercle de 11 po (28 cm) de diamètre. Presser l'abaisse dans une assiette à tarte de 9 po (23 cm) de diamètre et couper l'excédent de pâte. Verser la garniture au saumon dans l'abaisse.

4  Abaisser un autre quart du reste de la pâte en un cercle de 11 po (28 cm) de diamètre (réserver le reste de la pâte pour un usage ultérieur). Humecter le pourtour de l'abaisse du dessous et déposer l'abaisse sur la garniture au saumon. Couper l'excédent de pâte en laissant une bordure d'environ 3/4 po (2 cm). Plier la bordure de pâte sous l'abaisse du dessous. Sceller ensemble les deux abaisses en les pressant légèrement et canneler le pourtour. Faire trois entailles sur le dessus du pâté pour permettre à la vapeur de s'échapper. Cuire au four préchauffé à 350°F (180°C) pendant environ 30 minutes ou jusqu'à ce que la croûte soit dorée.

PAR PORTION: cal.: 880; prot.: 21 g; m.g.: 48 g (18 g sat.); chol.: 50 mg; gluc.: 91 g; fibres: 7 g; sodium: 545 mg.

# Filets de poisson poêlés, sauce tartare

4 PORTIONS • PRÉPARATION: 20 MIN • CUISSON: 12 À 16 MIN

| | | |
|---|---|---|
| 1/2 t | mayonnaise légère | 125 ml |
| 1/4 t | cornichons sucrés hachés finement | 60 ml |
| 3 c. à tab | yogourt nature épais (de type balkan) | 45 ml |
| 3 c. à tab | persil frais, haché | 45 ml |
| 1 c. à tab | câpres égouttées, rincées et hachées | 15 ml |
| 2 c. à thé | moutarde de Dijon | 10 ml |
| 1 c. à thé | vinaigre de vin blanc | 5 ml |
| 1 | trait de sauce tabasco | 1 |
| 1/3 t | lait | 80 ml |
| 1/2 t | farine | 125 ml |
| 1/2 c. à thé | sel | 2 ml |
| 1/2 c. à thé | poivre noir du moulin | 2 ml |
| 1 1/2 lb | filets de poisson à chair ferme | 750 g |
| 2 c. à tab | beurre | 30 ml |
| 2 c. à tab | huile d'olive | 30 ml |
| 4 | quartiers de citron | 4 |

1  Dans un bol, mélanger la mayonnaise, les cornichons, le yogourt, 1 c. à tab (15 ml) du persil, les câpres, la moutarde de Dijon, le vinaigre de vin et la sauce tabasco. Réserver. (Vous pouvez préparer la sauce tartare à l'avance et la mettre dans un contenant hermétique. Elle se conservera jusqu'à 1 semaine au réfrigérateur.)

2  Verser le lait dans un plat peu profond. Dans un autre plat peu profond, mélanger la farine, le reste du persil, le sel et le poivre. Tremper les filets de poisson dans le lait en laissant égoutter l'excédent, puis les passer dans le mélange de farine en les retournant pour bien les enrober (secouer pour enlever l'excédent).

3  Dans un poêlon, chauffer la moitié du beurre et de l'huile à feu moyen-vif. Ajouter les filets de poisson, quelques-uns à la fois, et cuire de 6 à 8 minutes ou jusqu'à ce que la chair du poisson se défasse facilement à la fourchette (les retourner à la mi-cuisson; ajouter le reste du beurre et de l'huile, au besoin). Servir avec la sauce tartare réservée et les quartiers de citron.

### De l'anguille fraîche aux filets congelés

Nos ancêtres qui vivaient en zone rurale s'approvisionnaient dans leur environnement immédiat. Si la ferme fournissait la viande, le lait, les oeufs et les produits frais, nombreuses étaient les familles qui comptaient sur la pêche pour améliorer l'ordinaire de leurs menus. Celles qui habitaient près du Saint-Laurent faisaient du troc avec des pêcheurs professionnels pour obtenir éperlans, crabes, anguilles, homards ou esturgeons, des arrivages saisonniers. Les autres se rabattaient sur les ressources des lacs et des rivières. Aujourd'hui, poissons et fruits de mer proviennent souvent de l'étranger et sont élevés en aquaculture, tandis que des savoir-faire traditionnels comme la pêche à l'anguille ou à l'esturgeon se perdent et que des poissons locaux présents en abondance dans nos eaux, tel le maquereau, sont souvent exportés à l'étranger.

PAR PORTION: cal.: 403; prot.: 36 g; m.g.: 20 g (5 g sat.); chol.: 168 mg; gluc.: 19 g; fibres: 1 g; sodium: 780 mg.

# Filets de morue à la provençale

4 PORTIONS • PRÉPARATION: 10 MIN • CUISSON: 15 MIN

*Pour avoir un filet de poisson d'une bonne épaisseur, on suggère ici la morue ou le tilapia.*

| | | |
|---|---|---|
| 1 c. à tab | huile d'olive | 15 ml |
| 1 | oignon coupé en tranches fines | 1 |
| 2 | gousses d'ail hachées finement | 2 |
| 1 | boîte de tomates en dés, égouttées (19 oz/540 ml) | 1 |
| 8 | olives noires coupées en deux | 8 |
| 2 c. à thé | thym frais, haché ou | 10 ml |
| 1/2 c. à thé | thym séché | 2 ml |
| 1 c. à thé | câpres égouttées | 5 ml |
| 4 | filets de poisson de 1/2 à 1 po (1 à 2,5 cm) d'épaisseur (environ 1 lb/500 g en tout) | 4 |
| | brins de thym frais (facultatif) | |

**1** Dans une petite casserole, chauffer l'huile à feu moyen. Ajouter l'oignon et l'ail et cuire, en brassant de temps à autre, pendant 5 minutes ou jusqu'à ce que l'oignon soit tendre. Ajouter les tomates, les olives, le thym et les câpres et porter à ébullition. Réduire à feu moyen et laisser mijoter, à découvert, pendant environ 10 minutes ou jusqu'à ce que presque tout le liquide se soit évaporé.

**2** Entre-temps, mettre les filets de poisson sur une plaque de cuisson tapissée de papier d'aluminium huilé (replier l'extrémité mince des filets dessous). Cuire sous le gril préchauffé du four, à environ 3 à 4 po (8 à 10 cm) de la source de chaleur, de 8 à 12 minutes par pouce (2,5 cm) d'épaisseur ou jusqu'à ce que la chair du poisson se défasse facilement à la fourchette. Au moment de servir, napper chaque portion de la sauce aux tomates et garnir de brins de thym, si désiré.

PAR PORTION: cal.: 161; prot.: 21 g; m.g.: 5 g (1 g sat.); chol.: 48 mg; gluc.: 7 g; fibres: 2 g; sodium: 292 mg.

# Moules aux petits légumes

2 PORTIONS • PRÉPARATION: 20 MIN • CUISSON: 8 À 10 MIN

| 4 lb | moules | 2 kg |
|---|---|---|
| 1 c. à tab | beurre | 15 ml |
| 1 | carotte hachée finement | 1 |
| 1 | poireau, la partie blanche seulement, haché finement | 1 |
| 1 | branche de céleri, avec les feuilles, hachée finement | 1 |
| 4 | oignons verts hachés finement | 4 |
| 2 c. à thé | herbes salées du Bas-du-fleuve (voir recette, p. 69) | 10 ml |
| 1 | tomate épépinée et hachée finement | 1 |
| 1/2 t | vin blanc sec | 125 ml |
| 1/2 c. à thé | sel | 2 ml |
| 1/2 c. à thé | poivre noir du moulin | 2 ml |
| 3 c. à tab | persil frais, haché finement | 45 ml |

1   Rincer les moules et enlever le byssus (la barbe). Jeter les moules dont la coquille est brisée ou qui restent ouvertes lorsqu'on les frappe délicatement sur le comptoir.

2   Dans une grande casserole, faire fondre le beurre à feu doux. Ajouter la carotte, le poireau, le céleri et les oignons verts et cuire, en brassant, pendant 10 minutes.

3   Augmenter à feu moyen-vif. Ajouter les herbes salées, la tomate, le vin blanc, le sel, le poivre, le persil et les moules et mélanger. Couvrir et cuire de 5 à 8 minutes ou jusqu'à ce que les moules s'ouvrent (secouer deux ou trois fois la casserole en cours de cuisson; jeter les moules qui restent fermées).

4   Au moment de servir, répartir les moules dans des bols. Arroser du jus de cuisson et parsemer des légumes.

## VARIANTES

### Moules à l'indienne

Ajouter 1 c. à tab (15 ml) de cari sur les légumes cuits juste avant d'ajouter le liquide. Remplacer les herbes salées par 1/2 c. à thé (2 ml) de sel et le vin blanc par 1/2 t (125 ml) de bouillon de poulet. Ajouter 1/2 t (125 ml) de lait de coco non sucré en même temps que le bouillon et les moules.

### Moules à l'italienne

Omettre la carotte et remplacer le poireau et les oignons verts par un gros oignon haché finement. Ajouter 1 tomate. Au moment d'incorporer les moules et le vin blanc, ajouter 3 gousses d'ail hachées, 1 c. à tab (15 ml) de pâte de tomates, 1 c. à tab (15 ml) de pesto et 1/2 t (125 ml) de crème à 35%.

PAR PORTION: cal.: 581; prot.: 66 g; m.g.: 18 g (6 g sat.); chol.: 167 mg; gluc.: 35 g; fibres: 4 g; sodium: 1 899 mg.

# Pétoncles poêlés, sauce à l'estragon

4 PORTIONS • PRÉPARATION: 20 MIN • CUISSON: 12 MIN

| | | |
|---|---|---|
| 16 | gros pétoncles (environ 1 lb/500 g en tout) | 16 |
| 2 c. à tab | fécule de maïs | 30 ml |
| 1 c. à tab | huile végétale | 15 ml |
| 1 c. à tab | beurre | 15 ml |
| 1 | échalote française hachée finement | 1 |
| 1/4 c. à thé | sel | 1 ml |
| 1/4 c. à thé | poivre noir du moulin | 1 ml |
| 1/3 t | vin blanc sec | 80 ml |
| 1/4 t | crème à 35% | 60 ml |
| 1 c. à tab | estragon frais, haché | 15 ml |
| 1 c. à tab | ciboulette fraîche, hachée | 15 ml |

1   Retirer le muscle (partie dure) sur le côté des pétoncles, puis les éponger. Dans une assiette, mettre la fécule de maïs et y passer les pétoncles en les retournant pour bien les enrober (secouer pour enlever l'excédent). Dans un grand poêlon, chauffer l'huile à feu moyen-vif. Ajouter les pétoncles et cuire pendant environ 4 minutes ou jusqu'à ce qu'ils soient dorés et que la chair devienne opaque (les retourner une fois). Réserver dans une assiette.

2   Essuyer le poêlon et y faire fondre le beurre à feu moyen. Ajouter l'échalote, le sel et le poivre et cuire, en brassant, pendant environ 3 minutes ou jusqu'à ce que l'échalote ait ramolli. Ajouter le vin et cuire, en brassant, pendant environ 2 minutes ou jusqu'à ce qu'il ait réduit de moitié. Ajouter la crème et cuire, en brassant, pendant environ 3 minutes ou jusqu'à ce que la préparation ait réduit de moitié. Ajouter l'estragon et la ciboulette et mélanger. Mettre les pétoncles réservés dans la sauce et réchauffer.

PAR PORTION: cal.: 175; prot.: 10 g; m.g.: 12 g (6 g sat.); chol.: 25 mg; gluc.: 6 g; fibres: traces; sodium: 185 mg.

# Croquettes de poisson

4 PORTIONS • PRÉPARATION: 10 MIN • CUISSON: 10 MIN

| 3 | tranches de pain de blé entier | 3 |
| 1 | paquet de poisson blanc (aiglefin, sole ou flétan) surgelé, décongelé (400 g) | 1 |
| 1 | oeuf | 1 |
| 2 | oignons verts coupés en tranches fines | 2 |
| 1 | branche de céleri hachée finement | 1 |
| | sel et poivre du moulin | |

**1** Au robot culinaire, émietter les tranches de pain de manière à obtenir environ 2 t (500 ml) de mie. Mettre dans un bol.

**2** Dans le robot, ajouter le poisson et le hacher finement. Mettre dans le bol contenant la mie. Ajouter l'oeuf, les oignons verts et le céleri. Saler et poivrer. Bien mélanger. Avec les mains humides, façonner huit croquettes d'environ 1/2 po (1 cm) d'épaisseur en utilisant environ 1/4 t (60 ml) de préparation pour chacune.

**3** Dans un poêlon, chauffer 1 c. à tab (15 ml) d'huile végétale. Ajouter les croquettes de poisson et cuire pendant environ 10 minutes ou jusqu'à ce qu'elles soient dorées (les retourner une fois en cours de cuisson).

## Nostalgie

Pour moi, qui suis née dans le Bas-du-fleuve, cuisine maternelle rime avec pâté aux coques, crabe des neiges et crevettes nordiques. Ma mère et sa belle-mère aimaient bien se taquiner pour savoir qui faisait la meilleure mousse au maquereau ou la meilleure soupe aux huîtres étant donné que maman venait de Matane et que grand-maman Gallant était née à l'Île-du-Prince-Édouard. Au mois d'août, on «descendait» dans l'arrière-pays avec papa pour cueillir des bleuets que maman transformait ensuite en confitures, en tartes, en poudings et en croustades. Soixante-dix ans plus tard, je les prépare encore à Noël avec l'aide de mes trois filles.

Louise Parent, née dans les années 1930, mère de 7 enfants et grand-mère de 17 petits-enfants

PAR PORTION: cal.: 190; prot.: 22 g; m.g.: 6 g (1 g sat.); chol.: 160 mg; gluc.: 11 g; fibres: 2 g; sodium: 570 mg.

# Truite amandine au four

4 PORTIONS • PRÉPARATION: 15 MIN • CUISSON: 8 À 12 MIN

Le goût légèrement acidulé du babeurre est délicieux avec le craquant des amandes grillées. Si on n'a pas de babeurre sous la main, on peut le remplacer par du yogourt nature.

| | | |
|---|---|---|
| 1/4 t | babeurre | 60 ml |
| 1/2 t | chapelure nature | 125 ml |
| 2 c. à tab | persil frais, haché ou | 30 ml |
| 2 c. à thé | persil séché | 10 ml |
| 1/2 c. à thé | moutarde en poudre | 2 ml |
| 1/4 c. à thé | sel | 1 ml |
| 1 | pincée de poivre noir du moulin | 1 |
| 4 | filets de truite, la peau enlevée (environ 1 lb/500 g en tout) | 4 |
| 1/4 t | amandes en tranches, hachées | 60 ml |
| 1 c. à tab | beurre fondu | 15 ml |

**1** Verser le babeurre dans un plat peu profond. Dans un autre plat peu profond, mélanger la chapelure, le persil, la moutarde en poudre, le sel et le poivre. Tremper les filets de truite dans le babeurre en laissant égoutter l'excédent, puis les passer dans le mélange de chapelure en les retournant pour bien les enrober (secouer pour enlever l'excédent).

**2** Mettre les filets de truite sur une plaque de cuisson tapissée de papier d'aluminium huilé, les parsemer des amandes et les arroser du beurre. Cuire au four préchauffé à 450°F (230°C) de 8 à 12 minutes par pouce (2,5 cm) d'épaisseur ou jusqu'à ce que la chair du poisson se défasse facilement à la fourchette.

### Les histoires de pêche des Québécois

C'est connu: les Québécois sont friands de pêche sportive et ils n'hésitent pas à investir des sommes importantes pour aller passer une semaine dans un camp de pêche en région éloignée afin d'avoir la chance de taquiner la truite, le doré, le brochet, voire le saumon pour les plus fortunés. Les chiffres sont impressionnants: selon le ministère des Ressources naturelles et de la Faune du Québec, pas moins de 813 590 adeptes de pêche investissent environ 345 millions de dollars par année dans cette industrie dynamique. Combien parmi ces poissons pêchés se retrouvent dans nos assiettes sous forme de délicieuses recettes? Nous enquêtons sur le sujet...

PAR PORTION: cal.: 200; prot.: 24 g; m.g.: 8 g (2 g sat.); chol.: 56 mg; gluc.: 8 g; fibres: 1 g; sodium: 266 mg.

# Casserole de fruits de mer en croûte

6 PORTIONS • PRÉPARATION: 30 MIN • CUISSON: 50 À 60 MIN

| | | |
|---|---|---|
| 3/4 t | fumet de poisson ou bouillon de poulet | 180 ml |
| 2/3 t | vin blanc sec | 160 ml |
| 1 lb | grosses crevettes crues, décortiquées et déveinées | 500 g |
| 1 lb | gros pétoncles | 500 g |
| 1 1/4 lb | filet de saumon ou d'aiglefin coupé en cubes de 1 1/2 po (4 cm) | 625 g |
| 3 c. à tab | beurre | 45 ml |
| 2 | oignons hachés | 2 |
| 1/4 t | farine | 60 ml |
| 1/4 c. à thé | gingembre moulu | 1 ml |
| 1/4 c. à thé | muscade râpée | 1 ml |
| 1/4 c. à thé | sel | 1 ml |
| 1/4 c. à thé | poivre noir du moulin | 1 ml |
| 1/3 t | crème à cuisson à 15% | 80 ml |
| 1/4 t | persil frais, haché | 60 ml |
| 1/2 c. à thé | thym séché | 2 ml |
| 1/2 | paquet de pâte feuilletée surgelée, décongelée (la moitié d'un paquet de 397 g) | 1/2 |
| 1 | jaune d'oeuf battu | 1 |

1   Dans une grande casserole, porter à ébullition le fumet de poisson et le vin. Ajouter les crevettes et les pétoncles, réduire le feu, couvrir et laisser mijoter pendant environ 2 minutes ou jusqu'à ce que les fruits de mer soient cuits. À l'aide d'une écumoire, retirer les crevettes et les pétoncles du liquide de cuisson et réserver. Porter de nouveau le liquide à ébullition, ajouter le saumon et cuire pendant environ 4 minutes ou jusqu'à ce que la chair se défasse à la fourchette. Retirer le saumon du liquide et réserver avec les fruits de mer. Verser le liquide de cuisson dans une tasse à mesurer et, au besoin, ajouter de l'eau de manière à obtenir 1 t (250 ml) de liquide. Réserver.

2   Dans une casserole, faire fondre le beurre à feu moyen. Ajouter les oignons et cuire, en brassant de temps à autre, pendant 4 minutes ou jusqu'à ce qu'ils aient ramolli. Ajouter la farine, le gingembre, la muscade, le sel et le poivre et cuire, en brassant sans arrêt, pendant 1 minute. Verser petit à petit le liquide de cuisson réservé en brassant à l'aide d'une cuillère de bois. Porter à ébullition, réduire le feu et cuire, en brassant, pendant environ 5 minutes ou jusqu'à ce que la sauce ait épaissi. Incorporer la crème, porter de nouveau à ébullition, puis retirer du feu. Ajouter le persil et le thym et mélanger.

3   Dans un plat allant au four d'une capacité de 6 t (1,5 L) ou 4 ramequins d'une capacité de 1 1/2 t (375 ml), étendre délicatement la préparation de fruits de mer réservée. Verser uniformément la sauce sur les fruits de mer. (Vous pouvez préparer la casserole jusqu'à cette étape, la laisser refroidir pendant 30 minutes, la réfrigérer jusqu'à ce qu'elle soit froide, puis couvrir directement la surface d'une pellicule de plastique. Elle se conservera jusqu'au lendemain au réfrigérateur ou jusqu'à 2 semaines au congélateur, le plat enveloppé de papier d'aluminium et glissé dans un sac à congélation de type Ziploc. Laisser décongeler la veille au réfrigérateur avant de poursuivre la recette.)

4   Sur une surface légèrement farinée, abaisser la pâte feuilletée selon les dimensions du plat ou des ramequins. Badigeonner d'eau le pourtour du plat. Couvrir de l'abaisse en pressant bien sur le pourtour pour sceller. Pratiquer quelques incisions au milieu de l'abaisse pour permettre à la vapeur de s'échapper. Badigeonner uniformément l'abaisse du jaune d'oeuf. Cuire au four préchauffé à 400°F (200°C) de 30 à 40 minutes ou jusqu'à ce que la croûte soit dorée et croustillante.

PAR PORTION: cal.: 585; prot.: 45 g; m.g.: 31 g (12 g sat.); chol.: 230 mg; gluc.: 25 g; fibres: 1 g; sodium: 1 170 mg.

# Bouillabaisse québécoise

4 PORTIONS • PRÉPARATION: 30 MIN • CUISSON: 18 MIN

*Si on le souhaite, on peut ajouter quelques morceaux de homard des Îles à cette bouillabaisse pour une note encore plus festive.*

| | | |
|---|---|---|
| 2 c. à tab | huile d'olive | 30 ml |
| 1 | oignon haché | 1 |
| 1 | poireau, la partie blanche seulement, coupé en tranches fines | 1 |
| 3 | gousses d'ail hachées finement | 3 |
| 2 | branches de céleri hachées | 2 |
| 2 | carottes coupées en tranches | 2 |
| 1 1/2 t | tomates en dés, égouttées | 375 ml |
| 1 t | vin blanc sec | 250 ml |
| 3 t | fumet de poisson | 750 ml |
| 3 | brins de persil italien frais | 3 |
| 1 c. à thé | sel de mer | 5 ml |
| 1 | feuille de laurier | 1 |
| 1 | pincée de filaments de safran | 1 |
| 20 oz | filets de poisson blanc à chair ferme (morue ou autre), coupés en cubes de 1 1/2 po (4 cm) | 625 g |
| 8 | gros pétoncles | 8 |
| 12 | grosses crevettes, décortiquées et déveinées | 12 |
| | rouille (voir recette) | |
| 8 | croûtons de pain baguette | 8 |
| 2 c. à tab | persil italien frais, haché | 30 ml |
| | poivre noir du moulin | |

1 Dans une grande casserole, chauffer l'huile à feu moyen. Ajouter l'oignon, le poireau, l'ail, le céleri et les carottes et cuire, en brassant de temps à autre, pendant 5 minutes ou jusqu'à ce qu'ils aient ramolli. Ajouter les tomates, le vin, le fumet de poisson, les brins de persil, le sel, la feuille de laurier et le safran et mélanger. Porter à ébullition, réduire le feu et laisser mijoter pendant 2 minutes. Ajouter le poisson et laisser mijoter pendant 5 minutes. Ajouter les pétoncles et les crevettes et poursuivre la cuisson pendant environ 5 minutes ou jusqu'à ce que le poisson se défasse facilement à la fourchette (ne pas trop cuire). Poivrer.

2 Au moment de servir, déposer une cuillerée de rouille sur chaque croûton. Répartir la bouillabaisse dans les bols et parsemer du persil haché. Garnir chaque portion de 2 croûtons.

## Rouille

| | | |
|---|---|---|
| 2 c. à tab | mie de pain frais, émiettée | 30 ml |
| 2 | gousses d'ail coupées en morceaux | 2 |
| 1 | pincée de sel | 1 |
| 1/4 c. à thé | piment de Cayenne | 1 ml |
| 1/4 t | huile d'olive | 60 ml |

1 Dans un mortier, à l'aide d'un pilon, écraser ensemble la mie de pain, l'ail, le sel et le piment de Cayenne jusqu'à ce que le mélange forme une pâte (au besoin, ajouter un peu de bouillon de la bouillabaisse pour obtenir une texture plus homogène). Mettre la pâte d'ail dans un petit bol. À l'aide d'un fouet, incorporer l'huile en filet, en fouettant sans arrêt pendant environ 2 minutes ou jusqu'à ce que la rouille ait épaissi et pâli. (Vous pouvez préparer la rouille à l'avance et la couvrir. Elle se conservera jusqu'à 2 jours au réfrigérateur.)

PAR PORTION: cal.: 455; prot.: 40 g; m.g.: 23 g (3 g sat.); chol.: 77 mg; gluc.: 22 g; fibres: 2 g; sodium: 935 mg.

# Casserole de nouilles au thon

4 À 6 PORTIONS • PRÉPARATION: 20 MIN • CUISSON: 34 MIN

| | | |
|---|---|---|
| 1 c. à tab | huile végétale | 15 ml |
| 1 | oignon haché | 1 |
| 3 | gousses d'ail hachées finement | 3 |
| 2 | branches de céleri hachées | 2 |
| 1 1/2 t | champignons coupés en tranches fines | 375 ml |
| 1/4 c. à thé | poivre noir du moulin | 1 ml |
| 1/4 t | farine | 60 ml |
| 2 t | lait écrémé | 500 ml |
| 1/4 t | sauce soja réduite en sodium | 60 ml |
| 1 c. à tab | moutarde de Dijon | 15 ml |
| 8 oz | nouilles aux oeufs larges | 250 g |
| 2 | boîtes de thon conservé dans l'eau, égoutté (6 oz/170 g chacune) | 2 |
| 2 | carottes râpées | 2 |
| 3 | oignons verts coupés en tranches fines | 3 |
| 1/2 t | mie de pain frais, émiettée | 125 ml |
| 3/4 t | cheddar allégé, râpé | 180 ml |
| 2 c. à tab | persil frais, haché finement | 30 ml |

1 Dans un grand poêlon, chauffer l'huile à feu moyen-vif. Ajouter l'oignon, l'ail, le céleri, les champignons et le poivre et cuire, en brassant de temps à autre, pendant environ 8 minutes ou jusqu'à ce que le liquide se soit évaporé. Parsemer de la farine et poursuivre la cuisson, en brassant, pendant 1 minute. À l'aide d'un fouet, ajouter le lait, la sauce soja et la moutarde. Porter à ébullition. Réduire à feu moyen et laisser mijoter pendant environ 5 minutes ou jusqu'à ce que la sauce ait épaissi.

2 Entre-temps, dans une grande casserole d'eau bouillante salée, cuire les nouilles pendant environ 8 minutes ou jusqu'à ce qu'elles soient al dente. Égoutter les nouilles en réservant 1 t (250 ml) de l'eau de cuisson et les remettre dans la casserole. Ajouter l'eau de cuisson réservée, la sauce aux champignons, le thon, les carottes et les oignons verts et mélanger pour bien enrober les nouilles.

3 Étendre la préparation de nouilles dans un plat en verre allant au four de 8 po (20 cm) de côté, huilé. Parsemer de la mie de pain et du fromage. Cuire au four préchauffé à 375°F (190°C) pendant environ 20 minutes ou jusqu'à ce que le dessus de la préparation soit doré. Au moment de servir, parsemer du persil.

## VARIANTES SANTÉ

Remplacer la sauce soja par une quantité égale de consommé ou de bouillon de boeuf réduit en sodium pour diminuer le sodium de moitié.

Remplacer le thon par du saumon en conserve dont on aura broyé et incorporé les arêtes pour augmenter l'apport en calcium (l'équivalent de presque 1/2 t/125 ml de lait par portion) et en oméga-3, des gras bénéfiques pour les yeux, le cerveau et le coeur.

PAR PORTION: cal.: 340; prot.: 27 g; m.g.: 5 g (2 g sat.); chol.: 55 mg; gluc.: 45 g; fibres: 3 g; sodium: 735 mg.

## Nostalgie

À chaque Noël, lorsque j'étais adolescent, je préparais les recettes familiales avec ma mère. Aujourd'hui, je perpétue cette tradition avec ma femme et nos petits lutins. Nous préparons biscuits au cheddar vieilli, galettes à la confiture, sablés, pacanes sucrées-épicées, pound cake au citron, beignes, pains gumbo ou au poulet et sucre à la crème. Ma curiosité culinaire a été éveillée à un jeune âge et c'est ce que je veux transmettre à mes enfants. Aujourd'hui, je cuisine autant la semaine que le week-end pour exprimer ma créativité. C'est pour moi une détente, une belle façon de gâter mes proches et de partager.

Nicolas Archambault, directeur général d'une maison de soins palliatifs, né dans les années 1980, père d'un garçon et de deux filles

Desserts

# Le royaume
## de la dent sucrée

Lorsqu'on voyage en Afrique du Nord, en Espagne, en Italie, en Grèce ou au Vietnam, on est surpris de constater combien ces cultures anciennes ont un répertoire limité de desserts et de friandises: crème à l'eau de rose ou de fleur d'oranger aux pistaches, yogourt au miel, cannolis à la ricotta, bananes frites... tout cela est bien sage.

Pour la plupart des Québécois, un bon repas sans dessert sucré est aussi triste et gris qu'un jour de pluie. Notre dent sucrée s'expliquerait par plusieurs facteurs, dont notre héritage français et sa riche tradition pâtissière, une certaine influence américaine et ces longs mois d'hiver qui créent un besoin accru en glucides. Sans parler des matières premières inspirantes comme le sirop d'érable ou le miel de nos ruches. Alors, à tout seigneur tout honneur: voici une variété de desserts simples, bien sucrés et qui goûtent bon l'enfance.

Confitures, poudings
et croustades

# L'art de la mise en pot, pour étirer l'été

Pour nos aïeules, la fabrication de conserves sucrées visait à ajouter de la variété au menu et à maintenir le moral de la famille même lorsque le blizzard ferait rage. Quoi de mieux qu'une tartine à la confiture de fraises ou à la mélasse au retour de l'école, alors que le mercure se tient obstinément sous zéro et qu'il fait nuit noire dès 16 h 30 ? Les femmes profitaient donc de l'abondance de la belle saison pour préparer ces précieuses réserves de «douceurs en pot». Confitures de petits fruits, gelée de gadelles noires, de cerises amères ou de pommettes, beurre de pomme ou de fraise, compote de rhubarbe ou de prunes, poires et cerises dans le sirop représentaient une corvée supplémentaire pour ces femmes qui trimaient déjà dur du matin jusqu'au soir et qui mettaient aussi en conserve les légumes du jardin. Pensons à elles avec tendresse et reconnaissance lorsque nous nous amuserons entre copines à faire des confitures...

# Confiture de pêches

DONNE ENVIRON 5 POTS DE 1 T (250 ML) CHACUN • PRÉPARATION: 40 MIN • CUISSON: 10 MIN
• TRAITEMENT: 10 MIN

*Si on peut en trouver, les pêches teintées de rouge donneront une belle couleur appétissante à la confiture.*

| | | |
|---|---|---|
| 6 t | pêches pelées, coupées en tranches | 1,5 L |
| 2 c. à tab | jus de citron | 30 ml |
| 1 | paquet de cristaux de pectine légère (49 g) | 1 |
| 3 1/2 t | sucre | 875 ml |

1  Dans une grande casserole à fond épais, à l'aide d'un presse-purée, écraser les pêches. Ajouter le jus de citron et mélanger. Dans un bol, mélanger la pectine et 1/4 t (60 ml) du sucre. Ajouter le mélange de pectine à la purée de pêches et mélanger. Porter à ébullition, en brassant de temps à autre. Ajouter le reste du sucre et mélanger. Porter de nouveau à ébullition et laisser bouillir à gros bouillons, en brassant, pendant 1 minute. Retirer la casserole du feu et écumer la confiture.

2  À l'aide d'une louche et d'un entonnoir, répartir la confiture chaude dans cinq pots en verre chauds stérilisés d'une capacité de 1 t (250 ml) chacun jusqu'à 1/4 po (5 mm) du bord. À l'aide d'une spatule en caoutchouc, enlever les bulles d'air. Essuyer le col de chaque pot, au besoin, puis mettre le couvercle (ne pas trop serrer). Traiter à la chaleur pendant 10 minutes (pour plus de détails, voir Pour une mise en conserve réussie, p. 211).

PAR PORTION de 1 c. à tab (15 ml): cal.: 41; prot: traces; m.g.: aucune (aucun sat.); chol.: aucun; gluc.: 11 g; fibres: traces; sodium: 1 mg.

# Confiture de bleuets

DONNE ENVIRON 6 POTS DE 1 T (250 ML) CHACUN • PRÉPARATION: 30 MIN • CUISSON: 10 MIN
• TRAITEMENT: 10 MIN

| | | |
|---|---|---|
| 8 t | bleuets | 2 L |
| 1 t | eau | 250 ml |
| 1 | paquet de cristaux de pectine légère (49 g) | 1 |
| 2 1/2 t | sucre | 625 ml |

1  Dans une grande casserole à fond épais, à l'aide d'un presse-purée, écraser les bleuets. Ajouter l'eau et mélanger. Dans un bol, mélanger la pectine et 1/4 t (60 ml) du sucre. Ajouter le mélange de pectine à la purée de bleuets et mélanger. Porter à ébullition en brassant de temps à autre. Ajouter le reste du sucre et mélanger. Porter de nouveau à ébullition et laisser bouillir à gros bouillons, en brassant, pendant 1 minute. Retirer la casserole du feu et écumer la confiture.

2  À l'aide d'une louche et d'un entonnoir, répartir la confiture chaude dans six pots en verre chauds stérilisés d'une capacité de 1 t (250 ml) chacun jusqu'à 1/4 po (5 mm) du bord. À l'aide d'une spatule en caoutchouc, enlever les bulles d'air. Essuyer le col de chaque pot, au besoin, puis mettre le couvercle (ne pas trop serrer). Traiter à la chaleur pendant 10 minutes (pour plus de détails, voir Pour une mise en conserve réussie, p. 211).

PAR PORTION de 1 c. à tab (15 ml): cal.: 28; prot.: aucune; m.g.: aucune (aucun sat.); chol.: aucun; gluc.: 7 g; fibres: traces; sodium: 1 mg.

Confiture de pêches

Gelée de pommettes
(Recette, p. 210)

Confiture de bleuets

# Gelée de pommettes

DONNE ENVIRON 8 POTS DE 1 T (250 ML) CHACUN • PRÉPARATION: 40 MIN • CUISSON: 40 MIN
• ÉGOUTTAGE: 2 H • TRAITEMENT: 10 MIN

*La couleur de cette gelée peut varier du corail au rouge: tout dépend des pommettes (variété de petites pommes sauvages qu'on trouve dans les marchés de la fin de septembre jusqu'à Noël). Pour la préparer, on doit se procurer des sacs à gelée (dans les boutiques d'accessoires de cuisine) ou utiliser une double épaisseur d'étamine.*

| 6 lb | pommettes lavées | 3 kg |
| 6 t | eau | 1,5 L |
| 4 1/2 t | sucre | 1,125 ml |

1  Couper les deux extrémités des pommettes. Mettre les pommettes dans une grande casserole sans les peler ni les évider. Ajouter l'eau et porter à ébullition. Réduire le feu, couvrir et laisser mijoter, en brassant de temps à autre, pendant environ 10 minutes ou jusqu'à ce qu'elles aient ramolli. Retirer la casserole du feu. À l'aide d'un presse-purée, écraser les pommettes. Poursuivre la cuisson à feu doux pendant 5 minutes.

2  Verser la préparation dans un sac à gelée ou une passoire tapissée d'étamine (coton à fromage). Fermer le sac ou attacher l'étamine à l'aide d'une ficelle. Accrocher le sac à une poignée d'armoire et placer un grand bol dessous. Laisser égoutter, sans presser, pendant environ 2 heures ou jusqu'à ce qu'il y ait environ 6 1/2 t (1,625 L) de jus dans le bol (au besoin, ajouter jusqu'à 1 1/2 t/375 ml d'eau).

3  Dans une grande casserole propre, mélanger le jus de pommettes et le sucre. Porter à ébullition, en brassant sans arrêt. Laisser bouillir de 15 à 18 minutes ou jusqu'à ce que la préparation ait atteint le point de gélification (voir Astuces). Retirer la casserole du feu et écumer la gelée.

4  À l'aide d'une louche et d'un entonnoir, verser la gelée chaude dans huit pots en verre chauds stérilisés d'une capacité de 1 t (250 ml) chacun jusqu'à 1/4 po (5 mm) du bord. À l'aide d'une spatule en caoutchouc, enlever les bulles d'air. Essuyer le col de chaque pot, au besoin, puis mettre le couvercle (ne pas trop serrer). Traiter à la chaleur pendant 10 minutes (pour plus de détails, voir Pour une mise en conserve réussie, p. 211).

## Astuces

• Pour vérifier si notre préparation de gelée a atteint le point de gélification, on peut faire le test suivant. Mettre quelques petites assiettes au congélateur au moment de commencer la recette. Lorsque la préparation a suffisamment bouilli (selon le temps indiqué dans la recette), retirer la casserole du feu. Déposer 1 c. à thé (5 ml) de gelée dans une des assiettes et congeler pendant 1 minute. Passer le doigt à la surface de la gelée: si elle plisse, la gelée est prête; sinon, remettre la casserole sur le feu pendant quelques minutes et répéter le test.

• Si on n'a pas de marmite conçue pour le traitement des conserves, on peut utiliser une grande casserole profonde munie d'un couvercle et y placer une grille à pâtisserie ronde. Idéalement, la profondeur de la casserole doit excéder la hauteur des pots d'au moins 3 po (8 cm). La grille sert à isoler les pots du fond de la casserole. À défaut de grille à pâtisserie, on peut couvrir le fond avec quelques anneaux supplémentaires attachés ensemble au préalable.

PAR PORTION de 1 c. à tab (15 ml): cal.: 30; prot.: aucune; m.g.: aucune (aucun sat.); chol.: aucun; gluc.: 8 g; fibres: aucune; sodium: aucun.

# Pour une mise en conserve réussie

*Quelques règles de base pour que nos précieux petits pots se conservent toute l'année*

- Les pots ne doivent pas être abîmés et les couvercles doivent être neufs.
- Environ 30 minutes avant de remplir les pots, remplir aux deux tiers d'eau chaude une marmite munie d'un support. Couvrir et faire chauffer.
- Dix minutes avant le remplissage, déposer les pots sur le support et chauffer jusqu'à ce que l'eau soit chaude mais non bouillante (environ 182°F/82°C). Les garder au chaud jusqu'au moment de les utiliser.
- Juste avant le remplissage, mettre les couvercles à bord de caoutchouc dans une petite casserole d'eau chaude mais non bouillante (environ 182°F/82°C) jusqu'à ce que le caoutchouc ait ramolli (environ 5 minutes). Les garder au chaud jusqu'au moment de les utiliser.
- Remplir les pots à l'aide d'une louche et d'un entonnoir non métalliques, d'une écumoire ou d'une pince, en respectant la hauteur de remplissage recommandée dans la recette.
- Enlever les bulles d'air à l'aide d'un ustensile non métallique comme une spatule en caoutchouc, en remuant délicatement la préparation. Ajuster la hauteur de remplissage, au besoin.
- Essuyer le col de chaque pot, au besoin.
- Centrer le couvercle sur le pot et visser l'anneau jusqu'au point de résistance (ne pas trop serrer).
- Pour traiter à la chaleur, déposer les pots pleins dans la marmite d'eau chaude. Les pots doivent être couverts d'au moins 1 po (2,5 cm) d'eau; ajouter de l'eau chaude, au besoin. Couvrir la marmite et porter à ébullition. Commencer alors à calculer le temps de traitement indiqué dans la recette.
- Après le traitement à la chaleur, éteindre le feu, retirer le couvercle de la marmite et laisser reposer les pots 5 minutes avant de les retirer (les retirer avant le temps prescrit risque d'entraîner une perte d'étanchéité).

- Retirer le support de la marmite avec les pots. À l'aide d'une pince, déposer les pots sur une grille et les laisser refroidir pendant 24 heures, sans les toucher (ne pas resserrer les anneaux).
- Vérifier le scellement en exerçant une légère pression du doigt sur le couvercle. Celui-ci doit s'incurver vers le bas et ne pas bouger. Resserrer les anneaux, au besoin.
- Réfrigérer les pots mal scellés et consommer leur contenu dans les 3 semaines.
- Étiqueter les pots et les ranger dans un endroit frais et sec, à l'abri de la lumière. Ils se conserveront ainsi pendant environ 1 an.

# Pommes chaudes au caramel et aux pacanes

DONNE 6 POMMES • PRÉPARATION: 20 MIN • CUISSON: 30 MIN • REPOS: 15 MIN

*On trouve les caramels au beurre salé dans les confiseries et les épiceries fines. Sinon, on peut les remplacer par des caramels mous ordinaires (de type Kraft).*

| | | |
|---|---|---|
| 6 | pommes (de type Cortland, Empire ou Gala) | 6 |
| 12 | petits caramels mous au beurre salé | 12 |
| 1/3 t | pacanes hachées grossièrement | 80 ml |
| 1 c. à tab | cassonade ou sucre roux | 15 ml |
| | crème glacée à la vanille (facultatif) | |

1   À l'aide d'un petit couteau, découper une cavité en forme de cône sur le dessus de chaque pomme. À l'aide d'une cuillère parisienne, retirer le coeur des pommes jusqu'à 1/2 po (1 cm) de la base. Déposer un caramel au fond de chaque cavité. Couvrir de 2 c. à thé (10 ml) de pacanes et coiffer d'un autre caramel. Replacer les cônes sur les pommes. Parsemer chaque pomme de 1/2 c. à thé (2 ml) de cassonade.

2   Déposer les pommes dans un plat en verre peu profond allant au four. Verser 1/2 po (1 cm) d'eau au fond du plat. Cuire au centre du four préchauffé à 350°F (180°C) pendant environ 30 minutes ou jusqu'à ce que les pommes aient ramolli (couvrir le plat de papier d'aluminium à la mi-cuisson). Retirer du four et laisser refroidir pendant 15 minutes.

3   Au moment de servir, mettre une pomme dans chaque assiette et accompagner de crème glacée à la vanille, si désiré.

PAR POMME: cal.: 220; prot.: 2 g; m.g.: 6 g (1 g sat.); chol.: traces; gluc.: 43 g; fibres: 5 g; sodium: 50 mg.

# Pêches grillées à l'érable

DONNE 4 PORTIONS • PRÉPARATION: 15 MIN • CUISSON: 15 MIN

| | | |
|---|---|---|
| 4 | pêches fermes, pelées, coupées en deux et dénoyautées | 4 |
| 1/2 t | sirop d'érable | 125 ml |
| 1/4 c. à thé | noix de muscade râpée ou cardamome moulue | 1 ml |
| 2 t | crème glacée (ou yogourt glacé) à la vanille | 500 ml |

1  **Sur le barbecue** Régler le barbecue au gaz à puissance moyenne-faible. Mettre les pêches, le côté coupé dessous, sur la grille huilée du barbecue. Fermer le couvercle et cuire pendant 7 minutes. Retourner les pêches, les badigeonner du quart du sirop d'érable et les parsemer de la muscade. Poursuivre la cuisson pendant environ 8 minutes ou jusqu'à ce que les pêches soient tendres. Servir avec la crème glacée et arroser du reste du sirop d'érable.

2  **Au four** Mettre les pêches, le côté coupé dessous, dans un plat allant au four légèrement huilé. Cuire de 4 à 5 minutes sous le gril préchauffé du four, à environ 4 po (10 cm) de la source de chaleur. Retourner les pêches, les badigeonner du quart du sirop d'érable et les parsemer de la muscade. Poursuivre la cuisson de 5 à 7 minutes pour obtenir une jolie caramélisation (surveiller la cuisson pour s'assurer qu'elles ne brûlent pas). Servir avec la crème glacée et arroser du reste du sirop d'érable.

PAR PORTION: cal.: 273; prot.: 3 g; m.g.: 8 g (5 g sat.); chol.: 29 mg; gluc.: 51 g; fibres: 2 g; sodium: 56 mg.

# Pouding-chômeur

8 À 10 PORTIONS • PRÉPARATION: 10 MIN • CUISSON: 45 MIN

| 2 t | cassonade | 500 ml |
| 1 1/2 t | eau | 375 ml |
| 1/2 t | beurre ramolli | 125 ml |
| 3/4 t | sucre | 180 ml |
| 2 | oeufs battus | 2 |
| 1/2 c. à thé | vanille | 2 ml |
| 1 1/2 t | farine | 375 ml |
| 1 c. à tab | poudre à pâte | 15 ml |
| 1/2 t | lait | 125 ml |

1   Dans une casserole, mélanger la cassonade et l'eau et porter à ébullition. Laisser bouillir pendant environ 15 minutes. Verser le sirop dans un plat allant au four de 8 po (20 cm) de côté. Réserver.

2   Entre-temps, dans un grand bol, à l'aide d'un batteur électrique, battre le beurre et le sucre jusqu'à ce que la préparation soit crémeuse. Ajouter les oeufs et la vanille et battre jusqu'à ce que la préparation soit homogène. Dans un autre bol, mélanger la farine et la poudre à pâte. Incorporer les ingrédients secs à la préparation de beurre, en alternant avec le lait. Laisser tomber la pâte par grosses cuillerées sur le sirop réservé.

3   Cuire au four préchauffé à 350°F (180°C) de 25 à 30 minutes ou jusqu'à ce que le dessus du pouding soit doré et qu'un cure-dents inséré au centre en ressorte propre.

PAR PORTION: cal.: 320; prot.: 4 g; m.g.: 11 g (6 g sat.); chol.: 65 mg; gluc.: 54 g; fibres: 1 g; sodium: 145 mg.

# Pouding au pain

6 À 8 PORTIONS • PRÉPARATION: 15 MIN • CUISSON: 35 MIN

| 3 t | lait | 750 ml |
| 1 c. à thé | vanille | 5 ml |
| 1 | pincée de muscade | 1 |
| 5 ou 6 | tranches de pain sec, coupées en cubes de 1/2 po (1 cm) | 5 ou 6 |
| 1/2 t | cassonade | 125 ml |
| 1/2 t | raisins secs dorés | 125 ml |
| 2 | oeufs battus | 2 |
| 2 c. à tab | beurre froid, coupé en dés | 30 ml |
| | sirop d'érable | |

1   Dans une petite casserole, chauffer le lait à feu doux jusqu'à ce qu'il soit fumant. Ajouter la vanille et la muscade et mélanger.

2   Entre-temps, mettre le pain dans un plat allant au four de 8 po (20 cm) de côté, beurré. Ajouter la cassonade, les raisins secs et la moitié des oeufs battus, en alternant avec le lait chaud. Bien mélanger. Verser le reste des oeufs sur la préparation et parsemer du beurre.

3   Cuire au four préchauffé à 375°F (190°C) pendant 35 minutes ou jusqu'à ce que le dessus du pouding soit doré. Servir chaud arrosé d'un filet de sirop d'érable.

PAR PORTION: cal.: 190; prot.: 6 g; m.g.: 6 g (3 g sat.); chol.: 60 mg; gluc.: 37 g; fibres: 1 g; sodium: 180 mg.

Pouding-chômeur

# Pouding aux fraises

8 À 10 PORTIONS • PRÉPARATION: 15 MIN • CUISSON: 1 H

Pour cette recette, on peut aussi utiliser des fraises
surgelées entières, non décongelées.

| 2 | cassots de fraises fraîches, équeutées et coupées en deux (environ 4 t/1 L) | 2 |
| 1 t | sucre (environ) | 250 ml |
| 2 c. à tab | graisse végétale | 30 ml |
| 1 1/2 t | farine | 375 ml |
| 1 c. à tab | poudre à pâte | 15 ml |
| 1 | pincée de sel | 1 |
| 1 t | lait | 250 ml |

1  Étendre uniformément les fraises dans un poêlon allant au four de 11 po (28 cm) de diamètre ou un plat en verre allant au four de 8 po (20 cm) de côté. Parsemer d'environ 1/2 t (125 ml) du sucre. Réserver.

2  Dans un grand bol, mélanger le reste du sucre et la graisse végétale. Dans un petit bol, mélanger la farine, la poudre à pâte et le sel. Incorporer les ingrédients secs à la préparation de graisse végétale, en alternant avec le lait. Laisser tomber la pâte par grosses cuillerées sur les fraises réservées. Parsemer d'un peu de sucre.

3  Cuire au four préchauffé à 350°F (180°C) pendant environ 1 heure ou jusqu'à ce que le dessus du pouding soit doré.

PAR PORTION: cal.: 200; prot.: 3 g; m.g.: 3 g (1 g sat.); chol.: traces; gluc.: 40 g; fibres: 2 g; sodium: 170 mg.

# Pouding au riz au four

6 PORTIONS • PRÉPARATION: 25 MIN • CUISSON: 1 H 20 MIN À 1 H 35 MIN

| 3/4 t | riz non cuit, rincé | 180 ml |
| 2 t | eau | 500 ml |
| 1 | pincée de sel | 1 |
| 2 t | lait chaud | 500 ml |
| 1 | pincée de muscade | 1 |
| 3 | oeufs | 3 |
| 1 t | sucre | 250 ml |
| 1 t | lait froid | 250 ml |
| 1 c. à tab | beurre froid, coupé en dés | 15 ml |
| | sirop d'érable (facultatif) | |

1  Dans une casserole, mettre le riz, l'eau et le sel et porter à ébullition. Couvrir et laisser mijoter à feu doux pendant environ 20 minutes. Ajouter le lait chaud et mélanger. Couvrir et poursuivre la cuisson à feu doux pendant 15 minutes. Retirer la casserole du feu et incorporer la muscade.

2  Entre-temps, dans un bol, à l'aide d'un fouet, mélanger les oeufs, le sucre et le lait froid jusqu'à ce que le sucre soit dissous. Incorporer le mélange d'oeufs au riz. Étendre la préparation dans un plat allant au four de 8 po (20 cm) de côté, légèrement beurré. Parsemer du beurre. Cuire au four préchauffé à 200°F (95°C) de 45 minutes à 1 heure. Au moment de servir, arroser d'un filet de sirop d'érable, si désiré.

PAR PORTION: cal.: 255; prot.: 10 g; m.g.: 7 g (3 g sat.); chol.: 155 mg; gluc.: 59 g; fibres: 1 g; sodium: 170 mg.

*Pouding aux fraises*

# Pouding au riz crémeux

6 PORTIONS • PRÉPARATION: 15 MIN • CUISSON: 40 MIN

| | | |
|---|---|---|
| 2 c. à tab | beurre | 30 ml |
| 1/2 t | riz à grain rond (de type arborio) | 125 ml |
| 1/4 c. à thé | cannelle moulue | 1 ml |
| 4 t | lait à 3,25% | 1 L |
| 1/4 t | sucre | 60 ml |
| 1/3 t | raisins secs | 80 ml |
| 1 c. à thé | vanille | 5 ml |

1  Dans une petite casserole, faire fondre le beurre à feu moyen. Ajouter le riz et la cannelle et mélanger pour bien l'enrober de beurre. Ajouter le lait, le sucre et les raisins secs. Porter à ébullition. Réduire le feu, couvrir et laisser mijoter, en brassant souvent, pendant environ 40 minutes ou jusqu'à ce que le liquide soit absorbé et que le riz soit tendre. Ajouter la vanille et mélanger. Servir chaud. (Vous pouvez préparer le pouding à l'avance, le répartir dans des petits bols individuels et le couvrir d'une pellicule de plastique. Il se conservera jusqu'à 2 jours au réfrigérateur. Réchauffer chaque petit pouding de 20 à 30 secondes au micro-ondes avant de servir.)

PAR PORTION: cal.: 255; prot.: 7 g; m.g.: 10 g (7 g sat.); chol.: 40 mg; gluc.: 35 g; fibres: 1 g; sodium: 110 mg.

# Pouding au tapioca

6 À 8 PORTIONS • PRÉPARATION: 20 MIN • CUISSON: 25 MIN • RÉFRIGÉRATION: 2 H

| | | |
|---|---|---|
| 2 t | lait | 500 ml |
| 2 t | crème à 10% | 500 ml |
| 2 | oeufs | 2 |
| 1/3 t | sucre | 80 ml |
| 1 | pincée de sel | 1 |
| 1/3 t | petites perles de tapioca (de type Wasco) | 80 ml |
| 1/2 c. à thé | vanille | 2 ml |

1  Dans une grande casserole, chauffer le lait et la crème à feu moyen jusqu'à ce que des bulles se forment sur la paroi. Dans un bol, à l'aide d'un fouet, battre les oeufs, le sucre et le sel. Ajouter le tapioca et mélanger. Incorporer le mélange de lait chaud en fouettant.

Remettre la préparation dans la casserole et cuire à feu moyen-doux, en brassant sans arrêt, pendant environ 20 minutes ou jusqu'à ce que le pouding ait suffisamment épaissi pour napper le dos d'une cuillère et que les perles de tapioca aient gonflé et soient translucides. Incorporer la vanille.

2  Verser le pouding au tapioca dans un bol, couvrir directement sa surface d'une pellicule de plastique et laisser refroidir. Réfrigérer pendant 2 heures ou jusqu'à ce que le pouding soit froid. (Vous pouvez préparer le pouding au tapioca à l'avance. Il se conservera jusqu'à 2 jours au réfrigérateur.)

PAR PORTION: cal.: 175; prot.: 6 g; m.g.: 8 g (5 g sat.); chol.: 75 mg; gluc.: 20 g; fibres: aucune; sodium: 90 mg.

Pouding au riz crémeux

Pouding au tapioca

# Croustade aux pommes

6 PORTIONS • PRÉPARATION: 25 MIN • CUISSON: 1 H

*Si on veut donner une saveur légèrement différente et plus douce à notre croustade, on peut remplacer 6 t (1,5 L) des pommes par des poires pelées, le coeur enlevé et hachées.*

## GARNITURE AUX POMMES

| | | |
|---|---|---|
| 8 t | pommes pelées, le coeur enlevé, hachées | 2 L |
| 2 c. à tab | farine | 30 ml |
| 2 c. à tab | cassonade tassée | 30 ml |
| 2 c. à tab | jus de citron | 30 ml |
| 1/4 c. à thé | cannelle moulue | 1 ml |

## GARNITURE CROUSTILLANTE

| | | |
|---|---|---|
| 1 t | flocons d'avoine | 250 ml |
| 1/2 t | cassonade tassée | 125 ml |
| 1/3 t | farine | 80 ml |
| 1 | pincée de muscade moulue | 1 |
| 1/3 t | beurre fondu | 80 ml |

## PRÉPARATION DE LA GARNITURE AUX POMMES

1   Dans un bol, mélanger les pommes, la farine, la cassonade, le jus de citron et la cannelle. Étendre la garniture aux pommes dans un plat en verre de 8 po (20 cm) de côté, non beurré.

## PRÉPARATION DE LA GARNITURE CROUSTILLANTE

2   Dans un petit bol, mélanger les flocons d'avoine, la cassonade, la farine et la muscade. Arroser du beurre fondu et mélanger jusqu'à ce que la préparation soit grumeleuse. Parsemer la garniture aux pommes de la préparation à l'avoine.

3   Cuire au four préchauffé à 350°F (180°C) pendant environ 1 heure ou jusqu'à ce que les pommes soient tendres et que la garniture soit dorée et croustillante.

PAR PORTION: cal.: 430; prot.: 5 g; m.g.: 12 g (7 g sat.); chol.: 27 mg; gluc.: 82 g; fibres: 9 g; sodium: 87 mg.

# Croustade aux pommes à l'érable

8 PORTIONS • PRÉPARATION: 15 MIN • CUISSON: 35 MIN

| | | |
|---|---|---|
| 5 ou 6 | pommes Cortland pelées et coupées en tranches | 5 ou 6 |
| 3/4 t | sirop d'érable | 180 ml |
| 1/2 t | farine | 125 ml |
| 1/2 t | flocons d'avoine | 125 ml |
| 1/2 t | cassonade | 125 ml |
| 1 | pincée de sel | 1 |
| 1/2 t | beurre ramolli | 125 ml |

1  Étendre uniformément les pommes dans un plat allant au four de 8 po (20 cm) de côté, légèrement beurré. Napper du sirop d'érable.

2  Dans un bol, mélanger le reste des ingrédients jusqu'à ce que la préparation ait la texture d'une chapelure grossière. Parsemer uniformément la préparation de flocons d'avoine sur les pommes.

3  Cuire au four préchauffé à 375°F (190°C) pendant 35 minutes ou jusqu'à ce que le dessus de la croustade soit doré.

PAR PORTION: cal.: 305; prot.: 2 g; m.g.: 12 g (7 g sat.); chol.: 30 mg; gluc.: 50 g; fibres: 2 g; sodium: 110 mg.

# Compote de pommes classique

DONNE ENVIRON 4 T (1 L) • PRÉPARATION: 20 MIN • CUISSON: 20 MIN

| | | |
|---|---|---|
| 8 ou 9 | pommes pelées et hachées | 8 ou 9 |
| 3/4 t | jus de pomme brut (à l'ancienne) | 180 ml |
| 3 c. à tab | sucre | 45 ml |
| 1 c. à thé | cannelle moulue | 5 ml |
| 1/4 c. à thé | piment de la Jamaïque moulu | 1 ml |
| 1/4 c. à thé | clou de girofle moulu | 1 ml |

1 Dans une casserole, cuire les pommes avec le jus de pomme à feu moyen-vif, à couvert, pendant environ 20 minutes ou jusqu'à ce qu'elles soient tendres. À l'aide d'un presse-purée, écraser les pommes jusqu'à la consistance désirée (pour une compote lisse, utiliser le robot culinaire). Ajouter le sucre, la cannelle, le piment de la Jamaïque et le clou de girofle et mélanger. Laisser refroidir avant de servir. (Vous pouvez préparer la compote de pommes à l'avance et la mettre dans un contenant hermétique. Elle se conservera jusqu'à 1 semaine au réfrigérateur.)

## VARIANTES

### Aux fraises

Diminuer la quantité de pommes à 7 et ajouter 1 lb (500 g) de fraises équeutées aux pommes au moment de la cuisson. Omettre la cannelle.

### Aux canneberges

Ajouter 3/4 t (180 ml) de canneberges séchées aux pommes au moment de la cuisson. Ajouter 1 c. à thé (5 ml) de gingembre frais, râpé, en même temps que le sucre et les épices.

### Un zeste de modernité dans nos confitures

Si les recettes classiques de confitures, de compotes et de gelées de nos mères sont délicieuses, ce n'est pas pour autant un sacrilège que de vouloir leur donner un petit côté inusité. Utilisez des épices comme le clou de girofle, la cannelle, la muscade, le gingembre moulu, le piment de la Jamaïque ou la cardamome dans votre confiture d'abricots ou votre compote de pommes. Basilic, fraises et poivre noir: quel délice! Pourquoi ne pas râper du gingembre frais et ajouter un soupçon de jus d'ananas pour conférer un côté exotique à la compote de rhubarbe? Osez et le plaisir sera décuplé par la découverte de nouvelles saveurs et de nouveaux parfums.

PAR PORTION de 1/2 t (125 ml): cal.: 109; prot.: aucune; m.g.: aucune (aucun sat.); chol.: aucun; gluc.: 28 g; fibres: 3 g; sodium: aucun.

# Sundae Forêt-Noire

6 PORTIONS • PRÉPARATION: 40 MIN • CUISSON: 5 MIN (GARNITURE AUX CERISES)
+ 13 À 14 MIN (MINI-BROWNIES) • REPOS: 1 À 2 H

### GARNITURE AUX CERISES

| | | |
|---|---|---|
| 1 t | cerises fraîches (de type bing ou montmorency) | 250 ml |
| 1/2 t | eau | 125 ml |
| 1/2 t | confiture de cerises | 125 ml |

### COUPES GLACÉES

| | | |
|---|---|---|
| 4 t | crème glacée à la vanille | 1 L |
| 12 | mini-brownies maison (voir recette p. 225) ou du commerce, émiettés grossièrement | 12 |
| 6 | cerises au marasquin avec la queue | 6 |

### PRÉPARATION DE LA GARNITURE

1   À l'aide d'un dénoyauteur à olives, dénoyauter les cerises puis les couper en quatre. Réserver. Dans une petite casserole, mélanger l'eau et la confiture de cerises. Porter à ébullition. Réduire le feu et laisser mijoter, en brassant souvent, pendant 5 minutes ou jusqu'à ce que le sirop ait réduit environ de moitié. Ajouter les cerises réservées et mélanger délicatement pour bien les enrober. Laisser reposer à la température ambiante de 1 à 2 heures. (Vous pouvez préparer la garniture aux cerises à l'avance et la mettre dans un contenant hermétique. Elle se conservera jusqu'au lendemain au réfrigérateur.)

### ASSEMBLAGE DES COUPES GLACÉES

2   Dans six coupes à dessert d'une capacité de 1 t (250 ml) chacune, mettre en couches successives la moitié de la crème glacée, de la garniture aux cerises et des mini-brownies. Répéter ces couches avec le reste de la crème glacée, de la garniture aux cerises et des mini-brownies. Garnir des cerises au marasquin. Servir aussitôt.

## Nostalgie

Je me revois à sept ans dans la cuisine de ma grand-mère, à l'île d'Orléans, en train d'apprendre à rouler la pâte pour les tartes aux fraises qu'elle préparait chaque été après la cueillette. Adolescente, après mon premier voyage en France, j'avais fini par la convaincre de remplacer le shortening de sa recette de pâte brisée par du beurre, comme on m'avait appris là-bas. Aujourd'hui, les tartes de grand-maman Rolande sont toujours pur beurre et je suis très fière d'avoir contribué à la création de cette nouvelle tradition familiale.

Renée Lafrance, administratrice,
née au début des années 1970, mère d'une fille

PAR PORTION: cal.: 455; prot.: 6 g; m.g.: 21 g (13 g sat.); chol.: 90 mg; gluc.: 64 g; fibres: 3 g; sodium: 175 mg.

## Mini-brownies maison

| | | |
|---|---|---|
| 4 oz | chocolat mi-amer haché | 125 g |
| 1/2 t | beurre | 125 ml |
| 2 | oeufs | 2 |
| 1/2 t | cassonade | 125 ml |
| 1/4 t | farine | 60 ml |
| 1 | pincée de sel | 1 |
| 3 c. à tab | poudre de cacao non sucrée | 45 ml |

1   Dans un bol allant au micro-ondes, mettre le chocolat et le beurre. Chauffer au micro-ondes à intensité moyennement faible (50%) de 1 à 2 minutes ou jusqu'à ce que le chocolat commence à fondre. À l'aide d'une cuillère de bois, remuer le mélange jusqu'à ce que le chocolat ait complètement fondu. Laisser refroidir à la température ambiante.

2   Entre-temps, dans un autre bol, à l'aide d'un batteur électrique, battre les oeufs et la cassonade jusqu'à ce que le mélange soit crémeux. Dans un troisième bol, tamiser ensemble la farine, le sel et le cacao. Incorporer les ingrédients secs et le mélange de chocolat tiède au mélange aux oeufs jusqu'à ce que la pâte soit homogène, sans plus (ne pas trop mélanger). Répartir la pâte dans 18 à 24 mini-moules à muffins beurrés ou tapissés de petits moules en papier.

3   Cuire au four préchauffé à 350°F (180°C) pendant environ 12 minutes ou jusqu'à ce qu'un cure-dents inséré au centre des mini-brownies en ressorte propre (ne pas trop cuire). Mettre les moules sur une grille et laisser refroidir pendant 2 minutes. Démouler les mini-brownies sur la grille et laisser refroidir complètement. (Vous pouvez préparer les mini-brownies à l'avance et les mettre dans un contenant hermétique. Ils se conserveront jusqu'à 2 jours à la température ambiante ou jusqu'à 1 mois au congélateur.)

Gâteaux

# Des délices qui ont la cote depuis toujours

En feuilletant le répertoire des recettes de nos mères, impossible de ne pas sentir un doux frisson de plaisir en constatant que ces recettes transmises d'une génération à l'autre ont su traverser les décennies sans que nous ayons la moindre intention de les renier ou de bouder notre plaisir. Le pouding-chômeur est toujours un grand favori des enfants, surtout s'il est bonifié par du sirop d'érable. Le gâteau aux dattes ainsi que le pain aux bananes et aux noix demeurent des vedettes de la boîte à lunch du XXIᵉ siècle. Et aucun gâteau au chocolat confectionné avec des chocolats grands crus ne viendra détrôner dans nos coeurs le merveilleux gâteau étagé à base de cacao Fry's et son glaçage au beurre et au sucre glace !

# Gâteau à la salade de fruits

8 PORTIONS • PRÉPARATION: 15 MIN • CUISSON: 55 MIN

## GÂTEAU AUX FRUITS

| | | |
|---|---|---|
| 1 1/2 t | sucre | 375 ml |
| 2 t | farine | 500 ml |
| 2 c. à thé | bicarbonate de sodium | 10 ml |
| 2 | oeufs | 2 |
| 1 | boîte de salade de fruits, égouttée (14 oz/398 ml) | 1 |
| 1/4 t | jus de la salade de fruits | 60 ml |

## SAUCE AU BEURRE

| | | |
|---|---|---|
| 1/2 t | beurre | 125 ml |
| 1 t | sucre | 250 ml |
| 1 | petite boîte de lait évaporé (de type Carnation) (160 ml) | 1 |
| 1 c. à thé | vanille | 5 ml |

### PRÉPARATION DU GÂTEAU AUX FRUITS

1  Dans un bol, mélanger le sucre, la farine et le bicarbonate de sodium. Ajouter les oeufs, la salade et le jus de fruits et mélanger jusqu'à ce que la préparation soit homogène. Verser la pâte dans un moule de 8 po (20 cm) de côté, beurré. Cuire au four préchauffé à 350°F (180°C) pendant environ 50 minutes ou jusqu'à ce qu'un cure-dents inséré au centre du gâteau en ressorte propre.

### PRÉPARATION DE LA SAUCE

2  Dans une casserole, mélanger tous les ingrédients. Porter à ébullition et laisser bouillir de 3 à 5 minutes. Verser sur le gâteau encore chaud. Couper en tranches.

PAR PORTION: cal.: 555; prot.: 7 g; m.g.: 14 g (8 g sat.); chol.: 90 mg; gluc.: 100 g; fibres: 2 g; sodium: 140 mg.

# Gâteau blanc au lait chaud

8 PORTIONS • PRÉPARATION: 10 MIN • CUISSON: 35 À 40 MIN

| | | |
|---|---|---|
| 2 | oeufs | 2 |
| 1 t | sucre | 250 ml |
| 1 t | farine | 250 ml |
| 1 c. à thé | poudre à pâte | 5 ml |
| 1 | pincée de sel | 1 |
| 1/2 t | lait chaud | 125 ml |
| 1 c. à tab | beurre | 15 ml |
| 1 c. à thé | vanille | 5 ml |

1  Dans un grand bol, à l'aide d'un batteur électrique, battre les oeufs. Ajouter le sucre petit à petit et battre jusqu'à ce que la préparation soit pâle. Dans un autre bol, mélanger la farine, la poudre à pâte et le sel. Incorporer les ingrédients secs à la préparation d'oeufs. Dans une casserole, chauffer le lait avec le beurre. Incorporer la préparation de lait à la pâte. Ajouter la vanille et mélanger.

2  Verser la pâte dans un moule de 8 po (20 cm) de côté, beurré. Cuire au four préchauffé à 350°F (180°C) de 35 à 40 minutes ou jusqu'à ce qu'un cure-dents inséré au centre du gâteau en ressorte propre. Déposer le moule sur une grille et laisser refroidir complètement. Couper en carrés.

PAR PORTION: cal.: 200; prot.: 4 g; m.g.: 3 g (1 g sat.); chol.: 60 mg; gluc.: 40 g; fibres: traces; sodium: 110 mg.

Gâteau à la salade de fruits

# Gâteau aux carottes

10 À 12 PORTIONS • PRÉPARATION: 20 MIN • CUISSON: 1 H 15 MIN • REPOS: 45 MIN

## GÂTEAU AUX CAROTTES

| | | |
|---|---|---|
| 2 t | sucre | 500 ml |
| 1 t | huile végétale | 250 ml |
| 4 | oeufs | 4 |
| 1 c. à thé | vanille | 5 ml |
| 2 t | carottes râpées | 500 ml |
| 1 t | ananas broyé en conserve, égoutté | 250 ml |
| 2 t | farine | 500 ml |
| 1/2 c. à thé | sel | 2 ml |
| 2 c. à thé | poudre à pâte | 10 ml |
| 1 1/2 c. à thé | bicarbonate de sodium | 7 ml |
| 2 c. à thé | cannelle moulue | 10 ml |
| 1/2 t | noix de Grenoble hachées | 125 ml |
| 2/3 t | flocons de noix de coco | 160 ml |

## GLAÇAGE AU FROMAGE À LA CRÈME

| | | |
|---|---|---|
| 1/4 t | beurre mi-salé ramolli | 60 ml |
| 1 | paquet de fromage à la crème, ramolli (250 g) | 1 |
| 1 1/2 c. à thé | vanille | 7 ml |
| 2 c. à tab | crème à 35% | 30 ml |
| 1 1/2 t | sucre glace | 375 ml |

## PRÉPARATION DU GÂTEAU

1   Dans un bol, à l'aide d'un batteur électrique, battre le sucre, l'huile et les oeufs à vitesse maximale pendant 10 minutes. Ajouter la vanille. Dans un grand bol, mélanger le reste des ingrédients. Incorporer la préparation d'oeufs au mélange de carottes.

2   Verser la pâte dans un moule à cheminée (de type Bundt) d'une capacité de 10 t (2,5 L), beurré et fariné. Cuire au four préchauffé à 350°F (180°C) pendant 1 heure 15 minutes ou jusqu'à ce qu'un cure-dents inséré au centre du gâteau en ressorte propre. Laisser refroidir pendant 15 minutes. Retourner le moule sur une grille et laisser refroidir encore 30 minutes avant de démouler le gâteau.

## PRÉPARATION DU GLAÇAGE

3   Dans un bol, à l'aide du batteur électrique (utiliser des fouets propres), mélanger tous les ingrédients jusqu'à ce que le glaçage soit lisse. Étendre le glaçage sur le gâteau refroidi.

PAR PORTION: cal.: 650; prot.: 7 g; m.g.: 37 g (11 g sat.); chol.: 104 mg; gluc.: 78 g; fibres: 2 g; sodium: 471 mg.

## Nostalgie

Si ma mère était une fantastique cuisinière qui savait faire des plats aussi raffinés que les ris de veau à la crème ou le boeuf en croûte, elle était célèbre dans tout le quartier pour sa table de desserts: crème à l'érable, gâteau blanc pur beurre «de la tante Jeannotte», gâteau aux carottes et aux ananas, bavarois aux framboises, tarte aux noix ou au citron meringuée. Des années après notre mariage, mon mari lui-même est passé aux aveux: c'était d'abord pour le gâteau au sucre à la crème de maman qu'il avait été tenté de me courtiser!

Ninon Desjardins, née en 1930, mère de quatre enfants, grand-mère de deux petits-enfants et arrière-grand-mère de deux garçons

231

# Gâteau croustillant à la rhubarbe

12 PORTIONS • PRÉPARATION: 30 MIN • CUISSON: 1 H 15 MIN

## GARNITURE CROUSTILLANTE

| | | |
|---|---|---|
| 1 t | farine | 250 ml |
| 1/4 t | sucre | 60 ml |
| 1/4 t | cassonade légèrement tassée | 60 ml |
| 1/2 c. à thé | cannelle moulue | 2 ml |
| 1/3 t | beurre ramolli | 80 ml |

## GÂTEAU À LA RHUBARBE

| | | |
|---|---|---|
| 3 t | rhubarbe fraîche ou surgelée, coupée en morceaux de 1/2 po (1 cm) | 750 ml |
| 2/3 t | sucre | 160 ml |
| 1 1/2 t | farine | 375 ml |
| 1 c. à thé | poudre à pâte | 5 ml |
| 1/2 c. à thé | bicarbonate de sodium | 2 ml |
| 1/4 c. à thé | sel | 1 ml |
| 1/3 t | beurre ramolli | 80 ml |
| 2 | oeufs | 2 |
| 1 c. à thé | vanille | 5 ml |
| 1/2 t | crème sure | 125 ml |

## PRÉPARATION DE LA GARNITURE

1  Dans un bol, mélanger la farine, le sucre, la cassonade et la cannelle. Ajouter le beurre et, à l'aide d'une fourchette, mélanger jusqu'à ce que le mélange soit grumeleux. Réserver.

## PRÉPARATION DU GÂTEAU

2  Dans un grand bol, mélanger la rhubarbe et 2 c. à tab (30 ml) du sucre. Réserver. Dans un autre bol, mélanger la farine, la poudre à pâte, le bicarbonate de sodium et le sel. Dans un autre grand bol, à l'aide d'un batteur électrique, battre le beurre jusqu'à ce qu'il soit crémeux. Ajouter le reste du sucre et battre jusqu'à ce que le mélange soit léger et gonflé. Ajouter les oeufs un à un, en battant bien après chaque addition. Incorporer la vanille. En battant à faible vitesse, incorporer les ingrédients secs en trois fois, en alternant deux fois avec la crème sure, jusqu'à ce que la pâte soit lisse et homogène. Verser la pâte dans un moule en métal carré de 9 po (23 cm) de côté, beurré, et lisser le dessus.

3  Parsemer le dessus du gâteau de la moitié de la garniture réservée. Couvrir du mélange de rhubarbe réservé et parsemer du reste de la garniture. Cuire au centre du four préchauffé à 350°F (180°C) pendant 1 heure 15 minutes ou jusqu'à ce qu'un cure-dents inséré au centre du gâteau en ressorte propre. Déposer le moule sur une grille et laisser refroidir complètement.

PAR PORTION: cal.: 296; prot.: 4 g; m.g.: 13 g (8 g sat.); chol.: 62 mg; gluc.: 42 g; fibres: 1 g; sodium: 216 mg.

# Gâteau renversé à l'ananas

8 À 10 PORTIONS • PRÉPARATION: 20 MIN • CUISSON: 45 À 55 MIN

## GÂTEAU BLANC

| | | |
|---|---|---|
| 2 t | farine | 500 ml |
| 1 c. à tab | poudre à pâte | 15 ml |
| 1/2 c. à thé | sel | 2 ml |
| 1/2 t | beurre ramolli | 125 ml |
| 3/4 t | sucre | 180 ml |
| 2 | oeufs | 2 |
| 1 c. à thé | vanille | 5 ml |
| 1 t | lait | 250 ml |

## GARNITURE À L'ANANAS

| | | |
|---|---|---|
| 1/3 t | beurre | 80 ml |
| 3/4 t | cassonade | 180 ml |
| 1 | boîte d'ananas en tranches, égoutté (14 oz/398 ml) | 1 |
| 15 | cerises au marasquin égouttées (environ) | 15 |

## PRÉPARATION DU GÂTEAU

1 Dans un bol, mélanger la farine, la poudre à pâte et le sel. Dans un grand bol, à l'aide d'un batteur électrique, défaire le beurre en crème. Ajouter le sucre petit à petit, en battant jusqu'à ce que le mélange soit homogène. Ajouter les oeufs un à un, en battant bien après chaque addition. Ajouter la vanille en battant. Incorporer les ingrédients secs au mélange de beurre, en alternant avec le lait. Réserver.

## PRÉPARATION DE LA GARNITURE

2 Dans un moule de 9 po (23 cm) de côté, faire fondre le beurre au four préchauffé à 350°F (180°C). Ajouter la cassonade et mélanger. Couper les tranches d'ananas en deux, les disposer côte à côte dans le moule et mettre une cerise au centre de chacune. Couvrir de la pâte à gâteau réservée.

3 Cuire au four préchauffé de 45 à 55 minutes ou jusqu'à ce qu'un cure-dents inséré au centre du gâteau en ressorte propre. Laisser refroidir pendant 15 minutes. Passer la lame d'un couteau sur le pourtour du gâteau pour le détacher du moule et démouler délicatement. Servir chaud ou froid.

PAR PORTION: cal.: 390; prot.: 5 g; m.g.: 18 g (11 g sat.); chol.: 65 mg; gluc.: 54 g; fibres: 1 g; sodium: 260 mg.

# Gâteau-pouding aux pommes, sauce au caramel

12 PORTIONS • PRÉPARATION: 20 MIN • CUISSON: 50 À 60 MIN

## GÂTEAU-POUDING AUX POMMES

| 2 t | farine | 500 ml |
|---|---|---|
| 2 c. à thé | bicarbonate de sodium | 10 ml |
| 1 c. à thé | cannelle moulue | 5 ml |
| 1/2 c. à thé | sel | 2 ml |
| 2 t | cassonade tassée | 500 ml |
| 1 t | sucre | 250 ml |
| 1/4 t | beurre ramolli | 60 ml |
| 2 | oeufs | 2 |
| 8 | pommes non pelées, hachées grossièrement | 8 |
| 1 t | noix de Grenoble ou pacanes hachées | 250 ml |

## SAUCE AU CARAMEL

| 1/2 t | cassonade tassée | 125 ml |
|---|---|---|
| 1/2 t | sucre | 125 ml |
| 1/2 t | beurre non salé | 125 ml |
| 1/2 t | crème à 35% ou lait | 125 ml |
| 1 c. à thé | sirop de maïs | 5 ml |
| 1/2 c. à thé | vanille | 2 ml |

### Les pommes sous toutes les coutures

Ce fruit qui marque le début de la saison des récoltes d'automne a toujours été une source d'inspiration culinaire majeure pour nos mères, qui l'apprêtaient autant en plats salés (porc et poulet) que sucrés. Avec les restes de pâte à tarte, elles faisaient des pommes en cachette; avec les pommes plus vieilles, des pommes farcies aux noix et à l'érable ou au miel, sans oublier les compotes, tartes, croustades, gâteaux renversés, poudings au pain, pains-gâteaux et biscuits. Elles savaient aussi d'expérience quelles variétés utiliser pour faire les tartes avec la meilleure texture, les purées les plus fines ou les poudings les plus savoureux.

## PRÉPARATION DU GÂTEAU-POUDING

1  Dans un petit bol, mélanger la farine, le bicarbonate de sodium, la cannelle et le sel. Dans un grand bol, à l'aide d'un batteur électrique, mélanger la cassonade, le sucre, le beurre et les oeufs pendant 2 minutes ou jusqu'à ce que la préparation soit lisse. À l'aide d'une cuillère de bois, incorporer les ingrédients secs, les pommes et les noix de Grenoble et mélanger jusqu'à ce que la préparation soit homogène.

2  Verser la pâte dans un moule de 13 po x 9 po (33 cm x 23 cm), beurré. Cuire au four préchauffé à 350°F (180°C) de 50 à 60 minutes ou jusqu'à ce que le gâteau soit doré et ferme au centre sous une légère pression du doigt. Déposer le moule sur une grille et laisser refroidir. (Vous pouvez préparer le gâteau-pouding à l'avance et le couvrir. Il se conservera jusqu'à 1 semaine au réfrigérateur ou jusqu'à 2 mois au congélateur.)

## PRÉPARATION DE LA SAUCE

3  Dans une petite casserole, mélanger la cassonade, le sucre, le beurre, la crème et le sirop de maïs. Porter à ébullition à feu vif et laisser bouillir pendant 30 secondes. Retirer du feu. À l'aide du batteur électrique (utiliser des fouets propres), battre la préparation de 3 à 4 minutes. Ajouter la vanille et mélanger. (Vous pouvez préparer la sauce à l'avance, la laisser refroidir et la mettre dans un contenant hermétique. Elle se conservera jusqu'à 1 semaine au réfrigérateur. Réchauffer à feu doux avant de servir.)

4  Au moment de servir, couper le gâteau en carrés et arroser de la sauce au caramel chaude.

PAR PORTION: cal.: 605; prot.: 5 g; m.g.: 23 g (10 g sat.); chol.: 45 mg; gluc.: 101 g; fibres: 4 g; sodium: 425 mg.

# Gâteau des anges

12 PORTIONS • PRÉPARATION: 30 MIN • CUISSON: 45 À 50 MIN

| | | |
|---|---|---|
| 1 1/4 t | farine à gâteau et à pâtisserie | 310 ml |
| 1 1/2 t | sucre | 375 ml |
| 1 1/2 t | blancs d'oeufs (environ 10 gros blancs d'oeufs) | 375 ml |
| 1 c. à tab | jus de citron | 15 ml |
| 1 c. à thé | crème de tartre | 5 ml |
| 1/2 c. à thé | sel | 2 ml |
| 2 c. à thé | vanille | 10 ml |

1   Dans un bol, tamiser la farine et 3/4 t (180 ml) du sucre. Tamiser de nouveau et mettre dans un autre bol. Réserver.

2   Dans un grand bol, à l'aide d'un batteur électrique, battre les blancs d'oeufs jusqu'à ce qu'ils soient mousseux. Ajouter le jus de citron, la crème de tartre et le sel et battre jusqu'à ce que la préparation forme des pics mous. Ajouter le reste du sucre, 2 c. à tab (30 ml) à la fois, en battant jusqu'à ce que la préparation forme des pics fermes et brillants. À l'aide d'une passoire fine, tamiser le quart des ingrédients secs réservés sur la préparation de blancs d'oeufs et mélanger en soulevant délicatement la masse. Incorporer le reste des ingrédients secs et la vanille de la même manière. Verser la pâte dans un moule à cheminée de 10 po (25 cm) de diamètre, non beurré. Passer une spatule dans la pâte pour éliminer les grosses bulles d'air et lisser le dessus.

3   Cuire au centre du four préchauffé à 350°F (180°C) de 45 à 50 minutes ou jusqu'à ce que le dessus du gâteau reprenne sa forme sous une légère pression du doigt. Retourner le moule sur sa cheminée et laisser refroidir complètement. Démouler le gâteau et le mettre dans une assiette. (Vous pouvez préparer le gâteau à l'avance, l'envelopper d'une pellicule de plastique et le mettre dans un contenant hermétique. Il se conservera jusqu'à 2 jours à la température ambiante ou jusqu'à 1 mois au congélateur.)

### Un symbole de l'été

Originaire des États-Unis, il a été créé à la fin du XIXᵉ siècle grâce à deux inventions: le batteur rotatif et la poudre à pâte. Le gâteau des anges (*angel food cake*) est appelé ainsi à cause de la légèreté de sa pâte à base de farine et de blancs d'oeufs montés en pics fermes, sans ajout de matières grasses. Et aussi parce qu'on aimait l'opposer à un autre classique américain, le *devil's food cake*, ce bon vieux gâteau au chocolat, qui était aussi noir et riche que le premier était blanc et léger. Le gâteau des anges est aussi étroitement associé à l'été parce qu'il n'alourdit pas l'estomac après un repas par temps chaud et qu'on le sert avec fraises, framboises, bleuets et crème fouettée ou glacée. À ne pas confondre avec le gâteau-éponge, qui renferme des blancs et des jaunes d'oeufs.

PAR PORTION: cal.: 120; prot.: 4 g; m.g.: traces (aucun sat.); chol.: aucun; gluc.: 24 g; fibres: traces; sodium: 150 mg.

# Quatre-quarts classique

DONNE 2 QUATRE-QUARTS (OU 24 TRANCHES) • PRÉPARATION: 30 MIN • CUISSON: 1 H 15 MIN À 1 H 30 MIN

*Si on n'a pas de farine à gâteau et à pâtisserie sous la main, on peut la remplacer par 2 1/2 t + 2 c. à tab (655 ml en tout) de farine tout usage.*

| 1 t | beurre non salé froid, coupé en dés | 250 ml |
| 1 | paquet de fromage à la crème froid, coupé en dés (250 g) | 1 |
| 2 3/4 t | sucre | 680 ml |
| 1 c. à thé | sel | 5 ml |
| 6 | oeufs à la température ambiante | 6 |
| 4 c. à thé | vanille | 20 ml |
| 3 t | farine à gâteau et à pâtisserie tamisée | 750 ml |

1   Dans un grand bol, à l'aide d'un batteur électrique, battre le beurre à faible vitesse pendant environ 2 minutes (augmenter la vitesse de temps à autre pour déloger le beurre des fouets du batteur). Ajouter le fromage à la crème et battre pendant 5 minutes ou jusqu'à ce que le beurre et le fromage soient bien mélangés. Ajouter le sucre en filet continu en battant à faible vitesse de 1 1/2 à 2 minutes. Ajouter le sel et battre pendant 5 minutes ou jusqu'à ce que la préparation soit crémeuse (au besoin, racler la paroi du bol). Augmenter à vitesse moyenne et battre pendant 2 minutes. Ajouter les oeufs un à un, en battant de 20 à 30 secondes après chaque addition. Ajouter la vanille en battant. Incorporer petit à petit 2 1/2 t (625 ml) de la farine en battant à faible vitesse de 1 à 1 1/2 minute ou jusqu'à ce que la pâte soit homogène, sans plus. À l'aide d'une spatule en caoutchouc, incorporer le reste de la farine en soulevant délicatement la masse.

2   Verser la pâte dans deux moules à pain de 8 po x 4 po (20 cm x 10 cm), beurrés et farinés. Passer la spatule dans la pâte et frapper les moules sur le comptoir pour éliminer les grosses bulles d'air. Mettre les gâteaux au centre du four froid. Régler le four à 300°F (150°C) et cuire de 1 heure 15 minutes à 1 heure 30 minutes ou jusqu'à ce qu'un cure-dents inséré au centre des gâteaux en ressorte propre. Déposer les moules sur une grille et laisser refroidir pendant 10 minutes. Démouler les gâteaux sur la grille et laisser refroidir complètement. (Vous pouvez préparer les quatre-quarts à l'avance et les envelopper d'une pellicule de plastique. Ils se conserveront jusqu'à 2 jours à la température ambiante ou jusqu'à 1 mois au congélateur, enveloppés de papier d'aluminium et glissés dans des sacs à congélation de type Ziploc.)

## Une des bases de la pâtisserie de nos mères

Les Anglais l'ont baptisé *pound cake* et les Français quatre-quarts. Au Québec, on en préparait plutôt une version allégée, qu'on appelait simplement gâteau au beurre et qui contenait deux fois moins de beurre que la recette originale, ce qui donnait d'excellents gâteaux, plus légers et moins riches. Par contre, il arrivait aussi que, par souci d'économie supplémentaire, on remplace une partie du beurre par un gras végétal hydrogéné, surtout pour les gâteaux destinés aux soirs de semaine. Cette substitution n'était guère encouragée par les deux principales références culinaires québécoises des années 1930 à 1970: *La cuisine raisonnée* des soeurs de la Congrégation de Notre-Dame (1926) et *L'encyclopédie de la cuisine canadienne* (1963) de Jehane Benoit.

PAR TRANCHE: cal.: 272; prot.: 4 g; m.g.: 12 g (7 g sat.); chol.: 84 mg; gluc.: 37 g; fibres: 1 g; sodium: 127 mg.

# Gâteau roulé au sucre à la crème

8 PORTIONS • PRÉPARATION: 25 MIN • CUISSON: 9 MIN

## GÂTEAU ROULÉ

| | | |
|---|---|---|
| 4 | oeufs | 4 |
| 1 t + 2 c. à tab | sucre | 280 ml |
| 1 t | farine | 250 ml |
| 1 c. à thé | poudre à pâte | 5 ml |
| | sucre glace | |

## GLAÇAGE AU SUCRE À LA CRÈME

| | | |
|---|---|---|
| 1 t | cassonade | 250 ml |
| 1/4 lb | beurre | 125 g |
| 1/4 t | lait | 60 ml |

### PRÉPARATION DU GÂTEAU ROULÉ

1  Dans un bol, à l'aide d'un batteur électrique, battre les oeufs et 1 t (250 ml) du sucre pendant environ 3 minutes ou jusqu'à ce que le mélange soit pâle. Ajouter la farine et la poudre à pâte et battre jusqu'à ce que la préparation soit homogène. Étendre la pâte dans un moule à gâteau roulé de 15 po x 10 po (38 cm x 25 cm), beurré.

2  Cuire au four préchauffé à 350°F (180°C) pendant 8 minutes ou jusqu'à ce que le gâteau soit doré. Démouler le gâteau sur un linge saupoudré du reste du sucre. En commençant par l'un des côtés courts, rouler le gâteau encore chaud dans le linge, sans serrer. Déposer le gâteau sur une grille et laisser refroidir complètement.

### PRÉPARATION DU GLAÇAGE

3  Dans une casserole à fond épais, mélanger la cassonade, le beurre et le lait. Porter à ébullition en brassant. Laisser bouillir pendant 1 minute, puis retirer du feu. À l'aide du batteur électrique, battre la préparation jusqu'à ce qu'elle ait épaissi.

4  Dérouler délicatement le gâteau refroidi (le laisser sur le linge). Verser le sucre à la crème chaud sur le gâteau et l'étendre en une fine couche. En commençant par l'un des côtés courts, rouler à nouveau le gâteau (sans le linge). Déposer le gâteau roulé, l'ouverture dessous, sur une assiette de service. Saupoudrer de sucre glace.

PAR PORTION: cal.: 386; prot.: 5 g; m.g.: 16 g (9 g sat.); chol.: 142 mg; gluc.: 58 g; fibres: 1 g; sodium: 94 mg.

## Nostalgie

Mon père militaire partait souvent en mission. Le dimanche, pour ne pas laisser ma mère seule à la maison, je lui préparais du sucre à la crème pendant que mes frères et soeurs allaient au cinéma. Dès l'âge de 15 ans, j'ai commencé à faire un recueil avec les recettes de ma mère, de mes tantes, des mères de mes amis, etc. Je le bonifie continuellement, car j'aime avoir des références familières: les brochettes de Margot, la tarte aux tomates de Claire, la sauce à fondue de Lise, etc.

Sylvie Beaulieu, conseillère en communications, née dans les années 1960, mère de deux adolescentes

# Gâteau Reine-Élisabeth

9 PORTIONS • PRÉPARATION: 20 MIN • CUISSON: 45 MIN À 1 H

## GÂTEAU AUX DATTES

| | | |
|---|---|---|
| 1 t | dattes dénoyautées, coupées en deux | 250 ml |
| 1 t | eau chaude | 250 ml |
| 1/4 t | beurre ramolli | 60 ml |
| 1 t | sucre | 250 ml |
| 1 | oeuf | 1 |
| 1 c. à thé | vanille | 5 ml |
| 1 1/2 t | farine à gâteau et à pâtisserie | 375 ml |
| 1 c. à thé | poudre à pâte | 5 ml |
| 1 c. à thé | bicarbonate de sodium | 5 ml |
| 1 | pincée de sel | 1 |
| 1/2 t | pacanes hachées | 125 ml |

## GARNITURE À LA CASSONADE

| | | |
|---|---|---|
| 1/2 t | cassonade | 125 ml |
| 2 c. à tab | crème à 15% | 30 ml |
| 1/3 t | beurre | 80 ml |
| 3/4 t | flocons de noix de coco | 180 ml |

### PRÉPARATION DU GÂTEAU

1 Dans une petite casserole, porter à ébullition les dattes et l'eau. Réduire le feu et laisser mijoter environ 5 minutes ou jusqu'à ce que les dattes commencent à se défaire. Laisser refroidir à la température ambiante.

2 Dans un bol, à l'aide d'un batteur électrique, défaire le beurre en crème. Ajouter le sucre petit à petit, en battant, puis incorporer l'oeuf et la vanille. Dans un autre bol, mélanger la farine, la poudre à pâte, le bicarbonate de sodium et le sel. Incorporer les ingrédients secs à la préparation de beurre, en alternant avec la préparation de dattes. Ajouter les pacanes et mélanger.

3 Verser la pâte dans un moule de 9 po (23 cm) de côté, beurré. Cuire au four préchauffé à 350°F (180°C) de 35 à 45 minutes ou jusqu'à ce que le gâteau soit ferme au toucher.

### PRÉPARATION DE LA GARNITURE

4 Dans une casserole, mélanger tous les ingrédients. Porter à ébullition et laisser bouillir pendant 3 minutes. Verser aussitôt sur le gâteau. Remettre le gâteau au four et poursuivre la cuisson de 5 à 10 minutes ou jusqu'à ce que la garniture soit dorée. Couper en carrés.

PAR PORTION: cal.: 445; prot.: 4 g; m.g.: 20 g (10 g sat.); chol.: 60 mg; gluc.: 65 g; fibres: 3 g; sodium: 250 mg.

# Gâteau étagé aux brisures de chocolat et au caramel, glaçage fondant au chocolat

10 À 12 PORTIONS • PRÉPARATION: 30 MIN • CUISSON: 40 À 45 MIN

## GÂTEAU AUX BRISURES DE CHOCOLAT

| | | |
|---|---|---|
| 2 t | farine | 500 ml |
| 1 t | cassonade tassée | 250 ml |
| 1/2 t | sucre | 125 ml |
| 1 c. à tab | poudre à pâte | 15 ml |
| 1 c. à thé | sel | 5 ml |
| 1/2 c. à thé | bicarbonate de sodium | 2 ml |
| 1/2 t | beurre ramolli | 125 ml |
| 1 1/4 t | lait | 310 ml |
| 3 | oeufs | 3 |
| 1 1/2 c. à thé | vanille | 7 ml |
| 1/2 t | brisures de chocolat mi-sucré | 125 ml |
| 1/4 t | pacanes hachées | 60 ml |

## GARNITURE AU CARAMEL

| | | |
|---|---|---|
| 1/2 t | cassonade | 125 ml |
| 1/4 t | fécule de maïs | 60 ml |
| 1/4 c. à thé | sel | 1 ml |
| 1/2 t | eau | 125 ml |
| 1 c. à tab | beurre | 15 ml |

## GLAÇAGE FONDANT AU CHOCOLAT

| | | |
|---|---|---|
| 1/2 t | brisures de chocolat mi-sucré | 125 ml |
| 2 c. à tab | beurre | 30 ml |
| 1 c. à tab | sirop de maïs | 15 ml |

### PRÉPARATION DU GÂTEAU

1 Dans un grand bol, mettre tous les ingrédients, sauf le chocolat et les pacanes. À l'aide d'un batteur électrique, battre à faible vitesse pendant 30 secondes en raclant la paroi du bol. Augmenter à vitesse maximale et battre pendant 3 minutes ou jusqu'à ce que la préparation soit homogène (racler la paroi du bol de temps à autre). Incorporer le chocolat.

2 Verser la pâte dans deux moules de 8 po (20 cm) de diamètre, beurrés et farinés. Cuire au four préchauffé à 350°F (180°C) de 40 à 45 minutes ou jusqu'à ce qu'un cure-dents inséré au centre des gâteaux en ressorte propre. Laisser refroidir pendant 10 minutes. Démouler sur une grille et laisser refroidir complètement.

### PRÉPARATION DE LA GARNITURE

3 Dans une casserole, mélanger la cassonade, la fécule de maïs et le sel. Ajouter l'eau et mélanger. Porter à ébullition en brassant sans arrêt et cuire à feu vif pendant 1 minute ou jusqu'à ce que la préparation ait épaissi. Ajouter le beurre et mélanger. Laisser refroidir.

### PRÉPARATION DU GLAÇAGE

4 Dans une petite casserole à fond épais, mélanger tous les ingrédients. Cuire à feu doux, en brassant sans arrêt jusqu'à ce que le chocolat ait fondu. Laisser refroidir légèrement.

### ASSEMBLAGE DU GÂTEAU

5 Déposer un des gâteaux sur une assiette de service. Étendre la garniture au caramel refroidie, parsemer des pacanes et couvrir de l'autre gâteau. Verser le glaçage sur le dessus du gâteau en le laissant couler sur les côtés.

PAR PORTION: cal.: 455; prot.: 5 g; m.g.: 18 g (6 g sat.); chol.: 65 mg; gluc.: 70 g; fibres: 1 g; sodium: 440 mg.

# Gâteau aux pacanes

12 PORTIONS • PRÉPARATION: 40 MIN • CUISSON: 1 H 10 MIN

| 1 1/2 t | beurre non salé ramolli | 375 ml |
|---|---|---|
| 2 1/4 t | cassonade tassée | 560 ml |
| 5 | oeufs, jaunes et blancs séparés | 5 |
| 3 1/4 t | farine | 810 ml |
| 1 c. à thé | poudre à pâte | 5 ml |
| 1/4 c. à thé | sel | 1 ml |
| 1/3 t | crème à 10% ou lait | 80 ml |
| 1 c. à thé | vanille | 5 ml |
| 3 t | pacanes hachées finement | 750 ml |
| | glace à la vanille (voir recette) | |
| | demi-pacanes (facultatif) | |

1   Dans un grand bol, à l'aide d'un batteur électrique, battre le beurre jusqu'à ce qu'il soit crémeux. Ajouter petit à petit la cassonade et battre jusqu'à ce que le mélange soit léger et gonflé. Dans un autre bol, à l'aide du batteur électrique (utiliser des fouets propres), battre les jaunes d'oeufs pendant 5 minutes ou jusqu'à ce qu'ils soient pâles et épais. Incorporer les jaunes d'oeufs au mélange de beurre en soulevant délicatement la masse.

2   Dans un autre bol, tamiser la farine, la poudre à pâte et le sel. Incorporer les ingrédients secs au mélange de beurre en alternant avec la crème. Ajouter la vanille et les pacanes hachées et mélanger en soulevant délicatement la masse. Dans un grand bol, à l'aide du batteur électrique (utiliser des fouets propres), battre les blancs d'oeufs jusqu'à ce qu'ils forment des pics fermes. Incorporer les blancs d'oeufs à la pâte en soulevant délicatement la masse. Verser la pâte dans un moule à gâteau de type Bundt d'une capacité de 12 t (3 L), beurré et fariné.

3   Cuire au four préchauffé à 325°F (160°C) pendant 1 heure 10 minutes ou jusqu'à ce qu'un cure-dents inséré au centre du gâteau en ressorte propre et que le dessus commence à craqueler. Déposer le moule sur une grille et laisser refroidir complètement. (Vous pouvez préparer le gâteau jusqu'à cette étape et l'envelopper d'une pellicule de plastique. Il se conservera jusqu'à 2 jours à la température ambiante ou jusqu'à 1 mois au congélateur, enveloppé de papier d'aluminium et glissé dans un sac à congélation de type Ziploc.)

4   Démouler le gâteau sur la grille et l'arroser de la glace à la vanille. Garnir de demi-pacanes, si désiré.

## Glace à la vanille

DONNE ENVIRON 3/4 T (180 ML)

| 1 t | sucre glace | 250 ml |
|---|---|---|
| 1 c. à thé | vanille | 5 ml |
| 5 c. à thé | lait | 25 ml |

1   Dans un petit bol, mélanger le sucre glace et la vanille. Ajouter le lait et mélanger jusqu'à ce que la glace soit épaisse mais coulante.

PAR PORTION: cal.: 542; prot.: 7 g; m.g.: 35 g (13 g sat.); chol.: 114 mg; gluc.: 53 g; fibres: 3 g; sodium: 97 mg.

# Gâteau étagé au chocolat

12 PORTIONS • PRÉPARATION: 50 MIN • CUISSON: 45 À 50 MIN • RÉFRIGÉRATION: 30 MIN

## GÂTEAUX AU CHOCOLAT

| | | |
|---|---|---|
| 4 oz | chocolat non sucré haché | 125 g |
| 2 t | farine | 500 ml |
| 2 c. à thé | poudre à pâte | 10 ml |
| 1/2 c. à thé | bicarbonate de sodium | 2 ml |
| 1/2 c. à thé | sel | 2 ml |
| 3/4 t | beurre non salé ramolli | 180 ml |
| 1 1/2 t | cassonade tassée | 375 ml |
| 2 | oeufs | 2 |
| 1 c. à thé | vanille | 5 ml |
| 1 t + 2 c. à tab | lait | 280 ml |

## GLAÇAGE AU CHOCOLAT

| | | |
|---|---|---|
| 4 | jaunes d'oeufs | 4 |
| 2 t | sucre | 500 ml |
| 1 t | lait | 250 ml |
| 2 c. à tab | beurre non salé | 30 ml |
| 8 oz | chocolat non sucré haché | 250 g |

### PRÉPARATION DES GÂTEAUX

1    Dans un bol allant au micro-ondes, chauffer le chocolat à intensité maximum pendant 30 secondes et brasser. Chauffer encore 30 secondes ou jusqu'à ce qu'il ait fondu. Dans un bol, tamiser ensemble la farine, la poudre à pâte, le bicarbonate de sodium et le sel. Réserver.

2    Dans un grand bol, à l'aide d'un batteur électrique, battre le beurre jusqu'à ce qu'il soit crémeux. Ajouter la cassonade en battant. Ajouter les oeufs un à un, en battant bien après chaque addition. Incorporer la vanille et le chocolat fondu. En battant, incorporer les ingrédients secs réservés, en alternant avec le lait, jusqu'à ce que la pâte soit homogène. Verser la pâte dans deux moules à gâteau de 8 po (20 cm) de diamètre, beurrés.

3    Cuire au four préchauffé à 350°F (180°C) de 30 à 33 minutes ou jusqu'à ce que les gâteaux reprennent leur forme sous une légère pression du doigt. Déposer les moules sur une grille et laisser reposer pendant 10 minutes. Démouler les gâteaux sur la grille et laisser refroidir complètement. (Vous pouvez préparer les gâteaux à l'avance et les envelopper d'une pellicule de plastique. Ils se conserveront jusqu'à 2 jours à la température ambiante ou jusqu'à 1 mois au congélateur, enveloppés de papier d'aluminium et glissés dans des sacs à congélation de type Ziploc.)

### PRÉPARATION DU GLAÇAGE

4    Dans un bol, à l'aide du batteur électrique (utiliser des fouets propres), battre les jaunes d'oeufs jusqu'à ce qu'ils soient très épais. Incorporer 1 t (250 ml) du sucre, 1 c. à tab (15 ml) à la fois, et battre de 5 à 7 minutes ou jusqu'à ce que le mélange soit jaune pâle. Ajouter le lait en battant. Verser la préparation dans une casserole. Ajouter le reste du sucre et le beurre. Chauffer à feu moyen, en fouettant de temps à autre, de 12 à 15 minutes ou jusqu'à ce que la préparation soit bouillonnante. Laisser bouillir en fouettant pendant 1 minute. Retirer la casserole du feu. Ajouter le chocolat et mélanger jusqu'à ce que le glaçage soit lisse. Verser le glaçage dans un bol et réfrigérer pendant 30 minutes.

5    Au moment de glacer le gâteau, à l'aide du batteur électrique, battre le glaçage pendant 4 minutes ou jusqu'à ce qu'il soit léger et gonflé. Déposer un gâteau refroidi dans une assiette de service et le couvrir uniformément de 1 t (250 ml) du glaçage. Couvrir de l'autre gâteau. Étendre uniformément le reste du glaçage sur le dessus et les côtés du gâteau. (Vous pouvez préparer le gâteau à l'avance et le couvrir. Il se conservera jusqu'à 2 jours à la température ambiante.)

PAR PORTION: cal.: 631; prot.: 9 g; m.g.: 36 g (20 g sat.); chol.: 149 mg; gluc.: 80 g; fibres: 5 g; sodium: 253 mg.

# Gâteau-pouding au chocolat

10 PORTIONS • PRÉPARATION: 20 MIN • CUISSON: 45 MIN

| | | |
|---|---|---|
| 1 t | farine | 250 ml |
| 3/4 t | sucre | 180 ml |
| 1/4 t + 1/4 t | poudre de cacao non sucrée | 120 ml |
| 2 c. à thé | poudre à pâte | 10 ml |
| 1/2 c. à thé | sel | 2 ml |
| 1/2 t | lait | 125 ml |
| 1/2 t | compote de pommes lisse | 125 ml |
| 1 c. à thé | vanille | 5 ml |
| 1 3/4 t | eau chaude | 430 ml |
| 3/4 t | cassonade tassée | 180 ml |

1  Dans un grand bol, mélanger la farine, le sucre, 1/4 t (60 ml) de la poudre de cacao, la poudre à pâte et le sel. Ajouter le lait, la compote de pommes et la vanille et mélanger jusqu'à ce que la pâte soit homogène. Verser la pâte dans un moule carré de 8 po (20 cm) de côté, légèrement beurré.

2  Dans un petit bol, mélanger l'eau chaude, la cassonade et le reste de la poudre de cacao. Verser ce mélange sur la pâte à gâteau. Cuire au four préchauffé à 350°F (180°C) pendant 45 minutes. Servir chaud.

PAR PORTION: cal.: 185; prot.: 2 g; m.g.: 1 g (traces sat.); chol.: 1 mg; gluc.: 44 g; fibres: 1 g; sodium: 200 mg.

## Nostalgie

Enfants, nous avions accès aux épices, aux thés, à la farine et à la poudre à pâte pour créer des recettes sorties tout droit de notre fantaisie. Nous ne faisions pas que mélanger des ingrédients; nous étions guidés par notre flair et nous apprenions à sentir et à goûter pendant que maman préparait le souper en nous aidant discrètement.

Aujourd'hui, j'aime toujours autant ce moment de la journée où j'enfile mon tablier et où mes sens prennent le relais pour toucher, humer et déguster. C'est aussi un moment privilégié d'échange avec les gens que j'aime.

Hélène Dion, sommelière et journaliste, née dans les années 1970

# Petits gâteaux à la vanille

DONNE 12 PETITS GÂTEAUX • PRÉPARATION: 25 MIN • CUISSON: 18 MIN

| | | |
|---|---|---|
| 2 t | farine à gâteau et à pâtisserie tamisée | 500 ml |
| 1 t | sucre | 250 ml |
| 2 c. à thé | poudre à pâte | 10 ml |
| 1/2 c. à thé | sel | 2 ml |
| 1/2 t | beurre ramolli | 125 ml |
| 1/2 t | lait | 125 ml |
| 2 | oeufs | 2 |
| 1 c. à thé | vanille | 5 ml |
| | glaçage sept minutes à la vanille ou glaçage au chocolat (voir recettes) | |

1   Dans un grand bol, mélanger la farine, le sucre, la poudre à pâte et le sel. Ajouter le beurre, le lait, les oeufs et la vanille et, à l'aide d'un batteur électrique, mélanger pendant environ 2 minutes ou jusqu'à ce que la pâte soit lisse.

2   À l'aide d'une cuillère, répartir la pâte dans 12 moules à muffins tapissés de moules en papier ou beurrés (les remplir aux trois quarts). Cuire au centre du four préchauffé à 375°F (190°C) pendant environ 18 minutes ou jusqu'à ce qu'un cure-dents inséré au centre des gâteaux en ressorte propre. Déposer les moules sur une grille et laisser refroidir pendant 10 minutes. Démouler les gâteaux sur la grille et laisser refroidir complètement.

3   À l'aide d'une spatule, étendre un peu de glaçage sur le dessus des petits gâteaux refroidis.

## VARIANTE

### Petits gâteaux au chocolat

Réduire la quantité de farine à 1 t (250 ml) et celle de poudre à pâte à 1/2 c. à thé (2 ml). Ajouter 1/2 t (125 ml) de poudre de cacao non sucrée et 1 c. à thé (5 ml) de bicarbonate de sodium aux ingrédients secs. Tamiser les ingrédients secs avant d'ajouter le beurre et le reste des ingrédients.

## Glaçage sept minutes à la vanille

DONNE ENVIRON 3 T (750 ML)

| | | |
|---|---|---|
| 1/4 t | eau | 60 ml |
| 2/3 t | sucre | 160 ml |
| 2 | blancs d'oeufs | 2 |
| 1/4 c. à thé | crème de tartre | 1 ml |
| 1 | pincée de sel | 1 |
| 1/2 c. à thé | vanille | 2 ml |

1   Dans un bol résistant à la chaleur, à l'aide d'un fouet, mélanger l'eau, le sucre, les blancs d'oeufs, la crème de tartre et le sel. Déposer le bol sur une casserole contenant de l'eau chaude mais non bouillante et, à l'aide d'un batteur électrique, battre environ 7 minutes ou jusqu'à ce que la préparation forme des pics fermes et brillants. Retirer le bol de la casserole et battre pendant environ 2 minutes ou jusqu'à ce que le glaçage ait refroidi. Incorporer la vanille en battant.

## Glaçage au chocolat

DONNE ENVIRON 2 T (500 ML)

| | | |
|---|---|---|
| 3 t | sucre glace | 750 ml |
| 1/2 t | beurre non salé ramolli | 125 ml |
| 3 c. à tab | lait (environ) | 45 ml |
| 1/2 c. à thé | vanille | 2 ml |
| 4 oz | chocolat mi-sucré fondu | 125 g |

1   Dans un bol, à l'aide d'un batteur électrique, battre le sucre glace, le beurre, le lait et la vanille jusqu'à ce que la préparation soit homogène. Ajouter le chocolat fondu et mélanger jusqu'à ce que le glaçage soit lisse (au besoin, ajouter un peu de lait).

PAR PETIT GÂTEAU (sans glaçage): cal.: 216; prot.: 3 g; m.g.: 9 g (5 g sat.); chol.: 56 mg; gluc.: 32 g; fibres: traces; sodium: 233 mg.

Petit gâteau
au chocolat,
glaçage sept
minutes à la
vanille

Petit gâteau
à la vanille,
glaçage au
chocolat

Tartes

# Des croûtes garnies de toutes les façons

Les tartes ont toujours été très populaires dans les familles canadiennes-françaises parce qu'elles permettaient de jouir des fruits locaux dès les premières récoltes. Quel bonheur de trouver sur le rond du poêle, au retour des champs, une belle tarte à la rhubarbe garnie d'une abaisse quadrillée bien dorée! La plupart des mamans préparaient plusieurs portions de pâte en même temps et en profitaient pour faire des pâtés au poulet, au saumon et aux patates, ou des tourtières de gibier pendant les saisons de chasse (les quiches sont arrivées dans les années 1970). Si les tartes aux fruits des champs et celles aux pommes ont toujours été des favorites, rares sont les familles qui ne possèdent pas aujourd'hui encore une recette infaillible de tarte au sucre ou au sirop d'érable jalousement préservée.

# Tarte à la noix de coco

6 À 8 PORTIONS • PRÉPARATION: 20 MIN • CUISSON: 10 À 13 MIN • REFROIDISSEMENT: 20 À 30 MIN

## GARNITURE À LA NOIX DE COCO

| | | |
|---|---|---|
| 2 c. à tab | farine | 30 ml |
| 1/2 t | sucre | 125 ml |
| 1 | pincée de sel | 1 |
| 2 t | lait | 500 ml |
| 3 | jaunes d'oeufs | 3 |
| 1 c. à thé | vanille | 5 ml |
| 1/2 t | flocons de noix de coco sucrés | 125 ml |
| 1 c. à tab | beurre | 15 ml |
| 1 | croûte de tarte cuite de 9 po (23 cm) de diamètre | 1 |

## MERINGUE

| | | |
|---|---|---|
| 4 | blancs d'oeufs | 4 |
| 1 | pincée de sel | 1 |
| 1/2 t | sucre glace | 125 ml |
| 1/4 c. à thé | vanille | 1 ml |
| 1/4 t | flocons de noix de coco | 60 ml |

### PRÉPARATION DE LA GARNITURE

1 Dans la partie supérieure d'un bain-marie, mélanger la farine, le sucre et le sel. Ajouter le lait et les jaunes d'oeufs et mélanger. Déposer sur une casserole d'eau frémissante et cuire à feu doux, en brassant sans arrêt, de 8 à 10 minutes. Retirer du feu, ajouter la vanille et les flocons de noix de coco et laisser refroidir de 20 à 30 minutes. Ajouter le beurre et mélanger. Verser la garniture dans la croûte de tarte.

### PRÉPARATION DE LA MERINGUE

2 Dans un bol, à l'aide d'un batteur électrique, battre les blancs d'oeufs jusqu'à ce qu'ils forment des pics mous. Ajouter le sel, puis incorporer petit à petit le sucre glace, 1 c. à tab (15 ml) à la fois. Ajouter la vanille en battant jusqu'à ce que le mélange forme des pics fermes et brillants. Étendre la meringue sur la garniture et parsemer des flocons de noix de coco. Cuire sous le gril préchauffé du four de 2 à 3 minutes ou jusqu'à ce que la meringue soit dorée.

PAR PORTION: cal.: 315; prot.: 7 g; m.g.: 15 g (7 g sat.); chol.: 90 mg; gluc.: 38 g; fibres: 1 g; sodium: 165 mg.

Tarte au butterscotch

Tarte à la noix de coco

# Tarte au butterscotch

6 À 8 PORTIONS • PRÉPARATION: 25 MIN • CUISSON: 30 À 35 MIN • RÉFRIGÉRATION: 2 À 3 H

|  | pâte à tarte pour une abaisse de 9 po (23 cm) de diamètre (voir recette p. 261) |  |
| --- | --- | --- |
| 1 t | cassonade | 250 ml |
| 1 c. à tab | fécule de maïs | 15 ml |
| 1 c. à tab | farine | 15 ml |
| 1 | oeuf battu | 1 |
| 1 1/2 t | lait | 375 ml |
| 1/2 c. à thé | vanille | 2 ml |
| 1 c. à tab | beurre | 15 ml |
|  | crème fouettée |  |

**1** Sur une surface légèrement farinée, abaisser la pâte en un cercle de 11 po (28 cm) de diamètre. Presser l'abaisse dans une assiette à tarte de 9 po (23 cm) de diamètre et couper l'excédent de pâte. Piquer toute la surface de l'abaisse et la remplir de haricots secs. Cuire au four préchauffé à 400°F (200°C) pendant 10 minutes. Retirer les haricots secs et poursuivre la cuisson pendant 5 minutes ou jusqu'à ce que la pâte soit dorée.

**2** Dans la partie supérieure d'un bain-marie, mélanger la cassonade, la fécule de maïs et la farine. Ajouter l'oeuf et bien mélanger. Incorporer le lait, la vanille et le beurre. Déposer sur une casserole d'eau frémissante et cuire, en brassant sans arrêt, de 15 à 20 minutes ou jusqu'à ce que la préparation ait épaissi. Laisser refroidir en brassant de temps à autre. Verser la garniture dans la croûte cuite. Réfrigérer de 2 à 3 heures ou jusqu'à ce que la garniture ait pris. Au moment de servir, garnir de crème fouettée.

PAR PORTION: cal.: 290; prot.: 4 g; m.g.: 15 g (6 g sat.); chol.: 35 mg; gluc.: 34 g; fibres: traces; sodium: 55 mg.

# Tarte à la banane et à la crème

6 À 8 PORTIONS • PRÉPARATION: 30 MIN • CUISSON: 5 MIN (OEUFS), 8 À 10 MIN (CROÛTE)
• RÉFRIGÉRATION: 6 H

| | | |
|---|---|---|
| 2 c. à tab | eau froide | 30 ml |
| 2 c. à thé | gélatine sans saveur | 10 ml |
| 3 | gros oeufs | 3 |
| 1/2 t | sucre | 125 ml |
| 1 c. à thé | vanille | 5 ml |
| 1 1/2 | banane très mûre, réduite en purée | 1 1/2 |
| 1 t | crème à 35% froide | 250 ml |
| 1/2 t | noix de Grenoble hachées | 125 ml |
| 1/4 t | cerises au marasquin hachées | 60 ml |
| 1 | croûte de tarte Graham (voir recette) | 1 |
| | cerises au marasquin entières avec la queue | |

1  Verser l'eau dans un petit bol et la saupoudrer de la gélatine. Laisser reposer jusqu'à ce que la gélatine ait gonflé.

2  Dans un bol à l'épreuve de la chaleur placé sur une casserole d'eau chaude mais non bouillante (le fond du bol ne doit pas toucher l'eau), à l'aide d'un fouet, mélanger les oeufs et le sucre. Chauffer, en fouettant sans arrêt, jusqu'à ce qu'un thermomètre à lecture instantanée indique 160°F (71°C). Retirer le bol de la casserole. Incorporer la préparation de gélatine en fouettant. À l'aide d'un batteur électrique, battre la préparation pendant environ 5 minutes ou jusqu'à ce qu'elle ait refroidi et épaissi. Incorporer la vanille et la banane en battant.

3  Dans un bol, à l'aide du batteur électrique (utiliser des fouets propres), fouetter la crème jusqu'à ce qu'elle forme des pics fermes. Incorporer 1 t (250 ml) de la crème fouettée à la préparation de banane en soulevant délicatement la masse. Incorporer 1/4 t (60 ml) des noix et les cerises hachées. Verser la garniture dans la croûte et l'étendre uniformément. Couvrir le dessus de la tarte du reste de la crème fouettée. Couvrir la tarte d'une pellicule de plastique et réfrigérer pendant au moins 6 heures ou jusqu'à ce que la garniture soit ferme.

4  Au moment de servir, parsemer la tarte du reste des noix de Grenoble. Garnir des cerises entières.

## Croûte de tarte Graham

DONNE 1 CROÛTE DE 9 PO (23 CM) DE DIAMÈTRE

| | | |
|---|---|---|
| 1 2/3 t | chapelure de gaufrettes Graham | 410 ml |
| 1/2 t | beurre fondu | 125 ml |
| 1/4 t | sucre | 60 ml |

1  Dans un bol, mélanger la chapelure, le beurre et le sucre jusqu'à ce que la préparation soit humide. Presser la préparation dans le fond et sur la paroi d'une assiette à tarte profonde à fond amovible de 9 po (23 cm) de diamètre. Cuire au four préchauffé à 350°F (180°C) de 8 à 10 minutes ou jusqu'à ce que la croûte soit ferme. Laisser refroidir sur une grille.

PAR PORTION: cal.: 460; prot.: 7 g; m.g.: 31 g (15 g sat.); chol.: 140 mg; gluc.: 41 g; fibres: 2 g; sodium: 225 mg.

# Tarte au sucre

6 À 8 PORTIONS • PRÉPARATION: 15 MIN • CUISSON: 23 À 28 MIN

| | | |
|---|---|---|
| 2 t | cassonade | 500 ml |
| 1 c. à thé | farine | 5 ml |
| 1/2 t | crème à 15% | 125 ml |
| 1/2 t | lait | 125 ml |
| 1 c. à thé | beurre | 5 ml |
| 1 | croûte de tarte non cuite de 9 po (23 cm) de diamètre (voir recette p. 261) | 1 |

1  Dans une casserole, mélanger la cassonade et la farine. Ajouter la crème, le lait et le beurre et mélanger jusqu'à ce que la préparation soit homogène. Porter à ébullition et laisser bouillir pendant environ 3 minutes, en brassant sans arrêt. Verser la garniture dans la croûte. Cuire au four préchauffé à 450°F (230°C) de 20 à 25 minutes ou jusqu'à ce que la croûte soit dorée.

PAR PORTION: cal.: 305; prot.: 2 g; m.g.: 12 g (6 g sat.); chol.: 15 mg; gluc.: 47 g; fibres: traces; sodium: 75 mg.

# Tarte au sirop d'érable

6 À 8 PORTIONS • PRÉPARATION: 15 MIN • CUISSON: 6 À 7 MIN • RÉFRIGÉRATION: 1 H

| | | |
|---|---|---|
| 1/4 t | beurre | 60 ml |
| 6 c. à tab | farine | 90 ml |
| 1 1/2 t | sirop d'érable | 375 ml |
| 1/2 t | eau | 125 ml |
| 1 | croûte de tarte cuite de 9 po (23 cm) de diamètre | 1 |

1  Dans une casserole à fond épais, faire fondre le beurre à feu doux. Ajouter la farine petit à petit, en brassant sans arrêt à l'aide d'un fouet, et cuire pendant environ 2 minutes ou jusqu'à l'obtention d'un roux. Ajouter le sirop d'érable et l'eau petit à petit et fouetter jusqu'à ce que le roux soit dissous et que la préparation soit homogène. Porter à ébullition et laisser bouillir de 4 à 5 minutes ou jusqu'à ce que la préparation ait épaissi. Laisser refroidir pendant 10 minutes avant de verser la garniture dans la croûte. Réfrigérer pendant 1 heure ou jusqu'à ce que la garniture ait pris.

PAR PORTION: cal.: 355; prot.: 2 g; m.g.: 15 g (7 g sat.); chol.: 20 mg; gluc.: 55 g; fibres: 1 g; sodium: 55 mg.

# Pâte à tarte

DONNE 6 ABAISSES DE 9 PO (23 CM) DE DIAMÈTRE • RÉFRIGÉRATION: 30 MIN

| | | |
|---|---|---|
| 5 t | farine | 1,25 L |
| 1 c. à thé | sel | 5 ml |
| 2 t | graisse végétale froide | 500 ml |
| 1 | oeuf battu | 1 |
| 2 c. à tab | vinaigre | 30 ml |
| 2/3 à 3/4 t | eau glacée | 160 à 180 ml |

1  Dans un bol, mélanger la farine et le sel. Ajouter la graisse végétale et, à l'aide d'un coupe-pâte ou de deux couteaux, travailler la préparation jusqu'à ce qu'elle ait la texture d'une chapelure grossière. Dans une tasse à mesurer, mettre l'oeuf, le vinaigre et suffisamment d'eau pour obtenir 1 t (250 ml) de liquide. Ajouter la préparation d'oeuf à la préparation de farine et mélanger avec les doigts jusqu'à ce que la pâte commence à se tenir. Façonner la pâte en boule et la diviser en six portions. Aplatir chaque portion en un disque et l'envelopper d'une pellicule de plastique. Réfrigérer pendant 30 minutes. (Vous pouvez préparer la pâte à l'avance. Elle se conservera jusqu'à 1 semaine au réfrigérateur et jusqu'à 1 mois au congélateur, dans un sac à congélation.)

# Tarte aux fraises

DONNE 3 TARTES DE 9 PO (23 CM) DE DIAMÈTRE • PRÉPARATION: 35 MIN • CUISSON: 1 H

|  | pâte à tarte pour six abaisses de 9 po (23 cm) de diamètre (voir recette p. 261) |  |
|---|---|---|
| 9 t | fraises fraîches, équeutées | 2,25 L |
| 3 t | sucre | 750 ml |
| 3 c. à tab | farine | 45 ml |
| 3 | pincées de sel | 3 |
| 3 c. à tab | beurre | 45 ml |

1   Sur une surface légèrement farinée, abaisser la moitié de la pâte en trois cercles de 11 po (28 cm) de diamètre. Presser les abaisses dans des assiettes à tarte de 9 po (23 cm) de diamètre. Couper l'excédent de pâte.

2   Dans un grand bol, mélanger 3 t (750 ml) des fraises, 1 t (250 ml) du sucre, 1 c. à tab (15 ml) de la farine et 1 pincée du sel. Verser dans une des abaisses et parsemer de 1 c. à tab (15 ml) du beurre. Humecter le pourtour de l'abaisse. Répéter ces opérations deux fois.

3   Abaisser le reste de la pâte en trois cercles de 11 po (28 cm) de diamètre et les déposer sur la garniture aux fraises. Couper la pâte en laissant dépasser un excédent de 3/4 po (2 cm). Replier l'excédent sous l'abaisse du dessous et sceller en pressant légèrement. Canneler le pourtour. Entailler le dessus de chaque tarte pour laisser la vapeur s'échapper.

4   Cuire les tartes au four préchauffé à 400°F (200°C) pendant 15 minutes. Poursuivre la cuisson à 375°F (190°C) pendant 45 minutes ou jusqu'à ce que la croûte soit dorée et que la garniture soit bouillonnante. Laisser refroidir 20 minutes avant de servir.

PAR PORTION: cal.: 380; prot.: 3 g; m.g.: 19 g (8 g sat.); chol.: 15 mg; gluc.: 50 g; fibres: 2 g; sodium: 120 mg.

# Tarte aux bleuets

DONNE 3 TARTES DE 9 PO (23 CM) DE DIAMÈTRE • PRÉPARATION: 25 MIN • CUISSON: 40 À 50 MIN

|  | pâte à tarte pour six abaisses de 9 po (23 cm) de diamètre (voir recette p. 261) |  |
|---|---|---|
| 12 t | bleuets | 3 L |
| 3 t | sucre | 750 ml |
| 1/2 t | farine (environ) | 125 ml |
| 3 | pincées de sel | 3 |
| 3 c. à tab | beurre | 45 ml |

1   Sur une surface farinée, abaisser la moitié de la pâte en trois cercles de 11 po (28 cm) de diamètre. Presser les abaisses dans des assiettes à tarte de 9 po (23 cm) de diamètre et couper l'excédent de pâte.

2   Dans un bol, mélanger 4 t (1 L) des bleuets, 1 t (250 ml) du sucre, 3 c. à tab (45 ml) de la farine et 1 pincée du sel. Verser la garniture aux bleuets dans une des abaisses et parsemer de 1 c. à tab (15 ml) du beurre. Humecter le pourtour de l'abaisse. Répéter ces opérations deux fois.

3   Abaisser le reste de la pâte en trois cercles de 11 po (28 cm) de diamètre et les déposer sur la garniture aux bleuets. Couper la pâte en laissant dépasser un excédent de 3/4 po (2 cm). Replier l'excédent sous l'abaisse du dessous et sceller en pressant légèrement. Canneler le pourtour. Entailler le dessus de chaque tarte pour laisser la vapeur s'échapper.

4   Cuire les tartes au four préchauffé à 400°F (200°C) de 40 à 50 minutes ou jusqu'à ce que la croûte soit dorée et que la garniture soit bouillonnante. Laisser refroidir 20 minutes avant de servir.

PAR PORTION: cal.: 410; prot.: 4 g; m.g.: 19 g (8 g sat.); chol.: 15 mg; gluc.: 57 g; fibres: 3 g; sodium: 120 mg.

Tarte aux fraises

Tarte aux bleuets

# Tarte aux pacanes

12 PORTIONS • PRÉPARATION: 15 MIN (PÂTE) + 30 MIN (TARTE)
• RÉFRIGÉRATION: 15 MIN (CROÛTE) + 30 MIN (PÂTE) • CUISSON: 45 MIN

| | pâte à tarte pour une abaisse de 9 po (23 cm) de diamètre (voir recette) | |
|---|---|---|
| 3 | oeufs | 3 |
| 1 t | cassonade tassée | 250 ml |
| 1/2 t + 2 c. à tab | sirop de maïs | 155 ml |
| 1 c. à thé | vanille | 5 ml |
| 2 c. à tab | beurre fondu | 30 ml |
| 2 t | demi-pacanes | 500 ml |

1   Sur une surface légèrement farinée, abaisser la pâte en un cercle de 11 po (28 cm) de diamètre. Presser l'abaisse dans le fond et sur la paroi d'une assiette à tarte à fond amovible de 9 po (23 cm) de diamètre. Réfrigérer pendant 15 minutes. (Vous pouvez préparer la croûte à l'avance et la couvrir. Elle se conservera jusqu'au lendemain au réfrigérateur.)

2   Dans un bol, à l'aide d'un fouet, mélanger les oeufs, la cassonade, 1/2 t (125 ml) du sirop de maïs, la vanille, le beurre et les pacanes. Verser la garniture dans la croûte refroidie.

3   Cuire dans le tiers inférieur du four préchauffé à 375°F (190°C) pendant environ 45 minutes ou jusqu'à ce que la croûte soit dorée et que la garniture soit ferme au toucher (au besoin, couvrir la croûte de papier d'aluminium pour l'empêcher de trop dorer). Dans un petit bol allant au micro-ondes, chauffer le reste du sirop de maïs de 20 à 30 secondes. Badigeonner la garniture du sirop de maïs chaud. Laisser refroidir. (Vous pouvez préparer la tarte à l'avance et la couvrir de papier d'aluminium. Elle se conservera jusqu'au lendemain à la température ambiante ou jusqu'à 1 mois au congélateur, glissée dans un sac à congélation de type Ziploc.)

## Pâte à tarte au robot

DONNE 1 ABAISSE DE 9 PO (23 CM) DE DIAMÈTRE

| 1 1/4 t | farine | 310 ml |
|---|---|---|
| 2 c. à tab | sucre | 30 ml |
| 1/4 c. à thé | sel | 1 ml |
| 1/3 t | beurre froid | 80 ml |
| 2 c. à tab | eau froide | 30 ml |
| 1 c. à thé | vinaigre blanc | 5 ml |

1   Au robot culinaire, mélanger la farine, le sucre et le sel. Ajouter le beurre et, en actionnant et en arrêtant successivement l'appareil, mélanger jusqu'à ce que la préparation ait la texture d'une chapelure grossière. Ajouter l'eau et le vinaigre et mélanger deux ou trois fois jusqu'à ce que la pâte commence à se tenir. Façonner la pâte en boule, l'aplatir en un disque et l'envelopper d'une pellicule de plastique. Réfrigérer pendant 30 minutes ou jusqu'à ce que la pâte soit froide. (Vous pouvez préparer la pâte à l'avance. Elle se conservera jusqu'à 1 semaine au réfrigérateur ou jusqu'à 1 mois au congélateur, enveloppée de papier d'aluminium et glissée dans un sac à congélation de type Ziploc.)

PAR PORTION: cal.: 390; prot.: 5 g; m.g.: 20 g (6 g sat.); chol.: 70 mg; gluc.: 50 g; fibres: 2 g; sodium: 135 mg.

# Tarte à la ferlouche

10 PORTIONS • PRÉPARATION: 30 MIN • CUISSON: 15 MIN • RÉFRIGÉRATION: 4 H

| | | |
|---|---|---|
| 1 t | cassonade | 250 ml |
| 1 t | mélasse | 250 ml |
| 1/4 c. à thé | cannelle moulue | 1 ml |
| 1/4 c. à thé | muscade moulue | 1 ml |
| 1/4 c. à thé | clou de girofle moulu | 1 ml |
| 2 1/2 t | eau | 625 ml |
| 5 c. à tab | fécule de maïs | 75 ml |
| 2 c. à tab | beurre | 30 ml |
| | zeste râpé de 1 orange (facultatif) | |
| 1 t | raisins secs (de type Sultana) (facultatif) | 250 ml |
| 1 | croûte de tarte cuite de 9 po (23 cm) de diamètre | 1 |

1   Dans une grande casserole, mélanger la cassonade, la mélasse, la cannelle, la muscade, le clou de girofle et 2 t (500 ml) de l'eau. Porter à ébullition, réduire le feu et laisser mijoter pendant 10 minutes en brassant de temps à autre (attention aux éclaboussures).

2   Dans un petit bol, délayer la fécule de maïs dans le reste de l'eau. Ajouter un peu de la préparation bouillante et mélanger pour réchauffer. Verser le mélange de fécule dans la casserole et mélanger. Réduire à feu doux et cuire, en brassant sans arrêt, de 5 à 7 minutes ou jusqu'à ce que la préparation ait épaissi. Retirer la casserole du feu. Ajouter le beurre, le zeste d'orange et les raisins secs, si désiré, et mélanger.

3   Déposer la casserole dans un évier rempli aux trois quarts d'eau glacée et brasser la préparation sans arrêt jusqu'à ce qu'elle soit à la température ambiante. Verser la garniture refroidie dans la croûte. Réfrigérer pendant 4 heures ou jusqu'à ce que la garniture soit ferme. (Vous pouvez préparer la tarte à l'avance et la couvrir d'une pellicule de plastique. Elle se conservera jusqu'au lendemain au réfrigérateur.)

### D'où vient la «ferlouche»?

Si on ignore l'origine exacte du mot «ferlouche» ou «farlouche», que la revue d'histoire *Cap-aux-Diamants* attribuait en 1996 à une langue amérindienne (sans pouvoir préciser laquelle), en revanche, on peut dire que cette invention de nos arrière-grands-mères était une façon économique de créer un dessert nourrissant lorsque les fruits frais venaient à manquer. On utilisait alors les raisins secs et la mélasse, deux denrées bon marché disponibles dès le XIX siècle, grâce aux exportations des marchands anglais en provenance des colonies des Antilles britanniques (réf.: *Cap-aux-diamants*, n° 44, 1996, p. 38-39).

PAR PORTION: cal.: 385; prot.: 2 g; m.g.: 15 g (7 g sat.); chol.: 20 mg; gluc.: 50 g; fibres: 1 g; sodium: 65 mg.

# Tarte aux pommes

6 À 8 PORTIONS • PRÉPARATION: 30 MIN • CUISSON: 50 MIN • RÉFRIGÉRATION: 1 H

## PÂTE À TARTE

| | | |
|---|---|---|
| 2 2/3 t | farine | 660 ml |
| 1 c. à tab | sucre | 15 ml |
| 1/2 c. à thé | sel | 2 ml |
| 1/2 t | beurre non salé, froid | 125 ml |
| 1/2 t | graisse végétale froide | 125 ml |
| 1/2 t | eau froide | 125 ml |

## GARNITURE AUX POMMES

| | | |
|---|---|---|
| 8 | pommes à cuisson, pelées et coupées en cubes de 1 po (2,5 cm) | 8 |
| | jus de 1 citron | |
| 1/2 à 2/3 t | sucre | 125 à 160 ml |
| 1 | pincée de sel | 1 |
| 3 c. à tab | beurre | 45 ml |
| 1 | gousse de vanille coupée en deux et raclée | 1 |
| 1 | bâton de cannelle | 1 |
| 1 c. à tab | fécule de maïs | 15 ml |
| 3 c. à tab | eau | 45 ml |

## DORURE

| | | |
|---|---|---|
| 2 | oeufs | 2 |
| 2 c. à tab | lait | 30 ml |
| 1 | pincée de sel | 1 |
| 2 c. à tab | sucre | 30 ml |

### PRÉPARATION DE LA PÂTE

1 Dans un bol, tamiser la farine, le sucre et le sel. Ajouter le beurre et la graisse végétale et, à l'aide d'un coupe-pâte ou de deux couteaux, travailler la préparation jusqu'à ce qu'elle ait la texture d'une chapelure grossière. Faire un puits au centre et y verser l'eau. Mélanger avec les doigts jusqu'à ce que la pâte commence à se tenir. Façonner la pâte en boule et la diviser en deux portions. Aplatir chaque portion en un disque et l'envelopper d'une pellicule de plastique. Réfrigérer pendant au moins 1 heure (ou jusqu'à 2 jours).

2 Sur une surface farinée, abaisser une des portions de pâte en un cercle de 12 po (30 cm) de diamètre.

Presser l'abaisse dans une assiette à tarte de 10 po (25 cm) de diamètre et couper l'excédent de pâte.

### PRÉPARATION DE LA GARNITURE

3 Mettre les pommes dans un grand bol et les arroser du jus de citron. Dans un grand poêlon, faire fondre le sucre et le sel à feu vif jusqu'à ce que le mélange soit de couleur ambrée et commence à fumer. Réduire à feu moyen. Ajouter rapidement le beurre, le mélange de pommes, la gousse et les grains de vanille et le bâton de cannelle. Laisser mijoter, en brassant de temps à autre, pendant 5 minutes ou jusqu'à ce que les pommes soient tendres mais encore croquantes. Retirer du feu. Dans une passoire placée sur le grand bol, laisser égoutter la préparation aux pommes. Retirer la gousse de vanille et le bâton de cannelle. Verser le liquide des pommes dans le poêlon et porter à ébullition.

4 Entre-temps, dans un petit bol, délayer la fécule de maïs dans l'eau. Ajouter le mélange de fécule dans le poêlon et laisser bouillir, en brassant sans arrêt à l'aide d'un fouet, pendant 10 secondes ou jusqu'à ce que le caramel ait épaissi (au besoin, ajouter de l'eau pour l'éclaircir). Dans le grand bol, mélanger la préparation aux pommes et le caramel. Verser dans l'abaisse.

5 Abaisser l'autre portion de pâte en un cercle de 12 po (30 cm) de diamètre. Humecter le pourtour de l'abaisse du dessous et déposer l'autre abaisse sur la garniture. Couper la pâte en laissant dépasser un excédent de 3/4 po (2 cm). Replier l'excédent sous l'abaisse du dessous. Presser légèrement le pourtour et le canneler. Entailler le dessus de la tarte pour laisser la vapeur s'échapper.

### PRÉPARATION DE LA DORURE

6 Dans un autre petit bol, mélanger les oeufs, le lait et le sel. Badigeonner la pâte de la dorure et parsemer du sucre. Cuire au four préchauffé à 425°F (220°C) pendant 10 minutes et poursuivre à 375°F (190°C) pendant 30 minutes ou jusqu'à ce que la croûte soit dorée.

PAR PORTION: cal.: 560; prot.: 6 g; m.g.: 30 g (16 g sat.); chol.: 95 mg; gluc.: 68 g; fibres: 3 g; sodium: 205 mg.

# Tarte aux framboises

8 PORTIONS • PRÉPARATION: 20 MIN (PÂTE) + 30 MIN (TARTE) • CUISSON: 1 H À 1 H 15 MIN

| | pâte à tarte pour deux abaisses de 9 po (23 cm) de diamètre (voir recette p. 98) | |
|---|---|---|
| 4 t | framboises fraîches | 1 L |
| 1 t | sucre (environ) | 250 ml |
| 3 c. à tab | farine | 45 ml |
| 1 c. à tab | jus de citron | 15 ml |
| 1 c. à tab | beurre coupé en dés | 15 ml |
| | lait | |

**1** Sur une surface légèrement farinée, abaisser la moitié de la pâte en un cercle de 11 po (28 cm) de diamètre. Presser l'abaisse dans une assiette à tarte de 9 po (23 cm) de diamètre et couper l'excédent de pâte. Dans un grand bol, mélanger les framboises, le sucre, la farine et le jus de citron. Verser la garniture aux framboises dans l'abaisse et la parsemer du beurre. Humecter le pourtour de l'abaisse.

**2** Abaisser le reste de la pâte en un cercle de 11 po (28 cm) de diamètre. Déposer l'abaisse sur la garniture aux framboises. Replier l'excédent de pâte sous l'abaisse du dessous. Sceller en pressant légèrement les deux abaisses et canneler le pourtour. Faire des entailles sur le dessus de la tarte pour permettre à la vapeur de s'échapper. Badigeonner le dessus de la tarte de lait et la saupoudrer légèrement de sucre. (Vous pouvez préparer la tarte aux framboises jusqu'à cette étape et la congeler sans la cuire. Dans ce cas, ajouter 1 c. à tab/15 ml de farine à la garniture et ne pas faire d'entailles sur le dessus de la tarte. Elle se conservera jusqu'à 4 mois au congélateur, bien enveloppée de papier d'aluminium et glissée dans un sac à congélation de type Ziploc. Faire des entailles sur le dessus de la tarte au moment de la mettre au four. Cuire la tarte congelée dans le tiers inférieur du four préchauffé à 450°F/230°C pendant 15 minutes. Réduire la température du four à 375°F/190°C et poursuivre la cuisson pendant 1 heure ou jusqu'à ce que la croûte soit dorée.)

**3** Cuire dans le tiers inférieur du four préchauffé à 425°F (220°C) pendant 15 minutes. Réduire la température du four à 350°F (180°C) et poursuivre la cuisson de 45 à 60 minutes ou jusqu'à ce que la croûte soit dorée.

PAR PORTION: cal.: 515; prot.: 7 g; m.g.: 18 g (11 g sat.); chol.: 45 mg; gluc.: 82 g; fibres: 6 g; sodium: 265 mg.

# Tarte meringuée au citron

8 PORTIONS • PRÉPARATION: 15 MIN (PÂTE) + 45 MIN (TARTE) • CUISSON: 30 À 36 MIN
• REPOS: 30 MIN (PÂTE) + 2 H (TARTE) • RÉFRIGÉRATION: 1 H

|  | pâte à tarte pour une abaisse de 9 po (23 cm) de diamètre (voir recette p. 264) |  |
|---|---|---|
| 1 1/4 t | sucre granulé | 310 ml |
| 6 c. à tab | fécule de maïs | 90 ml |
| 1/2 c. à thé | sel | 2 ml |
| 2 t | eau | 500 ml |
| 4 | jaunes d'oeufs | 4 |
| 1 c. à tab | zeste de citron râpé | 15 ml |
| 1/2 t | jus de citron | 125 ml |
| 3 c. à tab | beurre non salé coupé en dés | 45 ml |
| 5 | blancs d'oeufs | 5 |
| 1/4 c. à thé | crème de tartre | 1 ml |
| 1/3 t | sucre extra-fin (sucre à fruits) | 80 ml |

1   Sur une surface légèrement farinée, abaisser la pâte en un cercle de 11 po (28 cm) de diamètre. Presser l'abaisse dans une assiette à tarte de 9 po (23 cm) de diamètre. Replier l'excédent de pâte sous l'abaisse et canneler le pourtour. Tapisser l'abaisse de papier d'aluminium et la remplir de haricots secs. Cuire dans le tiers inférieur du four préchauffé à 400°F (200°C) pendant 15 minutes. Retirer le papier d'aluminium et les haricots secs. À l'aide d'une fourchette, piquer la surface de l'abaisse. Poursuivre la cuisson au four pendant 10 minutes ou jusqu'à ce que la croûte soit dorée. Déposer l'assiette sur une grille et laisser refroidir.

2   Entre-temps, dans une casserole à fond épais, mélanger le sucre granulé, la fécule de maïs et le sel. Ajouter l'eau et mélanger. Porter à ébullition à feu moyen-vif en brassant sans arrêt. Réduire à feu moyen-doux et laisser mijoter, en brassant, pendant 3 minutes. Retirer la casserole du feu.

3   Dans un bol, à l'aide d'un fouet, battre légèrement les jaunes d'oeufs. Ajouter 1/2 t (125 ml) de la

préparation de fécule chaude et mélanger. Verser ce mélange dans la casserole et cuire à feu moyen, en brassant, pendant 2 minutes (ne pas trop cuire). Retirer la casserole du feu. Incorporer le zeste et le jus de citron et le beurre. Verser la garniture au citron dans la croûte refroidie.

4   Dans un grand bol, à l'aide d'un batteur électrique, battre les blancs d'oeufs et la crème de tartre jusqu'à ce que le mélange forme des pics mous. Ajouter le sucre extra-fin, 1 c. à tab (15 ml) à la fois, en battant à vitesse maximum jusqu'à ce que le mélange forme des pics fermes et brillants. Étendre la meringue sur la garniture au citron, en l'étalant jusqu'à la croûte. Former des pics dans la meringue.

5   Cuire au four préchauffé à 350°F (180°C) de 5 à 6 minutes ou jusqu'à ce que la meringue soit légèrement dorée. Déposer la tarte sur une grille et laisser refroidir pendant 2 heures. Réfrigérer pendant au moins 1 heure avant de servir.

---

### Une autre influence britannique...

La crème au citron qui fait la renommée de la tarte au citron et d'une foule d'autres desserts délicieusement acidulés est un autre héritage britannique: le lemon curd. La recette originale demande beaucoup de beurre, tandis que dans la tarte au citron à l'américaine on le remplace par de la fécule de maïs pour épaissir la préparation. La tarte au citron « à la française » est faite d'une garniture très similaire à la recette originale de lemon curd: jus et zeste de citron, sucre, jaune d'oeuf et beaucoup de beurre. C'est au XIXe siècle, alors que l'Angleterre possédait toujours des colonies aux Antilles – où poussaient les agrumes en abondance –, que l'on a inventé cette préparation exquise, servie à l'heure du thé en remplacement de la confiture.

---

PAR PORTION: cal.: 428; prot.: 6 g; m.g.: 18 g (8 g sat.); chol.: 139 mg; gluc.: 62 g; fibres: 1 g; sodium: 335 mg.

# Tarte au chocolat et à la crème fouettée

12 PORTIONS • PRÉPARATION: 15 MIN (PÂTE) + 35 MIN (TARTE) • REPOS: 30 MIN (PÂTE) • CUISSON: 50 MIN

|  | pâte à tarte pour une abaisse de 9 po (23 cm) de diamètre (voir recette p. 264) |  |
|---|---|---|
| 1 1/2 t | lait | 375 ml |
| 2 t | crème à 35% | 500 ml |
| 1/2 t + 2 c. à tab | sucre | 155 ml |
| 6 oz | chocolat mi-sucré haché | 180 g |
| 2 | oeufs | 2 |
| 3 c. à tab | fécule de maïs | 45 ml |
| 2 | jaunes d'oeufs | 2 |
| 2 c. à thé | vanille | 10 ml |
|  | copeaux de chocolat (facultatif) |  |

1  Sur une surface légèrement farinée, abaisser la pâte en un cercle de 11 po (28 cm) de diamètre. Presser l'abaisse dans une assiette à tarte de 9 po (23 cm) de diamètre. Replier l'excédent de pâte sous l'abaisse et canneler le pourtour. À l'aide d'une fourchette, piquer la surface de l'abaisse, la tapisser de papier d'aluminium et la remplir de haricots secs. Cuire au four préchauffé à 350°F (180°C) pendant 10 minutes. Déposer l'assiette sur une grille et laisser refroidir. Retirer délicatement le papier d'aluminium et les haricots secs.

2  Dans une casserole à fond épais, chauffer le lait, 1/2 t (125 ml) de la crème et 1/2 t (125 ml) du sucre jusqu'à ce que des bulles se forment sur la paroi. Retirer la casserole du feu. Ajouter le chocolat et mélanger jusqu'à ce qu'il ait fondu. Laisser refroidir légèrement la préparation de chocolat.

3  Dans un grand bol, mélanger les oeufs et la fécule de maïs jusqu'à ce que la préparation forme une pâte. Ajouter les jaunes d'oeufs en fouettant. Incorporer petit à petit la préparation de chocolat en fouettant. Ajouter la vanille et mélanger. Dans une passoire fine placée au-dessus de la croûte de tarte refroidie, filtrer la garniture au chocolat.

4  Cuire au four préchauffé à 350°F (180°C) pendant 35 minutes ou jusqu'à ce que le centre de la garniture ait pris. Déposer la tarte sur une grille et laisser refroidir complètement.

5  Dans un bol, à l'aide d'un batteur électrique, fouetter le reste de la crème et du sucre jusqu'à ce que le mélange forme des pics fermes. Étendre la crème fouettée sur le dessus de la tarte. Garnir de copeaux de chocolat, si désiré.

PAR PORTION: cal.: 385; prot.: 5 g; m.g.: 25 g (13 g sat.); chol.: 129 mg; gluc.: 38 g; fibres: 2 g; sodium: 110 mg.

# Tarte à la crème glacée au caramel

8 À 12 PORTIONS • PRÉPARATION: 40 MIN • CUISSON: 20 À 24 MIN • CONGÉLATION: 3 H 20 MIN

### CROÛTE GRAHAM

| | | |
|---|---|---|
| 1 1/2 t | gaufrettes Graham émiettées | 375 ml |
| 1/4 t | beurre fondu | 60 ml |
| 1 c. à thé | cannelle moulue | 5 ml |

### GARNITURE AU CARAMEL ET À LA CRÈME GLACÉE

| | | |
|---|---|---|
| 2/3 t | sucre | 160 ml |
| 1/4 t | eau | 60 ml |
| 1/3 t | crème à 35% | 80 ml |
| 1 c. à tab | beurre | 15 ml |
| 1 | pincée de sel | 1 |
| 1 c. à thé | café instantané non dilué (facultatif) | 5 ml |
| 8 t | crème glacée à la vanille | 2 L |

### PRÉPARATION DE LA CROÛTE

1 Dans un bol, mélanger les gaufrettes Graham, le beurre et la cannelle jusqu'à ce que la préparation soit humide. Presser la préparation dans le fond et sur la paroi d'une assiette à tarte en verre de 9 po (23 cm) de diamètre. Cuire au four préchauffé à 350°F (180°C) pendant environ 8 minutes ou jusqu'à ce que la croûte soit ferme. Déposer l'assiette sur une grille et laisser refroidir.

### PRÉPARATION DE LA GARNITURE

2 Dans une casserole à fond épais, chauffer le sucre et l'eau à feu moyen jusqu'à ce que le sucre soit dissous. Porter à ébullition et laisser bouillir, sans brasser, de 6 à 10 minutes ou jusqu'à ce que le sirop soit de couleur ambre foncé (à l'aide d'un pinceau à pâtisserie trempé dans l'eau, badigeonner la paroi de la casserole pour faire tomber les cristaux de sucre). Retirer la casserole du feu.

3 À l'aide d'un fouet, incorporer la crème au sirop jusqu'à ce que la préparation soit lisse (attention aux éclaboussures). Ajouter le beurre et le sel en fouettant jusqu'à ce que le caramel soit lisse. Si désiré, incorporer le café en fouettant jusqu'à ce qu'il soit dissous. Laisser refroidir. Arroser le fond de la croûte refroidie de 1/4 t (60 ml) du caramel refroidi. Congeler pendant environ 20 minutes ou jusqu'à ce que le caramel soit ferme.

### ASSEMBLAGE DE LA TARTE

4 Laisser ramollir légèrement la crème glacée à la température ambiante pendant environ 10 minutes et la mettre dans un grand bol. Arroser la crème glacée du reste du caramel. À l'aide d'une spatule, incorporer le caramel dans la crème glacée en formant des spirales. Étendre la crème glacée dans la croûte et lisser le dessus, si désiré. Couvrir d'une pellicule de plastique et congeler pendant environ 3 heures ou jusqu'à ce que la crème glacée soit ferme. (Vous pouvez préparer la tarte à l'avance et la couvrir. Elle se conservera jusqu'à 2 semaines au congélateur, enveloppée de papier d'aluminium et glissée dans un sac de congélation. Laisser reposer environ 10 minutes à la température ambiante avant de servir.)

---

**Zeste de modernité:
variantes sur un thème des sixties**

Pour ce classique des années 1960, on peut s'amuser à varier les versions à l'infini en utilisant soit des sablés au beurre, des biscuits secs au gingembre (*ginger snaps*) ou des gaufrettes au chocolat pour la croûte. On améliore ensuite nos parfums favoris de crème glacée en ajoutant à ces glaces, que l'on aura pris soin de ramollir préalablement à la spatule de caoutchouc: gingembre cristallisé, noix de coco, fruits confits, noix rôties hachées, pépites de chocolat, petits bonbons, fine couche de caramel au beurre salé ou de pâte au chocolat aux noisettes (de type Nutella) entre les étages de crème glacée, etc. Pour créer des tartes de plusieurs étages, il suffit de laisser prendre presque complètement chaque couche de glace au congélateur avant d'en superposer une autre.

---

PAR PORTION: cal.: 403; prot.: 5 g; m.g.: 25 g (15 g sat.); chol.: 81 mg; gluc.: 44 g; fibres: 1 g; sodium: 174 mg.

## Nostalgie

La cuisine de ma mère était créative, imaginative et débrouillarde.
Elle faisait des miracles avec la cassonade et le sirop d'érable
lorsqu'elle préparait son pouding-chômeur. Je me souviens aussi de ses quiches
inimitables. Avec les restes de pâte, elle concoctait une tarte au sucre.
À l'époque où mes parents avaient une miellerie, le nectar des abeilles occupait
une place de choix dans notre répertoire culinaire familial. Après le patin sur
l'étang, papa préparait son lait chaud au miel et à la muscade, et maman son
délicieux poulet au miel, que je sers encore aujourd'hui à ma famille.

Hélène Dion, sommelière et journaliste, née dans les années 1970,
maman d'un garçon

# Biscuits, barres, carrés et autres desserts

# La découverte d'une vocation?

Les biscuits, barres et carrés ont toujours été une source de créativité pour les mamans de toutes les époques. Avec un peu de farine, de flocons d'avoine, de sucre et de garnitures (noix, chocolat, noix de coco, cerises confites, abricots, dattes, cassonade, etc.), elles pouvaient préparer un dessert sain en un rien de temps. Faciles à adapter aux goûts de chacun, ces barres, carrés et biscuits font d'excellentes collations. On peut d'ailleurs les préparer en famille en invitant les enfants à mettre la main à la pâte. Bien des pâtissiers chevronnés ont dit avoir découvert leur passion dans la cuisine de maman et de grand-maman en s'initiant à la confection des biscuits.

# Biscuits à la confiture

DONNE ENVIRON 24 BISCUITS • PRÉPARATION: 30 MIN • CUISSON: 16 À 22 MIN • RÉFRIGÉRATION: 30 MIN

| | | |
|---|---|---|
| 2 t | farine | 500 ml |
| 1 c. à thé | bicarbonate de sodium | 5 ml |
| 1/2 t | beurre ramolli | 125 ml |
| 1/2 t | cassonade | 125 ml |
| 1 | oeuf | 1 |
| 3 c. à tab | mélasse | 45 ml |
| 1/2 c. à thé | vanille | 2 ml |
| 3/4 t | confiture de fraises ou de framboises | 180 ml |

**1** Dans un bol, mélanger la farine et le bicarbonate de sodium. Dans un autre bol, à l'aide d'un batteur électrique, battre le beurre et la cassonade jusqu'à ce que le mélange soit crémeux et gonflé. Ajouter l'oeuf, la mélasse et la vanille en battant. Ajouter les ingrédients secs et mélanger à l'aide d'une cuillère jusqu'à ce que la pâte soit homogène. Réfrigérer pendant 30 minutes.

**2** Sur une surface légèrement farinée, abaisser la pâte à environ 1/4 po (5 mm) d'épaisseur. À l'aide d'un emporte-pièce rond d'environ 3 po (8 cm) de diamètre, découper des biscuits dans la pâte et les mettre sur des plaques à biscuits légèrement beurrées. (Si désiré, faire un trou au centre de la moitié des biscuits avec un emporte-pièce d'environ 3/4 po/ 2 cm de diamètre.) Cuire, deux plaques à la fois, sur la grille supérieure du four préchauffé à 350°F (180°C) de 8 à 11 minutes ou jusqu'à ce que les biscuits soient dorés. Laisser refroidir les plaques sur des grilles pendant 3 minutes. Étendre la confiture sur les biscuits non troués encore chauds et couvrir des biscuits troués. Déposer les biscuits étagés sur les grilles et laisser refroidir complètement. Cuire le reste de la pâte de la même manière.

PAR BISCUIT: cal.: 120; prot.: 1 g; m.g.: 4 g (3 g sat.); chol.: 20 mg; gluc.: 20 g; fibres: traces; sodium: 60 mg.

# Galettes à la mélasse

DONNE ENVIRON 42 GALETTES • PRÉPARATION: 15 MIN • CUISSON: 20 À 22 MIN

| | | |
|---|---|---|
| 2 t | farine | 500 ml |
| 2 c. à thé | bicarbonate de sodium | 10 ml |
| 1 c. à thé | gingembre moulu | 5 ml |
| 1/2 c. à thé | cannelle moulue | 2 ml |
| 1/2 c. à thé | épices mélangées (de type Blue Ribbon) | 2 ml |
| 3/4 t | graisse végétale | 180 ml |
| 1 t | sucre | 250 ml |
| 1/4 t | mélasse | 60 ml |
| 1 | oeuf | 1 |

**1** Dans un bol, mélanger la farine, le bicarbonate de sodium, le gingembre, la cannelle et les épices mélangées. Dans un autre bol, à l'aide d'un batteur électrique, battre la graisse végétale et le sucre jusqu'à ce que le mélange soit crémeux. Ajouter la mélasse et l'oeuf en battant. Ajouter les ingrédients secs et mélanger à l'aide d'une cuillère jusqu'à ce que la pâte soit homogène.

**2** Environ 1 c. à tab (15 ml) à la fois, façonner la pâte en boules, les mettre sur des plaques à biscuits légèrement beurrées et les aplatir à l'aide d'une fourchette. Cuire, deux plaques à la fois, sur la grille supérieure du four préchauffé à 350°F (180°C) de 10 à 11 minutes ou jusqu'à ce que les biscuits soient dorés. Laisser refroidir les plaques sur des grilles pendant 3 minutes. Déposer les galettes sur les grilles et laisser refroidir complètement. Cuire le reste de la pâte de la même manière.

PAR GALETTE: cal.: 80; prot.: 1 g; m.g.: 4 g (2 g sat.); chol.: 5 mg; gluc.: 11 g; fibres: traces; sodium: 65 mg.

Biscuits
à la confiture

Galettes à la mélasse

# Biscuits aux brisures de chocolat

DONNE ENVIRON 32 BISCUITS • PRÉPARATION: 15 MIN • CUISSON: 7 À 10 MIN

| | | |
|---|---|---|
| 1 1/2 t | farine | 375 ml |
| 1/2 c. à thé | sel | 2 ml |
| 1/2 c. à thé | bicarbonate de sodium | 2 ml |
| 1/2 t | beurre ramolli | 125 ml |
| 2/3 t | cassonade | 160 ml |
| 1 | oeuf | 1 |
| 1/2 c. à thé | vanille | 2 ml |
| 1/2 t | brisures de chocolat mi-sucré | 125 ml |

1   Dans un bol, mélanger la farine, le sel et le bicarbonate de sodium. Dans un autre bol, à l'aide d'un batteur électrique, battre le beurre et la cassonade jusqu'à ce que le mélange soit crémeux et gonflé. Ajouter l'oeuf et la vanille en battant. Ajouter les ingrédients secs et mélanger à l'aide d'une cuillère jusqu'à ce que la pâte soit homogène, sans plus. Ajouter les brisures de chocolat et mélanger.

2   Laisser tomber la pâte, 1 c. à tab (15 ml) comble à la fois, sur des plaques à biscuits légèrement beurrées. Cuire sur la grille supérieure du four préchauffé à 325°F (160°C) de 7 à 10 minutes (ne pas trop cuire). Laisser refroidir les plaques sur des grilles pendant 3 minutes. Déposer les biscuits sur les grilles et laisser refroidir complètement.

PAR BISCUIT: cal.: 75; prot.: 1 g; m.g.: 6 g (1 g sat.); chol.: 15 mg; gluc.: 9 g; fibres: traces; sodium: 60 mg.

# Biscuits aux flocons d'avoine et aux raisins secs

DONNE ENVIRON 36 BISCUITS • PRÉPARATION: 15 MIN • CUISSON: 15 À 20 MIN

| | | |
|---|---|---|
| 3 t | farine | 750 ml |
| 2 c. à thé | bicarbonate de sodium | 10 ml |
| 1 c. à thé | sel | 5 ml |
| 2 c. à thé | cannelle moulue | 10 ml |
| 1 t | beurre ramolli | 250 ml |
| 2 t | sucre | 500 ml |
| 4 | oeufs battus | 4 |
| 1 1/2 t | lait | 375 ml |
| 3 1/3 t | flocons d'avoine | 830 ml |
| 2 t | raisins secs | 500 ml |

1   Dans un bol, tamiser la farine, le bicarbonate de sodium, le sel et la cannelle. Dans un autre bol, à l'aide d'un batteur électrique, battre le beurre avec le sucre jusqu'à ce que le mélange soit crémeux et gonflé. Ajouter les oeufs et le lait en battant. À l'aide d'une cuillère, incorporer les flocons d'avoine et les raisins secs. Ajouter les ingrédients secs et mélanger jusqu'à ce que la pâte soit homogène, sans plus.

2   Laisser tomber la pâte, environ 3 c. à tab (45 ml) à la fois, sur des plaques à biscuits légèrement beurrées. Cuire sur la grille supérieure du four préchauffé à 350°F (180°C) de 15 à 20 minutes ou jusqu'à ce que les biscuits soient dorés. Laisser refroidir les plaques sur des grilles pendant 3 minutes. Déposer les biscuits sur les grilles et laisser refroidir complètement.

PAR BISCUIT: cal.: 190; prot.: 4 g; m.g.: 6 g (4 g sat.); chol.: 25 mg; gluc.: 31 g; fibres: 1 g; sodium: 150 mg.

Biscuits aux flocons d'avoine
et aux raisins secs

Biscuits aux brisures de chocolat

# Biscuits à l'avoine et aux brisures de chocolat

DONNE ENVIRON 48 BISCUITS • PRÉPARATION: 25 MIN • CUISSON: 26 À 30 MIN

| | | |
|---|---|---|
| 3 t | flocons d'avoine | 750 ml |
| 3/4 t | beurre ramolli | 180 ml |
| 1 t | cassonade tassée | 250 ml |
| 2 | oeufs | 2 |
| 2 c. à thé | vanille | 10 ml |
| 1/2 c. à thé | bicarbonate de sodium | 2 ml |
| 1/4 c. à thé | sel | 1 ml |
| 12 oz | brisures de chocolat mi-sucré | 375 g |

1   Au robot culinaire, moudre finement 2 t (500 ml) des flocons d'avoine jusqu'à ce qu'ils aient l'apparence d'une farine. Réserver. Dans un grand bol, à l'aide d'un batteur électrique, battre le beurre pendant 30 secondes. Ajouter la cassonade en battant. Ajouter les oeufs et la vanille et battre jusqu'à ce que la préparation soit homogène. Réserver.

2   Dans un autre bol, mélanger les flocons d'avoine moulus réservés, le reste des flocons d'avoine, le bicarbonate de sodium et le sel. Incorporer les ingrédients secs au mélange de beurre réservé et battre jusqu'à ce que la préparation soit homogène. À l'aide d'une cuillère, incorporer les brisures de chocolat. (Vous pouvez préparer la pâte à biscuits à l'avance et la couvrir. Elle se conservera jusqu'à 3 jours au réfrigérateur. Vous pouvez également la congeler avant la cuisson. Dans ce cas, laisser tomber la pâte sur des plaques et les mettre au congélateur. Mettre les biscuits congelés dans des sacs à congélation. Ils se conserveront jusqu'à 3 mois. Cuire sans décongeler en augmentant le temps de cuisson de 1 à 3 minutes.)

3   Laisser tomber la pâte, 1 c. à tab (15 ml) à la fois, sur des plaques à biscuits tapissées de papier-parchemin en espaçant les biscuits d'environ 3 po (8 cm). Déposer une plaque à biscuits sur la grille supérieure du four préchauffé à 300°F (150°C) et une autre sur la grille inférieure. Cuire de 13 à 15 minutes ou jusqu'à ce que les biscuits soient légèrement dorés (intervertir et tourner les plaques à la mi-cuisson). Déposer les plaques sur des grilles et laisser les biscuits refroidir complètement avant de les retirer des plaques. Cuire le reste des biscuits de la même manière.

PAR BISCUIT: cal.: 119; prot.: 1 g; m.g.: 6 g (4 g sat.); chol.: 19 mg; gluc.: 15 g; fibres: 1 g; sodium: 56 mg.

# Biscuits au beurre d'arachides

DONNE ENVIRON 48 BISCUITS • PRÉPARATION: 25 MIN • CUISSON: 18 À 22 MIN

| | | |
|---|---|---|
| 1 t | beurre d'arachides | 250 ml |
| 1 t | beurre ramolli | 250 ml |
| 1 t | sucre | 250 ml |
| 1 t | cassonade tassée | 250 ml |
| 1 c. à thé | poudre à pâte | 5 ml |
| 1 c. à thé | bicarbonate de sodium | 5 ml |
| 1/2 c. à thé | sel | 2 ml |
| 2 | oeufs | 2 |
| 1 c. à thé | vanille | 5 ml |
| 2 1/2 t | farine | 625 ml |

Biscuits au beurre d'arachides

**1**  Dans un grand bol, à l'aide d'un batteur électrique, battre le beurre d'arachides et le beurre pendant 30 secondes. Ajouter le sucre, la cassonade, la poudre à pâte, le bicarbonate de sodium et le sel et battre pendant environ 3 minutes ou jusqu'à ce que la préparation soit légère et gonflée. Ajouter les oeufs et la vanille en battant. Incorporer le plus de farine possible en battant (s'il reste de la farine, l'incorporer avec une cuillère).

**2**  Laisser tomber la pâte, 1 c. à tab (15 ml) à la fois, sur des plaques à biscuits tapissées de papier-parchemin en espaçant les biscuits d'environ 1 po (2,5 cm). Déposer une plaque à biscuits sur la grille supérieure du four préchauffé à 375°F (190°C) et une autre sur la grille inférieure. Cuire de 9 à 11 minutes ou jusqu'à ce que le dessus des biscuits soit légèrement doré (intervertir et tourner les plaques à la mi-cuisson). Déposer les plaques sur des grilles et laisser refroidir pendant 1 minute. Déposer les biscuits sur les grilles et laisser refroidir complètement. Cuire le reste des biscuits de la même manière. (Vous pouvez préparer les biscuits à l'avance et les mettre dans un contenant hermétique, en séparant chaque étage d'une feuille de papier ciré. Ils se conserveront jusqu'à 3 jours à la température ambiante ou jusqu'à 3 mois au congélateur.)

Biscuits à l'avoine
et aux brisures de chocolat

PAR BISCUIT: cal.: 125; prot.: 3 g; m.g.: 6 g (3 g sat.); chol.: 19 mg; gluc.: 15 g; fibres: traces; sodium: 119 mg.

# Brownies au chocolat

DONNE ENVIRON 8 BROWNIES • PRÉPARATION: 15 MIN • CUISSON: 25 À 30 MIN

| | | |
|---|---|---|
| 1/2 t | beurre | 125 ml |
| 2 oz | chocolat mi-sucré haché grossièrement | 60 g |
| 1/2 t | farine | 125 ml |
| 1/2 c. à thé | poudre à pâte | 2 ml |
| 1/4 c. à thé | sel | 1 ml |
| 2 | oeufs | 2 |
| 1 t | sucre | 250 ml |
| 1 c. à thé | vanille | 5 ml |
| 1/2 t | pacanes hachées grossièrement | 125 ml |

1   Dans la partie supérieure d'un bain-marie contenant de l'eau chaude mais non bouillante, faire fondre le beurre et le chocolat. Laisser refroidir.

2   Dans un bol, mélanger la farine, la poudre à pâte et le sel. Dans un autre bol, à l'aide d'un batteur électrique, battre les oeufs et le sucre jusqu'à ce que le mélange soit homogène. Incorporer le mélange de chocolat refroidi et la vanille. Ajouter les ingrédients secs et mélanger à l'aide d'une cuillère jusqu'à ce que la pâte soit homogène. Ajouter les pacanes et bien mélanger. Verser la pâte dans un moule de 8 po (20 cm) de côté, beurré.

3   Cuire au four préchauffé à 350°F (180°C) de 25 à 30 minutes ou jusqu'à ce que le dessus du gâteau commence à se fendiller. Déposer le moule sur une grille et laisser refroidir complètement. Couper en carrés.

PAR BROWNIE: cal.: 330; prot.: 3 g; m.g.: 20 g (9 g sat.); chol.: 85 mg; gluc.: 37 g; fibres: 1 g; sodium: 115 mg.

# Carrés au beurre, aux noix et aux raisins

DONNE 16 CARRÉS • PRÉPARATION: 20 MIN • CUISSON: 35 À 40 MIN

*Carrés au beurre,
aux noix et aux raisins*

*Barres Nanaimo*

### CROÛTE AU BEURRE

| | | |
|---|---|---|
| 1 t | farine | 250 ml |
| 1/4 t | sucre | 60 ml |
| 1/2 t | beurre | 125 ml |

### GARNITURE AUX NOIX ET AUX RAISINS

| | | |
|---|---|---|
| 2 c. à tab | beurre fondu | 30 ml |
| 2 | oeufs légèrement battus | 2 |
| 1 t | cassonade tassée | 250 ml |
| 2 c. à tab | farine | 30 ml |
| 1/2 c. à thé | poudre à pâte | 2 ml |
| 1/2 c. à thé | vanille | 2 ml |
| 1 | pincée de sel | 1 |
| 1 t | raisins secs | 250 ml |
| 1/2 t | noix de Grenoble hachées grossièrement | 125 ml |

### PRÉPARATION DE LA CROÛTE

1 Dans un bol, mélanger la farine et le sucre.
Ajouter le beurre et, à l'aide d'un coupe-pâte ou de deux
couteaux, travailler la préparation jusqu'à ce qu'elle ait la
texture d'une chapelure fine. Presser la préparation dans
le fond d'un moule carré de 9 po (23 cm) de côté. Cuire au
four préchauffé à 350°F (180°C) pendant 15 minutes ou
jusqu'à ce que la croûte soit légèrement dorée.

### PRÉPARATION DE LA GARNITURE

2 Dans un bol, mélanger le beurre fondu et les oeufs.
Ajouter la cassonade, la farine, la poudre à pâte, la
vanille et le sel et mélanger. Incorporer les raisins
secs et les noix de Grenoble. Verser sur la croûte.

3 Cuire au four préchauffé à 350°F (180°C) de 20 à
25 minutes ou jusqu'à ce que la garniture reprenne sa
forme sous une légère pression du doigt. Déposer le
moule sur une grille et laisser refroidir complètement.
Couper en carrés.

PAR CARRÉ: cal.: 221; prot.: 3 g; m.g.: 10 g (5 g sat.); chol.: 42 mg; gluc.: 31 g; fibres: 1 g; sodium: 75 mg.

# Barres Nanaimo

DONNE 18 BARRES • PRÉPARATION: 35 MIN • CUISSON: 12 MIN • RÉFRIGÉRATION: 2 H 30 MIN

*On peut trouver la préparation pour crème anglaise dans les supermarchés, dans la section des ingrédients pour pâtisserie.*

## CROÛTE À LA NOIX DE COCO

| | | |
|---|---|---|
| 1 t | chapelure de gaufrettes Graham | 250 ml |
| 1/2 t | flocons de noix de coco sucrés ou noix de coco râpée | 125 ml |
| 1/3 t | noix de Grenoble hachées finement | 80 ml |
| 1/4 t | poudre de cacao non sucrée | 60 ml |
| 1/4 t | sucre | 60 ml |
| 1/3 t | beurre fondu | 80 ml |
| 1 | oeuf légèrement battu | 1 |

## GARNITURE À LA VANILLE

| | | |
|---|---|---|
| 1/4 t | beurre | 60 ml |
| 2 c. à tab | préparation pour crème anglaise (de type Bird's) | 30 ml |
| 1/2 c. à thé | vanille | 2 ml |
| 2 t | sucre glace | 500 ml |
| 2 c. à tab | lait (environ) | 30 ml |

## GLACE AU CHOCOLAT

| | | |
|---|---|---|
| 4 oz | chocolat mi-sucré haché | 125 g |
| 1 c. à tab | beurre | 15 ml |

## PRÉPARATION DE LA CROÛTE

1   Dans un bol, mélanger la chapelure de gaufrettes Graham, les flocons de noix de coco, les noix de Grenoble, la poudre de cacao et le sucre. Arroser la préparation du beurre fondu et de l'oeuf et mélanger jusqu'à ce qu'elle soit humide. Presser la préparation dans un moule en métal carré de 9 po (23 cm) de côté, tapissé de papier-parchemin. Cuire au four préchauffé à 350°F (180°C) pendant environ 10 minutes ou jusqu'à ce que la croûte soit ferme. Déposer le moule sur une grille et laisser refroidir.

## PRÉPARATION DE LA GARNITURE

2   Dans un bol, à l'aide d'un batteur électrique, battre le beurre, la préparation pour crème anglaise et la vanille. Ajouter le sucre glace en battant et en alternant avec le lait jusqu'à ce que la préparation soit lisse (au besoin, ajouter jusqu'à 1 c. à thé/5 ml de lait si la garniture est trop épaisse). Étendre la garniture à la vanille sur la croûte refroidie. Réfrigérer pendant environ 1 heure ou jusqu'à ce qu'elle soit ferme.

## PRÉPARATION DE LA GLACE

3   Dans un bol à l'épreuve de la chaleur placé sur une casserole contenant de l'eau chaude mais non bouillante, faire fondre le chocolat et le beurre. Étendre la glace au chocolat sur la garniture à la vanille. Réfrigérer pendant environ 30 minutes ou jusqu'à ce que le chocolat soit presque ferme. Avec la pointe d'un couteau, tracer des rectangles sur la glace au chocolat. Réfrigérer pendant environ 1 heure ou jusqu'à ce que le chocolat soit ferme. (Vous pouvez préparer les barres à l'avance et les envelopper d'une pellicule de plastique. Elles se conserveront jusqu'à 4 jours au réfrigérateur ou jusqu'à 2 semaines au congélateur, enveloppées de papier d'aluminium résistant.)

4   Au moment de servir, couper en barres.

PAR BARRE: cal.: 213; prot.: 2 g; m.g.: 11 g (6 g sat.); chol.: 28 mg; gluc.: 28 g; fibres: 1 g; sodium: 97 mg.

## Nostalgie

La cuisine de nos mères a toujours sa place aujourd'hui parce qu'elle est fondée sur le partage, la convivialité et la notion de plaisir. Elle fait partie de notre patrimoine culinaire, complété par des influences glanées grâce aux voyages, aux rencontres, à la découverte de nouveaux produits et à l'apport des chefs cuisiniers à la cuisine familiale. Elle ne reflète pas tout ce que nous sommes, mais elle est importante et continue souvent de ponctuer les moments de retrouvailles, les fêtes et les anniversaires.

*Josée di Stasio, animatrice de l'émission À la di Stasio et auteure de livres de cuisine*

# Carrés au citron et à la lime

DONNE 16 CARRÉS • PRÉPARATION: 20 MIN • CUISSON: 40 MIN • REPOS: 1 H • RÉFRIGÉRATION: 2 H

| | | |
|---|---|---|
| 2/3 t | beurre ramolli | 160 ml |
| 1/2 t | cassonade tassée | 125 ml |
| 2 1/2 t | farine | 625 ml |
| 4 c. à thé | zeste de citron râpé finement | 20 ml |
| 6 | oeufs | 6 |
| 2 1/4 t | sucre | 560 ml |
| 1/2 t | jus de citron | 125 ml |
| 3/4 c. à thé | poudre à pâte | 4 ml |
| 1/8 c. à thé | muscade moulue | 0,5 ml |
| 1 c. à thé | zeste de lime râpé finement | 5 ml |
| 2 c. à tab | sucre glace | 30 ml |

1   Dans un grand bol, à l'aide d'un batteur électrique, battre le beurre pendant 30 secondes. Incorporer la cassonade en battant jusqu'à ce que le mélange soit homogène. Ajouter 2 t (500 ml) de la farine et battre jusqu'à ce que la préparation soit grumeleuse. Incorporer 2 c. à thé (10 ml) du zeste de citron. Presser uniformément la préparation dans un plat allant au four de 13 po x 9 po (33 cm x 23 cm) tapissé de papier d'aluminium. Cuire au four préchauffé à 350°F (180°C) pendant 20 minutes.

2   Entre-temps, dans un bol, à l'aide du batteur électrique (utiliser des fouets propres), mélanger les oeufs, le sucre, le reste de la farine, le jus de citron, la poudre à pâte et la muscade et battre pendant 2 minutes. Ajouter le reste du zeste de citron et le zeste de lime et mélanger. Étendre la garniture au citron sur la croûte chaude. Poursuivre la cuisson au four pendant 20 minutes ou jusqu'à ce que le pourtour de la garniture soit doré et que le centre ait pris. Déposer le plat sur une grille et laisser refroidir pendant 1 heure. Couvrir et réfrigérer pendant 2 heures.

3   Au moment de servir, parsemer du sucre glace. Soulever le papier d'aluminium pour démouler et couper en carrés. (Vous pouvez préparer les carrés à l'avance et les mettre dans un contenant hermétique, en séparant chaque étage d'une feuille de papier ciré. Ils se conserveront jusqu'à 3 jours au réfrigérateur.)

PAR CARRÉ: cal.: 384; prot.: 5 g; m.g.: 12 g (6 g sat.); chol.: 125 mg; gluc.: 65 g; fibres: aucune; sodium: 120 mg.

# Carrés aux dattes

DONNE ENVIRON 18 CARRÉS • PRÉPARATION: 15 MIN • CUISSON: 36 À 38 MIN

| | | |
|---|---|---|
| 1 1/2 t | eau | 375 ml |
| 2 1/2 t | cassonade | 625 ml |
| 1 1/2 lb | dattes coupées en deux | 750 g |
| 1 c. à thé | vanille | 5 ml |
| 1 1/2 t | farine | 375 ml |
| 1/4 c. à thé | bicarbonate de sodium | 1 ml |
| 1 1/2 t | flocons d'avoine | 375 ml |
| 1 t | beurre ramolli | 250 ml |

**1** Dans une casserole, porter l'eau à ébullition. Ajouter 1 t (250 ml) de la cassonade et mélanger. Ajouter les dattes et cuire, en brassant, de 6 à 8 minutes ou jusqu'à ce qu'elles soient tendres et que la préparation ait épaissi. Ajouter la vanille et mélanger. Réserver.

**2** Dans un bol, mélanger la farine et le bicarbonate de sodium. Ajouter les flocons d'avoine et le reste de la cassonade et bien mélanger. Ajouter le beurre et mélanger avec les mains jusqu'à ce que la préparation soit grumeleuse. Presser légèrement les trois quarts de la préparation dans un moule de 13 po x 9 po (33 cm x 23 cm), beurré. Couvrir uniformément de la garniture aux dattes et parsemer du reste de la préparation aux flocons d'avoine. Cuire au four préchauffé à 350°F (180°C) pendant 30 minutes ou jusqu'à ce que le dessus du gâteau soit doré. Laisser refroidir, puis couper en carrés.

## Un succès jamais démenti

Dessert par excellence de notre enfance, les carrés aux dattes sont toujours aussi populaires auprès des petits et des grands. Si plusieurs recettes d'autrefois utilisaient de la graisse végétale (shortening) pour lier le mélange de farine et de flocons d'avoine, de nos jours on préfère le beurre (en moindre quantité), meilleur pour notre santé. Le contenu en sucre a aussi beaucoup diminué. Les dattes séchées étant naturellement très riches en sucre, plusieurs recettes l'éliminent désormais de la garniture. D'autres ajoutent un peu de jus d'orange pour édulcorer la compote et la rendre plus crémeuse.

PAR CARRÉ: cal.: 350; prot.: 3 g; m.g.: 11 g (7 g sat.); chol.: 25 mg; gluc.: 63 g; fibres: 4 g; sodium: 30 mg.

# Macarons aux amandes et à la noix de coco

DONNE ENVIRON 30 MACARONS • PRÉPARATION: 25 MIN • CUISSON: 20 À 25 MIN

| | | |
|---|---|---|
| 2 t | flocons de noix de coco | 500 ml |
| 3/4 t | amandes hachées grossièrement | 180 ml |
| 2/3 t | sucre | 160 ml |
| 1/3 t | farine | 80 ml |
| 1/4 c. à thé | sel | 1 ml |
| 3 | blancs d'oeufs légèrement battus | 3 |
| 1 c. à thé | zeste de citron râpé finement | 5 ml |
| 1 c. à tab | jus de citron | 15 ml |
| | sucre glace (facultatif) | |

1   Dans un grand bol, mélanger les flocons de noix de coco, les amandes, le sucre, la farine et le sel. Ajouter les blancs d'oeufs, le zeste et le jus de citron et mélanger. Laisser tomber la pâte, 1 c. à thé (5 ml) comble à la fois, sur deux plaques à biscuits tapissées de papier-parchemin, en espaçant les macarons d'environ 2 po (5 cm).

2   Déposer une plaque à biscuits sur la grille supérieure du four préchauffé à 325°F (160°C) et une autre sur la grille inférieure. Cuire de 20 à 25 minutes ou jusqu'à ce que le pourtour des macarons soit légèrement doré (intervertir et tourner les plaques à la mi-cuisson). Déposer les macarons sur des grilles et laisser refroidir complètement. Saupoudrer de sucre glace, si désiré. (Vous pouvez préparer les macarons à l'avance et les mettre dans un contenant hermétique, en séparant chaque étage d'une feuille de papier ciré. Ils se conserveront jusqu'à 2 jours à la température ambiante ou jusqu'à 3 mois au congélateur.)

PAR MACARON: cal.: 65; prot.: 1 g; m.g.: 3 g (2 g sat.); chol.: aucun; gluc.: 9 g; fibres: 1 g; sodium: 40 mg.

# Carrés à la crème glacée et aux fraises

9 PORTIONS • PRÉPARATION: 25 MIN • CUISSON: 20 À 25 MIN

| | | |
|---|---|---|
| 4 t | crème glacée aux fraises ou à la vanille | 1 L |
| 1 | paquet de pâte à biscuits au sucre (de type Pillsbury) (510 g) | 1 |
| 1/3 t | amandes coupées en tranches | 80 ml |
| 1 c. à tab | sucre | 15 ml |
| 1/4 c. à thé | cannelle moulue | 1 ml |
| 2 t | fraises fraîches, coupées en tranches | 500 ml |
| 1/2 t | coulis de fraises | 125 ml |
| 2 c. à tab | flocons de noix de coco grillés (facultatif) | 30 ml |

1   À l'aide d'une cuillère à crème glacée, faire neuf boules de crème glacée et les mettre côte à côte dans une grande assiette froide. Réserver au congélateur.

2   Tapisser un moule carré de 9 po (23 cm) de côté de papier d'aluminium en laissant dépasser un excédent sur deux côtés. Vaporiser légèrement le papier d'aluminium d'un enduit végétal antiadhésif (de type Pam). Presser uniformément la pâte à biscuits dans le fond du moule et la parsemer des amandes en les pressant légèrement dans la pâte. Dans un petit bol, mélanger le sucre et la cannelle. Parsemer la pâte de ce mélange. Cuire au four préchauffé à 350°F (180°C) de 20 à 25 minutes ou jusqu'à ce que la croûte soit dorée. Déposer le moule sur une grille et laisser refroidir.

3   Dans un bol, mélanger les fraises et le coulis. En se servant de l'excédent de papier d'aluminium, soulever la croûte refroidie pour la démouler. Détacher délicatement le papier d'aluminium de la croûte et la couper en neuf carrés. Mettre les carrés sur un plateau de service ou dans des assiettes individuelles. En travaillant rapidement, mettre une boule de crème glacée réservée sur chaque carré. Garnir du mélange de fraises et parsemer de la noix de coco, si désiré. Servir aussitôt.

PAR PORTION: cal.: 420; prot.: 5 g; m.g.: 18 g (6 g sat.); chol.: 28 mg; gluc.: 60 g; fibres: 2 g; sodium: 255 mg.

# Pain aux noix et à la cannelle

DONNE 12 TRANCHES • PRÉPARATION: 30 MIN • CUISSON: 45 MIN • REPOS: 12 H

| | | |
|---|---|---|
| 1 1/3 t | sucre | 330 ml |
| 1/2 t | pacanes ou noix de Grenoble grillées, hachées | 125 ml |
| 2 c. à thé | cannelle moulue | 10 ml |
| 2 t | farine | 500 ml |
| 1 c. à thé | poudre à pâte | 5 ml |
| 1/2 c. à thé | sel | 2 ml |
| 1 | oeuf | 1 |
| 1 t | lait | 250 ml |
| 1/3 t | huile végétale | 80 ml |

**1** Dans un bol, mélanger 1/3 t (80 ml) du sucre, les pacanes et la cannelle. Réserver. Dans un grand bol, mélanger le reste du sucre, la farine, la poudre à pâte et le sel. Dans un autre bol, à l'aide d'une fourchette, battre l'oeuf. Ajouter le lait et l'huile et mélanger. Ajouter le mélange d'oeuf aux ingrédients secs en une fois et mélanger jusqu'à ce que la pâte soit homogène, sans plus (la pâte ne sera pas lisse).

**2** Verser la moitié de la pâte dans un moule à pain de 9 po x 5 po (23 cm x 13 cm), beurré et fariné. Parsemer de la moitié du mélange de noix réservé. Verser le reste de la pâte dans le moule et parsemer du reste du mélange de noix. Passer une spatule en caoutchouc dans la pâte en faisant un mouvement circulaire de haut en bas pour marbrer la pâte.

**3** Cuire au four préchauffé à 350°F (180°C) de 45 à 50 minutes ou jusqu'à ce qu'un cure-dents inséré au centre du pain en ressorte propre. Déposer le moule sur une grille et laisser refroidir pendant 10 minutes. Démouler le pain sur la grille et laisser refroidir complètement. Envelopper le pain refroidi de papier d'aluminium et le laisser reposer 2 heures avant de le couper en tranches. (Vous pouvez préparer le pain à l'avance et le mettre dans un contenant hermétique. Il se conservera jusqu'à 3 jours à la température ambiante ou jusqu'à 3 mois au congélateur.)

PAR TRANCHE: cal.: 265; prot.: 4 g; m.g.: 10 g (1 g sat.); chol.: 17 mg; gluc.: 40 g; fibres: 1 g; sodium: 140 mg.

# Sandwichs à la crème glacée au chocolat

DONNE 8 SANDWICHS • PRÉPARATION: 20 MIN • CONGÉLATION: 1 H • CUISSON: 10 MIN (BISCUITS)

| | | |
|---|---|---|
| 4 t | crème glacée au chocolat, légèrement ramollie | 1 L |
| 16 | biscuits au chocolat d'environ 3 po (8 cm) de diamètre (voir recette) | 16 |
| 1/2 t | paillettes de chocolat | 125 ml |

**1** Dans un grand bol froid, à l'aide d'une cuillère de bois, brasser la crème glacée jusqu'à ce qu'elle soit crémeuse. Étendre la crème glacée, environ 1/2 t (125 ml) à la fois, sur le côté plat de la moitié des biscuits et couvrir du reste des biscuits, le côté plat dessous. Presser pour répartir la crème glacée jusqu'au bord des biscuits. Mettre les paillettes de chocolat dans une assiette et y rouler le pourtour des sandwichs.

**2** Déposer les sandwichs à la crème glacée côte à côte sur une plaque de cuisson, couvrir et congeler pendant environ 1 heure ou jusqu'à ce que la crème glacée soit ferme.

**3** Au moment de servir, laisser ramollir à la température ambiante pendant environ 10 minutes.

## Biscuits au chocolat
DONNE ENVIRON 16 BISCUITS

| | | |
|---|---|---|
| 1/2 t | beurre ramolli | 125 ml |
| 1/3 t | cassonade tassée | 80 ml |
| 2 c. à tab | sirop de maïs | 30 ml |
| 1 | oeuf | 1 |
| 1 1/2 c. à thé | vanille | 7 ml |
| 1 t | farine | 250 ml |
| 1/4 t | poudre de cacao non sucrée | 60 ml |
| 1/4 c. à thé | bicarbonate de sodium | 1 ml |
| 1/4 c. à thé | sel | 1 ml |
| 1 t | brisures de chocolat mi-sucré | 250 ml |

**1** Dans un grand bol, à l'aide d'un batteur électrique, battre le beurre, la cassonade et le sirop de maïs jusqu'à ce que le mélange ait gonflé. Ajouter l'oeuf et la vanille en battant. Dans un autre bol, mélanger la farine, le cacao, le bicarbonate de sodium et le sel. Incorporer les ingrédients secs au mélange de beurre en deux fois, en battant bien après chaque addition. Ajouter les brisures de chocolat et mélanger à l'aide d'une cuillère de bois.

**2** Laisser tomber la pâte, 1 c. à tab (15 ml) à la fois, sur des plaques à biscuits beurrées ou tapissées de papier-parchemin, en espaçant les biscuits d'environ 2 po (5 cm) (vous devriez obtenir 16 biscuits). Déposer une plaque à biscuits sur la grille supérieure du four préchauffé à 375°F (190°C) et une autre sur la grille inférieure. Cuire pendant environ 10 minutes ou jusqu'à ce que les biscuits aient perdu leur brillant, que le pourtour soit ferme au toucher et que le centre soit encore moelleux (intervertir et tourner les plaques à la mi-cuisson). Déposer les biscuits sur des grilles et laisser refroidir complètement. (Vous pouvez préparer les biscuits à l'avance et les mettre dans un contenant hermétique, en séparant chaque étage d'une feuille de papier ciré. Ils se conserveront jusqu'à 2 jours à la température ambiante ou jusqu'à 1 mois au congélateur.)

PAR SANDWICH: cal.: 505; prot.: 7 g; m.g.: 28 g (17 g sat.); chol.: 78 mg; gluc.: 63 g; fibres: 4 g; sodium: 285 mg.

# Beignes au sucre

DONNE ENVIRON 6 DOUZAINES DE BEIGNES • PRÉPARATION: 1 H • CUISSON: 1 H 15 MIN

| | | |
|---|---|---|
| 10 t | farine (environ) | 2,5 L |
| 2 c. à tab | poudre à pâte | 30 ml |
| 1 c. à thé | sel | 5 ml |
| 1/2 c. à thé | noix de muscade fraîchement râpée | 2 ml |
| 1/3 t | beurre fondu | 80 ml |
| 3 t | sucre | 750 ml |
| 6 | oeufs | 6 |
| 3 t | lait | 750 ml |
| | huile et graisse végétales (deux parts d'huile pour une part de graisse) | |
| 1 t | sucre granulé (pour l'enrobage) | 250 ml |

1   Dans un bol, mélanger la farine, la poudre à pâte, le sel et la muscade. Dans un grand bol, à l'aide d'un batteur électrique, battre le beurre, le sucre et les oeufs de 3 à 5 minutes ou jusqu'à ce que le sucre soit dissous. Ajouter les ingrédients secs en alternant avec le lait et mélanger à l'aide d'une cuillère jusqu'à ce que la pâte soit homogène (ajouter de la farine si la pâte est trop humide).

2   Sur une surface légèrement farinée, abaisser le quart de la pâte jusqu'à environ 3/8 po (9 mm) d'épaisseur. À l'aide d'un emporte-pièce à beignes, découper des beignes dans la pâte. Répéter ces opérations avec le reste de la pâte.

3   Dans une grande casserole ou une friteuse, chauffer l'huile et la graisse à 375°F (190°C). Ajouter les beignes, quelques-uns à la fois, et cuire de 2 à 3 minutes de chaque côté ou jusqu'à ce qu'ils soient dorés. Égoutter sur des essuie-tout. Passer les beignes encore chauds dans un bol contenant le sucre granulé pour bien les enrober. Laisser refroidir sur des grilles.

PAR BEIGNE: cal.: 195; prot.: 3 g; m.g.: 10 g (3 g sat.); chol.: 20 mg; gluc.: 25 g; fibres: traces; sodium: 75 mg.

# Grands-pères au sirop d'érable

6 À 8 PORTIONS • PRÉPARATION: 15 MIN • CUISSON: 15 MIN

| | | |
|---|---|---|
| 1 1/4 t | farine | 310 ml |
| 1 c. à tab | poudre à pâte | 15 ml |
| 1 | pincée de sel | 1 |
| 2 c. à tab | sucre | 30 ml |
| 1/4 t | beurre ramolli | 60 ml |
| 1/2 t | lait | 125 ml |
| 1 t | eau | 250 ml |
| 2 t | sirop d'érable | 500 ml |
| | crème glacée à la vanille (facultatif) | |

1   Dans une passoire fine placée sur un grand bol, tamiser la farine, la poudre à pâte, le sel et le sucre. Ajouter le beurre et, à l'aide d'un coupe-pâte ou de deux couteaux, travailler la préparation jusqu'à ce qu'elle ait la texture d'une chapelure grossière. Ajouter le lait et mélanger jusqu'à ce que la pâte soit homogène.

2   Dans une grande casserole, mélanger l'eau et le sirop d'érable et porter à ébullition. Laisser tomber la pâte, environ 1 c. à tab (15 ml) à la fois, dans le sirop bouillant. Réduire à feu doux, couvrir et laisser mijoter environ 15 minutes (ne pas soulever le couvercle durant la cuisson). Au moment de servir, napper les grands-pères du sirop et garnir d'une boule de crème glacée, si désiré.

PAR PORTION: cal.: 350; prot.: 3 g; m.g.: 6 g (4 g sat.); chol.: 15 mg; gluc.: 75 g; fibres: 1 g; sodium: 200 mg.

### Le dessert de Noël depuis toujours

Que serait la fête de Noël sans les beignes (et les trous de beigne) que nos grands-mères s'amusaient parfois à rouler dans le sucre glace dès leur sortie du bain d'huile bouillant? Parce qu'ils coûtaient cher en huile à friture, ces petits régals étaient réservés à la période des fêtes, ce qui est encore le cas aujourd'hui. On les offrait à la «visite» avec fierté. Une cuisinière chevronnée savait l'importance d'utiliser une huile à friture de bonne qualité, qui n'avait pas servi plus d'une fois, ce qui lui permettait d'obtenir des beignes croustillants, exempts d'arrière-goût de gras. Contrairement aux pâtés à la viande (tourtières), ragoûts de boulettes ou gâteaux aux fruits, pour lesquels chaque famille possède sa propre version et ses variantes secrètes, la recette des beignes de Noël québécois diffère très peu d'une famille ou d'une région à l'autre.

# Macarons au chocolat et à la noix de coco

DONNE ENVIRON 36 MACARONS • PRÉPARATION: 10 MIN • CUISSON: 3 MIN

| | | |
|---|---|---|
| 3 t | flocons d'avoine | 750 ml |
| 1 t | flocons de noix de coco sucrés | 250 ml |
| 1/3 t | poudre de cacao non sucrée | 80 ml |
| 1/2 t | beurre | 125 ml |
| 2 t | sucre | 500 ml |
| 1/2 t | lait | 125 ml |
| 1/2 c. à thé | vanille | 2 ml |

1  Dans un bol, mélanger les flocons d'avoine, les flocons de noix de coco et la poudre de cacao. Réserver. Dans une casserole, mélanger le beurre, le sucre, le lait et la vanille. Porter à ébullition et laisser bouillir, en brassant de temps à autre, pendant 3 minutes.

2  Verser la préparation au lait sur les ingrédients secs réservés et mélanger jusqu'à ce que la pâte soit homogène. Laisser tomber la pâte, environ 2 c. à tab (30 ml) à la fois, sur des plaques à biscuits beurrées. Réfrigérer jusqu'à ce que les macarons soient fermes.

PAR MACARON: cal.: 105; prot.: 1 g; m.g.: 4 g (2 g sat.); chol.: 7 mg; gluc.: 17 g; fibres: 1 g; sodium: 10 mg.

# Sucre à la crème

DONNE ENVIRON 36 CARRÉS • PRÉPARATION: 15 MIN • CUISSON: 5 MIN

| | | |
|---|---|---|
| 1/3 t | beurre | 80 ml |
| 2 t | cassonade tassée | 500 ml |
| 2 c. à tab | sirop de maïs | 30 ml |
| 1/2 t | lait évaporé (de type Carnation) | 125 ml |
| 1/2 c. à thé | vanille | 2 ml |
| 1 1/2 t | sucre glace tamisé | 375 ml |

1  Dans une casserole à fond épais, mélanger le beurre, la cassonade, le sirop de maïs, le lait évaporé et la vanille. Porter à ébullition et laisser mijoter à feu moyen pendant 5 minutes en brassant de temps à autre. Retirer du feu.

2  Ajouter le sucre glace et, à l'aide d'un batteur électrique, battre de 2 à 3 minutes ou jusqu'à ce que la préparation ait épaissi et perdu son lustre. Verser aussitôt le sucre à la crème dans un moule de 8 po (20 cm) de côté, beurré, et laisser refroidir à la température ambiante jusqu'à ce qu'il ait pris. Couper en carrés.

PAR CARRÉ: cal.: 85; prot.: traces; m.g.: 2 g (1 g sat.); chol.: 5 mg; gluc.: 17 g; fibres: aucune; sodium: 10 mg.

Macarons au chocolat
et à la noix de coco

Sucre à la crème

## Amuse-gueule, entrées et plats d'accompagnement

## Soupes et potages

## Salades, légumes et marinades

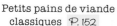

## Photographies

© Getty Images / SuperStock Pages 100, 226

© Getty Images / Vintage Images / Archive Photos Page 78

© iStockphoto.com / Alasdair Thomson Page 40

© iStockphoto.com / Aleksandr Sulga Page 80

© iStockphoto.com / Burwell and Burwell Photography Page 6

© iStockphoto.com / Daniiya Melnikova (polaroid)

© iStockphoto.com / Dejan Ristovski Page 12

© iStockphoto.com/fumumpa Page 276

© iStockphoto.com / Heidi Kristensen Page 138

© iStockphoto.com/HultonArchive Pages 2, 10, 14, 36, 58, 128, 164, 184, 204, 206, 254

© iStockphoto.com / hüseyin harmandağlı Page 250

© iStockphoto.com / Iwona Grodzka Pages 16, 24, 266

© iStockphoto.com / Johann Helgason Page 211

© iStockphoto.com/kyoshino (cartable)

© iStockphoto.com/Picsfive (fiche avec trombone)

© iStockphoto.com/ranplett (ruban adhésif)

© iStockphoto.com/stockcam Pages 193, 205

© iStockphoto.com/subjug Page 204

© iStockphoto.com / Uyen Le Page 205

Alain Sirois Pages 25, 28, 39, 41, 43, 47, 54, 55, 61, 65, 68, 75, 81, 83, 85, 86, 87, 99, 103, 104, 115, 135, 142, 143, 150, 159, 161, 167, 171, 173, 179, 181, 187, 201, 215, 217, 219, 224, 229, 231, 233, 237, 239, 241, 243, 245, 251, 253, 257, 260, 263, 265, 269, 271, 279, 281, 283, 285, 291, 299, 301, 311 (jambon)

Alison Miksch / Meredith Corporation, reproduite de *Family Circle Magazine* Page 67

Andy Lyons / Meredith Corporation reproduites de *Better Homes and Gardens Magazine* Pages 73, 137, 289

Benjamin F. Fink/Firstlight.ca Pages 59, 71 (sauce tomate)

Blaine Moats / Meredith Corporation, reproduites de *Better Homes and Gardens Magazine* Pages 49, 153, 293

Charles Schiller / Meredith Corporation, reproduite de *Family Circle Magazine* Page 121

Christopher Campbell Page 71 (étapes A, C)

David Scott Pages 22, 89, 195

Edward Pond Pages 31, 123, 209, 213, 286

Fred Bird Page 71 (étapes B, D)

Hasnain Dattu Pages 48, 56

James Baigrie / Meredith Corporation, reproduites de *Family Circle Magazine* Page 235

Jennifer Levy / Meredith Corporation, reproduite de *Better Homes and Gardens Magazine* Page 91

Jodi Pudge Pages 133, 221, 275, 311 (croustade, pot-au-feu)

Kevin Hewitt Page 76

Kritsada / Meredith Corporation, reproduites de *Better Homes and Gardens Magazine* Pages 57, 294, 297

Mark Ferri / Meredith Corporation, reproduite de *Family Circle Magazine* Page 90

Mark Thomas / Meredith Corpoation, reproduites de *Family Circle Magazine* Pages 94, 168, 223, 273

Michael Alberstat Page 127

Mike Dieter / Meredith Corporation, reproduite de *Better Homes and Gardens Magazine* Page 295

Peter Krumhardt / Meredith Corporation, reproduites de *Better Homes and Gardens Magazine* Page 17

Riou/Photocuisine/Corbis Page 72

Robyn MacKenzie Page 175

Scott Little / Meredith Corporation, reproduites de *Better Homes and Gardens Magazine* Pages 35, 45, 111, 131, 186, 192, 197, 259

Tango Photographie Pages 29, 113, 163, 172, 180, 199, 212

Tina Rupp / Meredith Corporation, reproduites de *Family Circle Magazine* Pages 97, 247, 249

Transcontinental Transmédia Pages 44, 109, 114, 188

Yunhee Kim / Meredith Corporation, reproduite de *Family Circle Magazine* Page 62

Yvonne Duivenvoorden Pages 18, 19, 21, 27, 35, 52, 53, 77, 93, 107, 117, 119, 120, 124, 139, 140, 145, 147, 149, 155, 157, 183, 191, 196, 203

Couverture arrière

© iStockphoto.com/ShutterWorx (papier peint), iStockphoto.com/ HultonArchive (petite fille), Alain Sirois (gâteau renversé à l'ananas), Transcontinental Transmédia (soupe aux haricots et aux tomates)

## Stylisme culinaire

Claire Stancer Pages 56, 76, 93, 183

Claire Stubbs Pages 19, 35, 123, 147, 149, 209, 213

Denyse Roussin Pages 25, 39, 41, 43, 44, 47, 54, 55, 61, 65, 68, 75, 77, 81, 83, 85, 86, 87, 99, 103, 104, 109, 114, 115, 135, 142, 143, 150, 159, 161, 167, 171, 179, 187, 188, 201, 212, 215, 217, 219, 229, 231, 233, 237, 239, 241, 243, 245, 251, 253, 257, 260, 263, 265, 269, 271, 279, 281, 283, 285, 291, 299, 300

Donna Bartolini Pages 48, 117, 127, 155, 196

Ian Muggridge Page 275

Judy Aldis Pages 18, 21, 107, 119, 120, 139, 140, 145, 203

Lucie Richard Pages 22, 27, 31, 52, 53, 89, 124, 157, 191, 286

Nicole Young Pages 133, 221

Véronique Gagnon-Lalanne Pages 113, 163, 199

## Stylisme accessoires

Caroline Simon Pages 44, 109, 114, 188

Catherine Doherty Page 123

Josée Angrignon Pages 25, 39, 41, 43, 47, 54, 55, 61, 65, 68, 75, 77, 81, 83, 85, 86, 87, 99, 103, 104, 115, 135, 142, 143, 149, 150, 159, 161, 167, 171, 179, 187, 201, 215, 217, 219, 229, 231, 233, 237, 239, 241, 243, 245, 251, 253, 257, 260, 263, 265, 269, 271, 279, 281, 283, 285, 291, 299, 300

Laura Branson Pages 27, 31, 53, 275, 286

Maggi Jones Page 213

Marc-Philippe Gagnon Pages 117, 145

Monique Marcoux Page 212

OK Props Pages 18, 21, 48, 107, 119, 120, 139, 140, 147, 155, 196, 203

Oksana Slavutych Pages 19, 22, 35, 52, 56, 76, 89, 93, 124, 127, 133, 157, 183, 191, 209, 221

Nous remercions de sa collaboration le magazine *Canadian Living*.

**Les Éditions Transcontinental**
1100, boul. René-Lévesque Ouest, 24e étage
Montréal (Québec) H3B 4X9
Téléphone: 514 392-9000 ou 1 800 361-5479
**www.livres.transcontinental.ca**

**Pour connaître nos autres titres, consultez**
www.livres.transcontinental.ca.
Pour bénéficier de nos tarifs spéciaux
s'appliquant aux bibliothèques d'entreprise
ou aux achats en gros, informez-vous
au **1 866 800-2500** (et faites le 2).

Catalogage avant publication de Bibliothèque
et Archives nationales du Québec
et Bibliothèque et Archives Canada

**Vedette principale au titre:**
*Les recettes secrètes de nos mères:*
*200 mets réconfortants qui nous rappellent*
*notre enfance*
(Coup de pouce)
ISBN 978-2-89472-515-3
1. Cuisine.
I. Collection: Collection Coup de pouce.
TX714.R42 2011   641.5    C2011-941709-X

**Rédactrice en chef de la bannière *Coup de pouce*:**
Mélanie Thivierge
**Coordonnatrice de la rédaction:** Anne-Louise Desjardins
**Chef de la production:** Marie-Suzanne Menier
**Correction d'épreuves:** Pierrette Dugal-Cochrane, Linda Nantel
**Conception graphique:** Marie-Josée Forest
**Infographie:** Louise Besner, Diane Marquette
**Impression:** Transcontinental Interglobe

**Photographies de la couverture avant:**
Pâté au dindon et aux légumes (recette page 122):
photographie, Alain Sirois; stylisme culinaire,
Denyse Roussin; stylisme accessoires, Josée Angrignon.
Table en bois: Rowntree Antiquités (780, rue Atwater, Montréal,
514 933-5030); serviette de table en lin: Arthur Quentin
(3960, rue Saint-Denis, Montréal, 514 843-7513);
assiette à tarte Émile Henry: Les Touilleurs (152, avenue
Laurier Ouest, Montréal, 514 278-0008). Photographie noir
et blanc: Getty Images/SuperStock.

Imprimé au Canada
© Les Éditions Transcontinental, 2011
Dépôt légal – Bibliothèque et Archives nationales du Québec,
3e trimestre 2011
Bibliothèque et Archives Canada
2e impression, novembre 2011

Nous reconnaissons l'aide financière du gouvernement du
Canada par l'entremise du Fonds du livre du Canada pour nos
activités d'édition.

Nous remercions également la SODEC de son appui financier
(programmes Aide à l'édition et Aide à la promotion).

ASSOCIATION NATIONALE DES ÉDITEURS DE LIVRES
Les Éditions Transcontinental
sont membres de l'Association
nationale des éditeurs de livres.